HÉLÈNE LARAMÉE
Collège de Rosemont

Avec la collaboration de
GERARDO MOSQUERA
Collège Dawson

INTRODUCTION À LA PHILOSOPHIE

4e ÉDITION

Achetez
en ligne ou
en librairie
En tout temps,
simple et rapide!
www.cheneliere.ca

CHENELIÈRE
ÉDUCATION

Introduction à la philosophie
4e édition

Hélène Laramée

© 2013 **Chenelière Éducation inc.**
© 2007, 2003, 1997 Les Éditions de la Chenelière inc.

Conception éditoriale : France Vandal
Édition : Martine Rhéaume
Coordination : Valérie Côté
Révision linguistique : Lise Gauthier
Correction d'épreuves : Jacinthe Caron
Conception graphique : Christian Campana
Conception de la couverture : Geneviève Bellehumeur (Tatou)
Impression : TC Imprimeries Transcontinental

**Catalogage avant publication
de Bibliothèque et Archives nationales du Québec
et Bibliothèque et Archives Canada**

Laramée, Hélène, 1957-

   Introduction à la philosophie

   4e éd.

   Comprend des réf. bibliogr. et un index.

   Pour les étudiants du niveau collégial.

   ISBN 978-2-7650-4003-3

   1. Philosophie – Introductions.   2. Philosophie – Problèmes et
exercices. i. Titre.

BD22.L368 2013   100   C2012-942251-7

**CHENELIÈRE
ÉDUCATION**

5800, rue Saint-Denis, bureau 900
Montréal (Québec) H2S 3L5 Canada
Téléphone : 514 273-1066
Télécopieur : 514 276-0324 ou 1 800 814-0324
info@cheneliere.ca

ISBN 978-2-7650-4003-3

Dépôt légal : 1er trimestre 2013
Bibliothèque et Archives nationales du Québec
Bibliothèque et Archives Canada

Imprimé au Canada

4 5 6 7 8 ITIB 23 22 21 20 19

Gouvernement du Québec – Programme de crédit d'impôt pour l'édition de livres – Gestion SODEC.

L'éditeur tient à remercier les personnes suivantes qui, grâce à leurs nombreux commentaires et suggestions, ont collaboré à l'élaboration de cette nouvelle édition :

Jean-François Cordeau, Cégep de St-Laurent
Patrick Finley
Anne-Marie Gagnon, Cégep de Rivière-du-Loup
Maud Gauthier-Chung, Collège Lionel-Groulx
Bruno Marion, Collège de Maisonneuve
Jérémie McEwen, Collège Montmorency
Karine St-Denis, Collège Lionel-Groulx.

Le matériel complémentaire mis en ligne dans notre site Web est réservé aux résidants du Canada, et ce, à des fins d'enseignement uniquement.

L'achat en ligne est réservé aux résidants du Canada.

Ce projet est financé en partie par le gouvernement du Canada

À la muse du beau et du bien

AVANT-PROPOS

C e cours d'introduction à la philosophie vise à nous faire comprendre la nature et l'importance de la démarche rationnelle en vue d'une existence personnelle et citoyenne significative. Pour nous aider à progresser dans cette compréhension, nous envisagerons la rationalité selon trois perspectives, avec le souci toujours constant d'éclairer leur complémentarité.

Dans un premier temps, nous accueillerons la rationalité comme une inconnue dont nous ignorons les origines et nous la solliciterons de nous rendre compte de son évolution depuis sa séparation d'avec le mode de pensée mythique jusqu'à la naissance des sciences modernes. Nous serons conviés à la rencontre de ceux (des présocratiques à Aristote) qui ont jeté les bases de la méthode philosophique.

Les présentations étant faites, nous accepterons ensuite de nous livrer, avec Socrate comme compagnon de route, à la pratique de l'argumentation que nous propose la rationalité. Outre les connaissances que nous y gagnerons, nous devrions en ressortir aptes à analyser et à évaluer les opinions et les discours ambiants, ainsi qu'à adopter les positions les plus judicieuses concernant des controverses actuelles.

Enfin, nous examinerons plus à fond les réponses que la rationalité a inspirées à quelques célèbres penseurs et philosophes sur des questions liées principalement à la connaissance et à la vie bonne.

REMERCIEMENTS

J e remercie très chaleureusement France Vandal, éditrice-conceptrice, Martine Rhéaume, éditrice, et Valérie Côté, chargée de projet, qui, à la manière des *Xárites*, ont veillé généreusement à faire de cet ouvrage un tout harmonieux. Ayant réintégré un exposé sur Aristote à l'actuelle édition, je tiens également à remercier monsieur Richard Bodéüs dont l'enseignement est toujours, pour moi, une source précieuse d'inspiration. Mes remerciements vont aussi à mon frère Jean-Pierre Laramée dont les valeurs citoyennes et la finesse du jugement politique éclairent une étendue insoupçonnée d'objets. Enfin, je ne saurais, encore une fois, passer sous silence la très bénéfique collaboration de mon collègue et ami Gerardo Mosquera.

L'équipe éditoriale de Chenelière Éducation se joint à moi pour remercier de manière toute particulière les enseignants en philosophie qui ont agi à titre de consultants pour ce manuel. Il s'agit de David Bertet du Collège de Valleyfield, Marie Line Nault du Cégep de Trois-Rivières et Gilles Vigneault du Cégep de Saint-Jérôme. Merci aussi à tous les artisans et artisanes qui ont participé à la production de ce manuel.

Hélène Laramée

PRÉSENTATION DE L'OUVRAGE

Ouverture de partie
Elle présente une table des chapitres de la partie.

Ouverture de chapitre
Elle s'inscrit visuelle-ment dans la lignée de l'ouverture de partie. Une citation en exergue sert d'inspiration et d'éclairage philosophique au chapitre à l'étude.

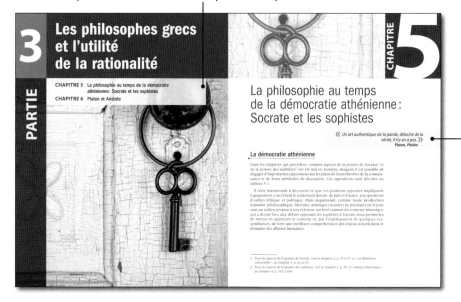

Note explicative
Certains concepts identifiés dans le texte font l'objet d'une explication plus approfondie, souvent illustrée d'un exemple.

Figure
Des schémas et des illustrations soutiennent l'explication des concepts complexes et permettent à l'étudiant de les comprendre en un coup d'œil.

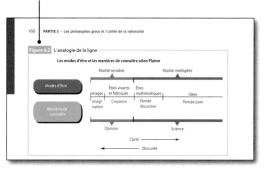

Définition en marge
Des termes clés sont identifiés dans le texte et définis en marge, afin de faciliter la compréhension de la matière, sans interrompre la lecture.

Iconographie
Des reproductions d'œuvres d'art ou des photos de lieux géographiques en lien direct avec la matière agrémentent les chapitres.

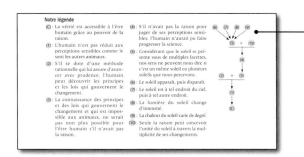

Schéma logique

Dans les chapitres traitant de l'argumentation, des schémas logiques simples et clairs viennent illustrer la démarche.

Tableau

La comparaison entre des concepts ou des courants, s'opposant en certains points et se recoupant en d'autres, est facilitée par la présentation de tableaux.

Résumé

Un bref résumé est donné à la fin de chaque chapitre. Les sujets sont abordés dans le même ordre que dans le chapitre, ce qui favorise une bonne révision des concepts.

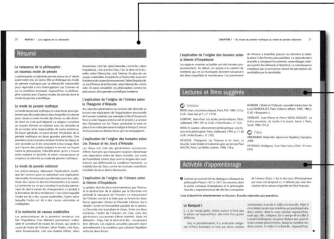

Lectures et films suggérés

L'étudiant curieux est invité à consulter des livres et à visionner des films qui éclairent la matière vue, tout en étant à sa portée.

Activités d'apprentissage

Chaque chapitre est complété par des activités d'apprentissage basées sur des extraits de textes, tirés des meilleures traductions à jour.

Pages de fin

On retrouve à fin du manuel un supplément portant sur «Le bonheur et la liberté selon les stoïciens et selon les épicuriens». Ce supplément comprend deux activités d'apprentissage pour une application pédagogique de son contenu.

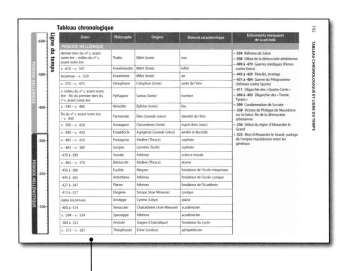

Tableau chronologique

Un tableau chronologique retraçant les grandes étapes de la philosophie antique, ancré dans une ligne du temps qui facilite la compréhension, est offert à la fin du manuel.

TABLE DES MATIÈRES

Extraits de textes anciens x

Introduction à l'intention des étudiants et des étudiantes. 1

PARTIE 1   Les origines de la rationalité 2

CHAPITRE 1   Du mode de pensée mythique au mode de pensée rationnel 3

La naissance de la philosophie : un nouveau mode de pensée 3

Le mode de pensée mythique 5

Le mode de pensée rationnel 8

À la recherche de causes matérielles 10

L'explication de l'origine de l'Univers selon la
Théogonie d'Hésiode 14

L'explication de l'origine des humains selon
Les Travaux et les Jours d'Hésiode 15

L'explication de l'origine de l'Univers selon
la théorie d'Empédocle 16

L'explication de l'origine des humains selon la
théorie d'Empédocle 18

Résumé 20

Lectures et films suggérés 21

Activités d'apprentissage 21

CHAPITRE 2   L'évolution de la rationalité **25**

À la recherche de principes abstraits et intelligibles 25

Pythagore 25

Parménide 28

Héraclite 30

La philosophie et la théorie de la connaissance 31

L'élucidation de la méthode et des problèmes philosophiques 33

Socrate 33

Platon 35

Aristote 38

La poursuite de la recherche sur la nature 40

La philosophie, les sciences modernes et les techniques 41

Résumé 44

Lectures et film suggérés 45

Activités d'apprentissage 46

PARTIE 2   L'argumentation rationnelle 50

CHAPITRE 3   Les notions de base de l'argumentation **51**

L'autonomie et la rationalité 51

Les attitudes qui vont à l'encontre d'un usage
approprié de la raison 53

Les principes de l'éthique de l'argumentation 54

La proposition 55

Les critères de vérité 56
  La correspondance 56
  La cohérence 57
Les types de propositions 58
  Les propositions empiriques 58
  Les propositions non empiriques 59
  Les propositions de préférence 60
La définition 60
  La définition lexicale 62
  La définition stipulative 62
  La définition universelle 63
Le raisonnement 68
Les indicateurs de prémisses et de conclusions 70
Le raisonnement bien formé et le raisonnement mal formé. 70
Les raisonnements déductif et inductif 73
  Le raisonnement déductif. 73
  Le raisonnement inductif 75
Résumé 78
Lectures et film suggérés 79
Activités d'apprentissage 80

CHAPITRE 4   **Les règles et la pratique de l'argumentation** **89**
Le sens critique 89
L'analyse des raisonnements 90
  La légende des raisonnements 90
La synthèse des raisonnements 93
  Le schéma des raisonnements 93
  Les schémas des raisonnements simples 94
  Les schémas des raisonnements complexes 95
  Comment vérifier si nos schémas sont construits
  correctement 95
L'évaluation de la vérité ou de l'acceptabilité des prémisses 96
  Les critères d'évaluation des propositions empiriques 96
  Les critères d'évaluation des propositions de valeur. 98
  Les critères d'évaluation des propositions analytiques 98
L'évaluation de la rigueur des liens entre les prémisses
et leur conclusion. 99
  La pertinence des prémisses 99
  La suffisance du lien entre les arguments et la conclusion 100
Les sophismes. 102
  Aperçu historique. 102
  Les sophismes qui enfreignent le critère de l'acceptabilité 104
  Les sophismes qui enfreignent le critère de la pertinence. 105
  Les sophismes qui enfreignent le critère de la suffisance 107
La rédaction d'un texte d'argumentation 107
  Les compétences requises pour construire un bon
  texte d'argumentation 107
  L'antithèse, l'objection et la réfutation. 108
  Le développement du texte d'argumentation 110
Résumé. 111
Lectures et film suggérés 112
Activités d'apprentissage 113

PARTIE 3   **Les philosophes grecs et l'utilité de la rationalité** 122

CHAPITRE 5   **La philosophie au temps de la démocratie athénienne :**
Socrate et les sophistes **123**
La démocratie athénienne 123
Les événements qui ont conduit à la démocratie athénienne 124
Une démocratie directe 126
Les sophistes 128
Protagoras, défenseur de la justice humaine 128
Le pragmatisme et la nécessité de la rhétorique 129
La loi du plus fort 130
Socrate 132
Un procès politique 133
La vertu-science 134
La justice et les lois 136
L'amour véritable 138
Résumé 140
Lectures et film suggérés 141
Activités d'apprentissage 141

CHAPITRE 6   **Platon et Aristote** **155**
Deux sources de réflexion inépuisables 155
L'être et la vérité selon Platon 156
Un monde hiérarchisé 158
L'Idée du bien 161
L'être et la vérité selon Aristote 162
L'être au sens premier 163
La différenciation du bien 165
La connaissance et l'expérience sensible 167
Le domaine des affaires humaines vu par Platon 168
L'éducation à la vertu 168
Les philosophes-rois 168
La réalisation de la justice dans la cité 169
Le choix d'une vie bonne 171
Le domaine des affaires humaines vu par Aristote 172
La politique comme art architectonique 172
Les philosophes et les politiciens 173
La réalisation de la justice dans la cité 174
Résumé 175
Lectures et films suggérés 176
Activités d'apprentissage 177

SUPPLÉMENT **Le bonheur et la liberté selon les stoïciens et selon les épicuriens** **182**
La philosophie hellénistique 182
Le stoïcisme 182
Le bonheur et la liberté 183
L'épicurisme 185
Le bonheur et la liberté 187
Activités d'apprentissage 189

Tableau chronologique 192
Bibliographie 194
Sources iconographiques 194
Index 195

EXTRAITS DE TEXTES ANCIENS

PLATON. *Le Banquet*, 189d-193d. 21

PLATON. *Alcibiade*, 116d-118c. 46

PLATON. *Gorgias*, 457c-458b. 48

PLATON. *Hippias majeur*, 287e-290d. 64

PLATON. *Lysis*, 207d-210d. 80

PLATON. *Lachès*, 190d-193e. 84

PLATON. *Lysis*, 215c-216b. 114

PLATON. *Théétète*, 166d-167d. 118

PLATON. *Gorgias*, 455d-456d. 118

PLATON. *La République*, 359d-360b. 130

XÉNOPHON. *Mémorables*, I, 2, 9 133

CRITIAS. « Sisyphe ». 141

PLATON. *Protagoras*, 320c-322d. 143

PLATON. *La République*, livre I, 338d-339a et 341c-342e 144

PLATON. *Apologie de Socrate*, 24b-28a. 146

PLATON. *Apologie de Socrate*, 29b-31a. 150

PLATON. *Le Banquet*, 201e-204c 152

PLATON. *La République*, VII, 514a-518d. 177

ARISTOTE. *Éthique à Nicomaque*, II 1, 1103a-14-25 180

ÉPICTÈTE. *Entretiens*, IV, 1, 40, 46, 48. 184

LUCRÈCE. *De la nature*. 188

CICÉRON. *Des termes extrêmes des biens et des maux*, tome II, livre III 189

ÉPICURE. *Lettre à Ménécée* (extrait) 190

INTRODUCTION À L'INTENTION DES ÉTUDIANTS ET DES ÉTUDIANTES

C'est une chose connue que, dans les programmes de niveau collégial, les cours de philosophie sont l'occasion d'une expérience particulière. Or, afin de rendre cette expérience agréable et d'en favoriser la réussite, il est conseillé d'adopter une disposition d'esprit adéquate, tout empreinte de curiosité, d'ouverture et de réflexion. Il est cependant légitime qu'avant de donner votre plein assentiment à cette requête, vous vous attendiez à ce que les enseignantes et les enseignants de cette discipline la justifient à l'égard des rumeurs qui circulent généralement sur elle. Est-il vrai que tout est à apprendre par cœur ? Avons-nous le droit à nos opinions ? En quoi la philosophie nous est-elle utile ?

Disons tout d'abord que le meilleur moyen pour contrer ordinairement les préjugés, comme ceux qui, peut-être, se cachent derrière ces questions, est d'en vérifier la véracité ou la fausseté par soi-même ; ce qui, ironiquement, dans le cas présent, nécessite de faire un long parcours pour obtenir ce que l'on juge être un préalable à ce même parcours. Je tenterai donc d'apporter à ce problème, sinon des réponses tout à fait convaincantes, du moins quelques éclaircissements provisoires.

Comme dans toute discipline, faire de la philosophie exige l'apprentissage d'un vocabulaire approprié et l'initiation à des théories. On ne pourrait donc nier que tout enseignement de la philosophie contient une part de mémorisation de concepts et de compréhension de quelques théories de philosophes ayant apporté une contribution importante à l'histoire de la pensée occidentale. Néanmoins, bien que cette mémorisation et cette compréhension soient nécessaires, elles ne sont qu'une étape en vue du développement d'une pensée rationnelle et autonome, qui est proprement l'objectif visé. On peut donc dire que si des efforts de mémorisation vous sont demandés, ce sera pour alimenter votre réflexion : votre mémoire sera mise au service de votre pensée personnelle.

Est-ce à dire qu'en philosophie, toutes les opinions sont également acceptables ? En réalité, il n'y aurait aucun avantage à suivre un cours de philosophie si l'on n'y apprenait rien de plus que de discuter de la manière dont on le fait généralement chez soi. En philosophie, il importe d'organiser rigoureusement ses idées et de les justifier selon les critères de la rationalité. Faire de la philosophie nécessite qu'on ne traite pas indifféremment les bons et les mauvais arguments et c'est là, nous

le verrons, un gage de vérité et de démocratie. Ce qui nous conduit à l'utilité de la philosophie.

Si l'on cherche, dans un cours de philosophie, une compétence immédiatement utile à l'exercice d'un métier ou d'une profession, on risque d'être bientôt déçu. Déjà à ses débuts, la philosophie se définissait comme l'amour ou la poursuite (du verbe grec *philên* qui signifie « aimer ») de la sagesse (en grec, *sophía* signifie « sagesse ») ; le mot « sagesse » ayant pour sens premier la connaissance parfaite dans un domaine exclusivement intellectuel. Les philosophes ne cherchaient donc pas à acquérir des connaissances dans un but utilitaire ; celles-ci n'étaient pas une étape dans le but de produire quelque chose (par exemple, étudier les mathématiques pour faire le plan d'un édifice), mais elles étaient en elles-mêmes le but qu'ils visaient.

Cela peut sembler étrange à l'époque dans laquelle nous vivons, où ce que nous jugeons être bon est déclaré tel à cause de son utilité ou du gain matériel que nous en tirons. Mais pour saisir en quoi la philosophie pourrait tout de même nous être utile, nous pouvons la comparer à ce que le grand philosophe Aristote, dont il sera question dans cet ouvrage, disait à propos de l'amitié.

Il existe d'après lui trois types d'amis. Dans le premier type, il rangeait ceux avec qui nous échangeons mutuellement des services et que nous aimons pour l'intérêt que nous en retirons. Le deuxième type comprend ceux que nous fréquentons pour le plaisir et que nous aimons parce qu'il nous est agréable d'être avec eux. Enfin, le troisième type est celui de nos amis les plus rares, ceux dont nous aimons pour elle-même la compagnie. Or, ces derniers, même si nous les aimons par pure amitié, sans rechercher ni plaisir ni utilité, sont ceux qui nous apportent du réconfort dans les moments difficiles et qui nous aident à nous accomplir comme personne. Si donc l'amitié véritable ne vise pas en premier lieu l'utilité, il apparaît qu'à long terme, elle pourrait s'avérer la plus utile.

Nous pouvons en dire autant de la connaissance qui est aimée pour elle-même. Patiemment, elle nous ouvre de nouveaux horizons et enrichit notre réflexion ; elle libère notre pensée des préjugés ambiants et fait de nous des citoyens autonomes qui savent apprécier le dialogue et reconnaître, dans la vérité et la justice, leur bien propre.

Bonne session !

Les origines de la rationalité

CHAPITRE 1 Du mode de pensée mythique au mode de pensée rationnel
CHAPITRE 2 L'évolution de la rationalité

Du mode de pensée mythique au mode de pensée rationnel

« *Tous les humains désirent naturellement savoir.* »
Aristote, *Métaphysique*

La naissance de la philosophie : un nouveau mode de pensée

La philosophie occidentale est née autour du vi[e] siècle avant notre ère[1], dans les colonies grecques (principalement Milet, Éphèse et Samos) de la région ionienne de l'Asie Mineure (emplacement actuel de la Turquie). À la fin du vi[e] siècle, elle connut également une activité importante dans une autre colonie grecque, la Grande Grèce, en Italie du Sud et, au milieu du ve siècle, c'est Athènes qui devint son lieu privilégié.

Tout au long de l'évolution de l'humanité, on voit apparaître différents modes de pensée. Chaque fois, il s'agit d'apporter des réponses aux questions que l'on se pose sur l'univers qui nous entoure et sur notre place en tant qu'être humain dans cet univers. Avec la philosophie, cette démarche pour appréhender le

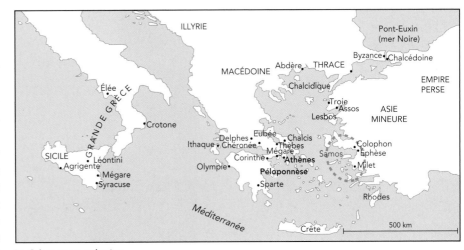

La Grèce et ses colonies

---

1. Les expressions « notre ère », « l'ère chrétienne » et « après Jésus-Christ » renvoient au calendrier qui s'étend du 1er janvier de l'an 1 jusqu'à aujourd'hui. Ce calendrier a été établi vers l'an 525 sous la papauté de Jean Ier après qu'il eut demandé à Dionysius Exiguus de fixer la date de Pâques. Il s'ensuit de l'adoption de ce calendrier que toutes les dates qui se situent *avant notre ère* suivent un ordre descendant, la plus éloignée de l'an 1 étant signifiée par un nombre plus grand que la plus proche.

réel et donner un sens à notre existence se présente et se déploie comme pensée proprement rationnelle ; elle est, en ce sens, à la source des sciences modernes.

La naissance de la philosophie coïncide avec celle de la rationalité comme mode d'explication du réel. C'est pourquoi, pour comprendre la nature et l'importance de la rationalité, il faut d'abord voir ce qui la distingue, dès ses débuts, du mode de pensée qui la précède. Pourquoi, en effet, dirions-nous d'un auteur du VIIIe siècle avant notre ère qu'il est un poète dont les explications relèvent de la pensée mythique alors qu'on attribuerait les épithètes de philosophe et de théoricien rationnel à un auteur du VIe siècle avant notre ère ? Mais avant d'aborder cette comparaison, trois remarques s'imposent concernant la figure 1.1.

Figure 1.1   **La ligne du temps représentant l'évolution des modes de pensée**

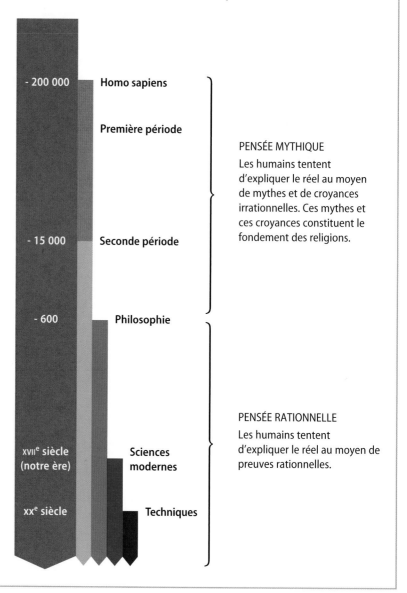

Selon l'état des recherches actuelles, les premiers Homo sapiens sont apparus il y a environ 200 000 ans. Sur le plan culturel, ce type d'humain auquel nous nous rattachons par un même bassin génétique, se distingue de ses prédécesseurs par ses pratiques religieuses, ainsi que par l'art et le langage.

- 200 000   Homo sapiens

Première période

- 15 000   Seconde période

- 600   Philosophie

XVIIe siècle (notre ère)   Sciences modernes

XXe siècle   Techniques

PENSÉE MYTHIQUE

Les humains tentent d'expliquer le réel au moyen de mythes et de croyances irrationnelles. Ces mythes et ces croyances constituent le fondement des religions.

PENSÉE RATIONNELLE

Les humains tentent d'expliquer le réel au moyen de preuves rationnelles.

1. L'avènement d'un nouveau mode de pensée comme mode dominant ne supprime pas l'existence des modes antérieurs. Ainsi, bien que le mode de pensée technique puisse être très présent à notre époque, les sciences, la philosophie, la religion et même la pensée mythique sont toujours actuelles.

2. Il ne faut pas confondre « évolution » et « progrès ». On parle de « progrès » lorsqu'une chose se modifie dans le sens d'une amélioration, en quelque chose de meilleur. On emploie correctement le terme « évolution » pour une chose qui se modifie sans que cela implique nécessairement un progrès ou une régression. De plus, certaines choses peuvent progresser sur un plan et régresser sur un autre plan. On peut très bien imaginer une société techniquement avancée qui, sur le plan moral, serait inférieure à de petites sociétés archaïques. Ne pensons, par exemple, qu'au respect dont ces petites sociétés font preuve à l'égard de l'environnement et des autres espèces vivantes ; jamais on ne les a vues consommer au-delà de leurs besoins et saccager la nature.

3. Les termes « irrationnelles » et « rationnelles » ne sont pas respectivement synonymes des termes « fausses » et « vraies ». D'une part, la religion, la poésie et l'art peuvent nous faire accéder à des vérités. D'autre part, même si elle peut nous faire accéder à des vérités, la rationalité n'est qu'un chemin vers elles parmi d'autres chemins. Toutefois, c'est une exigence de la philosophie, tout comme des sciences, qu'on doive suivre leur démarche rationnelle au moment où nous les pratiquons ; dans un laboratoire de chimie, on ne donne pas pour cause d'une explosion, dans une éprouvette, la colère de Zeus !

Mythe

Les mythes sont le premier mode d'explication utilisé par l'être humain pour comprendre l'univers et donner un sens à son existence. Ce sont des récits dans lesquels interviennent des forces surnaturelles et des divinités pour répondre à tout ce qui est objet d'étonnement ou de crainte.

Le mode de pensée mythique

La pensée mythique est le premier mode d'explication utilisé par les humains pour comprendre l'univers qui les entoure. À l'aube de l'humanité, les **mythes** s'inscrivent d'abord dans une tradition orale ; ce sont des récits non historiques, dans lesquels interviennent des forces surnaturelles et des divinités, que nos lointains ancêtres se racontent pour répondre à leurs interrogations concernant tout ce qui est objet d'émerveillement ou de crainte.

La pensée mythique se rapproche de la conscience poétique en ce sens qu'elles ressemblent toutes les deux à une expérience vécue de l'intérieur, sans distance qui nous sépare des choses. C'est par analogie toute la différence qui existe entre une personne qui vit de l'intérieur une déception amoureuse et un ami qui, grâce à la distance affective qu'il peut prendre, tente de la consoler en l'aidant à rationaliser cette expérience douloureuse. Ce type de pensée n'exclut cependant pas que les humains fassent usage de la raison ; les correspondances que l'on trouve dans les mythes des différentes régions du monde attestent, au contraire, que les mythes ne sont pas des récits choisis au hasard et

Un masque de théâtre grec. Les grands auteurs de tragédies, comme Eschyle (-525 à -456), Sophocle (-496 à -406) et Euripide (-485 à -406), étaient les contemporains des premiers philosophes.

Athéna, la déesse guerrière aux yeux pers, veille sur la justice et sur l'ingéniosité des humains.

sans aucune structure interne[2]. Toutefois, dans cette période de l'humanité notre rapport au réel est vécu principalement de façon affective et intuitive.

On peut, en effet, très bien comprendre que, sans les découvertes scientifiques qui nous procurent une certaine maîtrise des forces de la nature et sans les commodités qu'elles ont entraînées, l'univers se présentait alors comme rempli d'événements mystérieux et parfois terrifiants. C'est pourquoi la pensée mythique donne le sentiment d'une dépendance quotidienne à l'égard du surnaturel: la terre, l'eau, le feu, l'apparition et la disparition de la lumière du soleil, le cycle de la reproduction et celui des saisons, les tremblements de terre, la foudre, la souffrance, la naissance, l'acte sexuel, les actes héroïques, la mort; tout ce qui a un impact sur la vie de l'être humain n'est alors pas considéré comme faisant partie des réalités profanes de la vie ordinaire, mais est plutôt investi d'un pouvoir sacré.

Le sacré se présente aux humains comme la manifestation, dans notre monde, de forces surnaturelles ayant une existence plus réelle (moins dépendante de circonstances extérieures) et une puissance beaucoup plus grande que les nôtres. Afin de s'assurer une vie paisible que ne détruiront pas ces forces, les humains tentent de les apprivoiser et d'obtenir leurs faveurs. On assiste alors à la création de la **religion** qui est un moyen d'entrer en contact avec elles, de les

Religion

Il est difficile de trancher nettement entre ce qui caractérise les premières formes de religion et les formes plus tardives. De façon générale, l'idée de monothéisme (terme composé du mot grec *mónos* qui signifie «un seul» et du mot grec *theótès* qui signifie «divinité») remplace, dans les formes plus tardives, celle de polythéisme (terme composé du mot grec *polùs* qui veut dire «nombreux» et du grec *theótès*) que l'on trouve dans les premières. Alors que, dans les religions polythéistes, on déifie des éléments et des fonctions qui suscitent l'admiration, dans les religions monothéistes, un seul Dieu, qui n'a lui-même été engendré par aucune autre force, est à l'origine de tout. L'idée de création à partir du néant n'existe pas dans le polythéisme. De plus, le monothéisme conduit à une théologie (mot composé du mot grec *theós* qui

veut dire «dieu» et du mot grec *lógos* qui veut dire, ici, «étude»), c'est-à-dire à une étude des textes sacrés et des questions religieuses alors que cette attitude de recul ou de regard porté sur les choses auxquelles on croit ne semble pas être présente dans les premières expériences de polythéisme.

Toutes les religions ont toutefois cette ressemblance qu'elles se constituent à partir de mythes d'origine. Par exemple, dans la religion juive, on explique l'origine du travail et de la souffrance par la désobéissance d'Adam et d'Ève lorsqu'ils ont mangé le fruit de l'arbre de la connaissance du bien et du mal. Pour les punir, Dieu condamna Ève à enfanter dans la douleur et Adam à devoir travailler à la sueur de son front pour obtenir de quoi se nourrir. Depuis, pour expier le péché originel, tous leurs descendants doivent avoir la volonté d'être bons.

---

2. Le sens attribué au mot «mythe» pour parler des premières explications aux problèmes auxquels est confrontée l'intelligence humaine n'a rien de péjoratif. Bien que les mythes d'origine aient pu parfois se muter en superstitions, en son sens premier, le mythe n'est pas une duperie dont se servent certains pour s'assurer une domination sur la mentalité collective; Ulysse, roi d'Ithaque, a les mêmes croyances que ses sujets.

connaître et d'agir selon l'ordre qu'elles prescrivent. La religion dite « primitive » est efficace, d'une part, parce qu'elle se structure à partir de mythes qui, en attribuant une origine à tout ce qu'on considère comme sacré, en donnent une explication ; d'autre part, parce que, sur la base de ces mythes d'origine, les humains établissent des rituels qui, en ponctuant l'année de moments sacrés, leur donnent le sentiment de participer au maintien de l'ordre de l'univers.

Les rituels couvrent tout le champ du sacré. On organise des fêtes religieuses autour des croyances liées aux phénomènes naturels – on fait des offrandes aux divinités pour leur demander que la pluie soit suffisante et que les récoltes soient bonnes, ou pour leur rendre grâce au temps des moissons – et autour des croyances concernant les conduites humaines – on célèbre la gloire d'un même ancêtre mythique, on instaure des rites de passage, on inhume les morts. La répétition cyclique des rites symbolise la soumission des humains à l'ordre qu'imposent les forces qui gouvernent notre univers. Ce faisant, les humains protègent leur existence, assurent la réussite de leurs activités de subsistance et renforcent leur équilibre psychologique et politique.

Étant donné que la pensée mythique a prévalu depuis les débuts de l'humanité jusqu'au VIe siècle avant notre ère, on divise généralement son évolution en deux grandes périodes (voir la figure 1.1). On situe la première avant l'avènement de l'écriture et des formes sociopolitiques évoluées. Elle se caractérise par le fait que les forces surnaturelles ne sont pas encore considérées comme des divinités avec des identités précises ; ce sont des forces diffuses que les humains tentent d'imiter en se soumettant à leurs exigences. La seconde période est celle des grandes mythologies antiques, qui nous sont connues grâce à des œuvres écrites. En Grèce, on doit aux poètes **Homère** et **Hésiode** d'avoir structuré les mythes auparavant transmis de génération en génération par la tradition orale. Dans leurs écrits se précise le caractère anthropomorphique des divinités : on leur attribue des personnalités, des traits physiques, des qualités morales, des passions, des fonctions sociales. Ces descriptions sont le signe d'un renversement du rapport entre les humains et les dieux. Progressivement, le monde divin apparaît moins comme un monde à craindre que comme un champ d'investigation, un miroir, où se reflètent les besoins et les volontés politiques des humains.

Dans l'œuvre écrite, la personnification des dieux et l'établissement de leurs rapports généalogiques et hiérarchiques entraînent une explication plus systématique et plus achevée de l'origine et de l'ordre de l'univers. Ainsi, dans son livre intitulé *Théogonie*, Hésiode[3] élimine de nombreuses contradictions contenues dans la tradition orale en fixant des filiations cohérentes entre les dieux du panthéon grec. Aussi, en ordonnant de façon plus rigoureuse leurs luttes et leurs alliances, il expose comment Zeus, le roi des dieux, a mis fin au

Homère

Homère est un poète grec, auteur de l'*Iliade*, épopée qui raconte la guerre de Troie, et de l'*Odyssée*, épopée qui relate le périlleux retour d'Ulysse à Ithaque après la guerre de Troie. Il a vécu vers le milieu du IXe siècle avant notre ère.

Hésiode

Hésiode est un poète grec, auteur de la *Théogonie*, mythe cosmogonique fondé sur la généalogie des dieux, et du poème *Les Travaux et les Jours*, esquisse de l'histoire de l'humanité. Il a vécu vers le milieu du VIIIe siècle avant notre ère.

Anthropomorphisme

Ce mot a été composé à partir de deux mots grecs : *ánthropos* qui signifie « humain » et *morphè* qui signifie « forme ». Dans le sens qui nous intéresse ici, l'anthropomorphisme consiste à concevoir les dieux à l'image des humains. Par exemple, Artémis, déesse farouche des bois et des montagnes, est la protectrice des Amazones chasseresses ; Hermès est le dieu de l'éloquence et le messager de Zeus.

---

3. En guise d'illustration du mode de pensée mythique, les dernières sections de ce chapitre présentent les explications d'Hésiode sur l'origine de l'univers et sur l'origine des humains ; lesquelles sont suivies, en guise d'illustration du mode de pensée rationnel, des explications d'Empédocle sur les mêmes thèmes.

Le cheval de bois, cadeau piégé offert aux Troyens, à l'intérieur duquel se cachent Ulysse et ses compagnons.

Chaos primitif

Le chaos primitif est l'état chaotique ou désordonné de la matière avant la naissance d'un univers ordonné. Cette expression laisse donc supposer qu'avant l'apparition du cosmos (du grec *kósmos*), ou de l'ordre qu'on perçoit dans les cycles des phénomènes naturels, la matière ne donnait lieu à aucune existence réelle. La théorie actuelle du big bang suppose également une forme de chaos primitif. Selon cette théorie, avant la naissance de l'univers, il y a quinze milliards d'années, la matière aurait été infiniment dense et chaude. L'énergie causée par cette température extrêmement élevée aurait alors provoqué une grande explosion (le big bang) à partir de laquelle la matière se serait dilatée et refroidie, donnant lentement naissance à l'univers tel qu'on le connaît.

chaos primitif et a établi l'ordre définitif de l'univers. De plus, on voit se dessiner, dans l'œuvre des poètes, une notion d'âme avec l'apparition de divinités personnelles (les *daîmones*) qui déterminent la destinée des individus et qui deviendront, quelques siècles plus tard, l'élément rationnel dans l'humain.

L'esprit de système que recèlent les textes des poètes de l'Antiquité témoigne d'un certain souci de rationalité et se présente comme le fond sur lequel s'élaborera la philosophie. Toutefois, la pensée n'est pas encore dégagée des croyances qui identifient les éléments et les phénomènes naturels à des puissances surnaturelles. Par exemple, dans le mythe que raconte Hésiode, la Terre (Gaïa), le Ciel (Ouranos) et la Mer (Pontos) sont conçus à la fois comme matières et divinités. De même, les guerres entre les dieux symbolisent le chaos primitif, alors que la paix instaurée par Zeus reflète la naissance d'un univers ordonné. De plus, il n'existe encore aucune théorie pour expliquer l'acte par lequel les humains peuvent accéder à des connaissances. À l'époque de la pensée mythique, connaître, c'est accéder aux secrets des dieux; c'est pourquoi on a recours à des prêtres, des devins et des prophètes pour servir d'intermédiaires entre le monde des dieux et le monde des humains. Autrement dit, dans la pensée mythique et dans la pensée religieuse, la connaissance est transmise de différentes manières – énigmes, augures, oracles, révélations, etc. – par les dieux à certains humains; alors que, dans la pensée rationnelle, les humains tentent d'atteindre la connaissance exclusivement au moyen de leurs propres facultés.

Il faut aussi, à ce sujet, faire une distinction entre, d'une part, un mythe et, d'autre part, une fable et une allégorie. Il arrive que les philosophes utilisent une fable ou une allégorie pour illustrer une théorie qui cause des difficultés à notre compréhension. La fable et l'allégorie ont un but pédagogique; elles ne sont pas utilisées dans le but que nous croyions à ce qu'elles racontent, mais comme préliminaires à un contenu rationnel. Cela dit, il peut tout de même arriver que certaines fables soient prises trop au sérieux et qu'elles finissent par jouer le rôle d'un mythe au sens où nous l'entendons aujourd'hui; le mythe du prince charmant qui habite parfois l'inconscient des filles ou celui du héros sans peur et sans reproche qui habite parfois celui des garçons, en sont des exemples.

Le mode de pensée rationnel

La naissance de la philosophie est indissociable des changements profonds qu'a subis le monde grec de la fin du VIIIe siècle à la fin du VIe siècle avant notre ère. L'évolution des activités économiques et des formes sociopolitiques a marqué les

Présocratique

Ce terme signifie « avant Socrate », le philosophe Socrate ayant vécu de 470 à 399 avant notre ère. L'expression « avant Socrate » peut être prise selon deux sens. D'un point de vue chronologique, la majorité des présocratiques ont vécu avant Socrate, bien que certains d'entre eux aient été ses contemporains. D'un point de vue philosophique, les recherches des présocratiques se ressemblent en des points essentiels alors qu'elles diffèrent de celles de Socrate. Avec Socrate, on assiste à un déplacement de l'objet de la recherche : des questions qui portent sur la nature, on passe à l'étude des affaires proprement humaines.

mentalités. Les relations commerciales avec les étrangers ont conduit les Grecs à faire l'expérience de la diversité humaine et à remettre en question la pertinence de leurs mythes. Xénophane (philosophe né à Colophon, en Ionie, vers 570 avant notre ère), par exemple, notera que chaque peuple a des dieux à son image : « Peau noire et nez camus : ainsi les Éthiopiens représentent leurs dieux, cependant que les Thraces leur donnent des yeux pers et des cheveux de feu »[4].

On regroupe sous le nom de **présocratiques** les premiers philosophes. Leur pensée est parvenue jusqu'à nous grâce à des fragments de leurs œuvres écrites insérés çà et là dans des sources indirectes. L'histoire des **femmes philosophes** de l'Antiquité a toutefois connu un sort moins heureux ; les sources nous en disent trop peu pour que, mise à part Diotime dont il sera question ultérieurement, nous puissions les compter au nombre des philosophes dont nous étudions ici la pensée.

Tout comme leurs prédécesseurs, les présocratiques s'interrogent sur l'univers matériel, sur ce qui a mis fin au chaos primitif et est à l'origine de l'ordre ; mais à la différence des premiers, ils délaissent l'explication mythique de l'univers pour lui substituer une explication rationnelle. Le point de départ de leur pensée ne se trouve plus dans ce que les mythes racontent sur les dieux, mais dans la réalité concrète et perceptible au moyen des sens. Ainsi, plutôt que de recourir à des puissances extérieures à la nature (des forces surnaturelles et des divinités), les premiers philosophes recherchent des **causes** et des lois **immanentes** à la nature elle-même. Avec eux, les éléments matériels sont dépouillés de leur caractère divin et les luttes divines sont remplacées par des interactions mécaniques entre ces éléments. On ne cherche plus les raisons pour lesquelles Zeus enverrait la foudre, mais les causes physiques qui

Cause

Une cause est une raison explicative d'un être (ou d'une chose). C'est en quelque sorte un aspect que nous devons absolument considérer si nous voulons avoir une connaissance complète des êtres. Une cause peut se rapporter soit à la matière d'un être, soit aux conditions de son mouvement, soit à ce qui fait essentiellement qu'il est ce qu'il est, soit à ce vers quoi il tend.

Immanence

Caractère de ce qui est compris à l'intérieur même d'un être ou d'un ensemble d'êtres (par exemple, la nature) et qui ne résulte pas de l'action d'êtres extérieurs (par exemple, les divinités).

Femme philosophe

Dans son livre *Histoire des femmes philosophes*, Gilles Ménage (1613-1692) a répertorié soixante-cinq noms de femmes philosophes allant de l'Antiquité au Moyen Âge. Malheureusement, les œuvres de celles qui ont écrit n'ont pas été conservées. On connaît leur activité intellectuelle grâce à ce que d'autres auteurs ont écrit sur elles, mais ces références sont en grande majorité trop brèves pour que l'on puisse se faire une idée claire de leur contribution à la philosophie. Parmi elles, mentionnons Aspasie, qui aurait enseigné la rhétorique à Périclès et à Socrate ; Diotime, qui d'après *Le Banquet* de Platon aurait enseigné à Socrate la nature véritable de l'amour ; Théano, dont on dit qu'elle a assumé la direction de l'école pythagoricienne après la mort du philosophe et mathématicien Pythagore ; et, plus tard, Hypatie (370 à 415 de notre ère) qui était philosophe, mathématicienne et astronome, et qui enseigna ces disciplines à l'école qu'elle avait ouverte, à Alexandrie.

---

4. Jean-Paul DUMONT (dir.), *Les Présocratiques*, Paris, Gallimard, 1988, p. 118 (fragment XVI).

Mouvement

Les différentes sortes de changement que nous pouvons constater chez les êtres naturels. Par exemple, naître et mourir, croître et décroître.

Principe

Origine ou point de départ soit d'un mouvement naturel, soit d'une action, soit de la connaissance. Du point de vue de la recherche sur le mouvement, on appelle « principe du réel » ce qui est à l'origine de l'ordre.

Sensible

Tout ce qui est perceptible par les sens (la vue, l'ouïe, le toucher, l'odorat, le goût) est sensible, bien que cela puisse nécessiter le recours à des instruments qui les prolongent (le microscope, le télescope). Si les êtres sensibles peuvent être perçus par les sens, c'est parce qu'ils ont une matière. On notera que, dans le manuel, les expressions « réalité sensible », « univers matériel », « nature » et « notre monde » sont considérées comme des synonymes.

Abstraction

Isolement par la pensée de caractères essentiels et communs à un ensemble d'êtres concrets.

Intelligible

Ce qui ne peut être connu qu'au moyen de l'intelligence ou de la raison, par opposition à ce qui est connu au moyen des sens.

produisent ce phénomène naturel. Bref, les dieux se transforment lentement en des lois physiques qui gouvernent l'univers. Avec la naissance de la philosophie, on assiste donc à une séparation entre la religion et l'étude de la nature, entre le monde divin et l'expérience humaine.

La première constatation des philosophes dont l'objet était la nature a porté sur le fait d'expérience que toutes les choses de notre monde subissent continuellement le changement : ce qui vit meurt, de l'hiver nous passons au printemps, ce qui est froid devient chaud, la glace devient eau, les sentiments se transforment. Voici comment Jeanne Hersch (philosophe suisse qui a vécu de 1910 à 2000) a traduit l'esprit et l'étonnement de ces philosophes face à cette découverte :

> Nous vivons dans un monde où tout ne cesse de changer. Voici une bûche, peu après nous voyons une flamme, et un peu plus tard, il n'y a plus de flamme – rien qu'un petit tas de cendre. Un souffle de vent disperse la cendre. Elle disparaît. Et tout ce que nous contemplons, tout ce dont nous nous servons, et tous les êtres vivants, et les hommes, et nous-mêmes : tout ne cesse de changer, tout passe[5].

Le **mouvement** est donc apparu comme ce qu'il y avait de plus manifeste dans la nature, et a ainsi constitué l'objet des premières spéculations des philosophes. Toutefois cette constatation que tout change a vite paru insuffisante pour rendre compte des êtres de la nature. Si le mouvement était la seule raison explicative, se sont dit les philosophes, il serait impossible de les étudier de façon sérieuse puisque, rien n'étant jamais pareil, tout ne serait que non-sens. S'il n'y avait pas de lois ni de **principes** qui régissent les changements et fondent notre savoir, la science serait impossible et nous ne pourrions acquérir aucune connaissance ; la réalité nous échapperait constamment. En outre, cela contredirait toutes les régularités que, malgré le changement, nous pouvons observer dans la nature : les trajectoires du Soleil, de la Lune et des planètes, le cycle des saisons, la conservation des espèces. Les philosophes ont donc pensé que quelque chose, malgré le changement continuel, restait toujours identique. L'étude du mouvement s'est alors transformée en une recherche de ce qui est permanent et qui, logiquement, devrait expliquer l'être réel des choses.

Cette recherche sur ce qui, dans la nature, explique l'ordre qui règne à travers le mouvement a conduit à l'élaboration de théories qu'on peut partager en deux grandes tendances. La première tendance consiste à rechercher un fond permanent au sein même de la multiplicité des êtres changeants qui composent la nature. C'est dans l'exploration de la réalité **sensible** elle-même que des philosophes vont découvrir les causes premières de l'être des choses. La seconde tendance[6] privilégie des principes **abstraits** et **intelligibles** qui, tout en n'étant pas eux-mêmes perceptibles par les sens, sont au fondement de l'ordre inscrit dans la matière et le mouvement.

■ À la recherche de causes matérielles

Nous voici en présence des premiers philosophes. C'est dans la cité de Milet, en Ionie, qu'apparaît d'abord une première école philosophique, fondée, semble-t-il,

---

5. Jeanne HERSCH, *L'étonnement philosophique : une histoire de la philosophie*, Paris, Gallimard, 1993, p. 11.

6. La seconde tendance sera traitée au début du chapitre 2.

Les ruines du site de Delphes, lieu sacré où le dieu Apollon rendait des oracles.

par Thalès, le plus ancien philosophe connu. Thalès est né au cours du dernier tiers du VIIe siècle et il est mort au milieu du VIe siècle avant notre ère. Il figure parmi ceux qu'on a appelés les **Sept Sages**, auxquels on attribue les maximes morales inscrites à l'entrée du temple d'Apollon à Delphes. On dit qu'il pouvait calculer la hauteur d'une pyramide en comparant deux triangles d'ombre, peu importe la situation du Soleil.

Anaximandre et Anaximène appartiennent eux aussi à l'école de Milet. Anaximandre est né vers l'an -610 et il est mort vers l'an 547 avant notre ère. Nous ne connaissons pratiquement rien de sa vie si ce n'est qu'il prit la relève de Thalès comme chef de l'école milésienne. On pense qu'il fut le premier à avoir l'idée de dresser une carte de la Terre. Quant aux événements de la vie d'Anaximène, nous savons seulement qu'il est décédé vers l'an -520. On lui doit d'avoir fait une distinction entre les étoiles fixes et les planètes.

Héraclite est né vers l'an 540 et il est décédé vers l'an 480 avant notre ère. Il était le descendant d'Androclos, le fondateur d'Éphèse, en Ionie, et dont le

Sept Sages

Un jour, sept hommes se sont réunis au temple d'Apollon, à Delphes, pour offrir des maximes au dieu en guise de prémices de leur sagesse; ils ont fait graver ces maximes à l'entrée du temple afin que tous les passants les lisent. Ces hommes étaient Thalès de Milet, Pittacos de Mytilène, Solon (instigateur de la démocratie à Athènes), Chilon de Sparte, Périandre de Corinthe, Bias de Priène et Cléobule de Lindos; ils ont été dénommés les Sept Sages. Bien que seul Thalès soit, parmi eux, un philosophe reconnu, on peut dire qu'ils ont tous contribué à l'éducation morale des Grecs en élaborant des formules éthiques qui, par leur caractère d'universalité, ont favorisé et précisé l'idée de justice et de droit. Certaines d'entre elles, comme «Connais-toi toi-même», sont restées depuis dans la mémoire de tout l'Occident.

père, Crodos, était roi d'Athènes. Héraclite appartenait donc à une très illustre famille aristocratique d'Éphèse, où il aurait dû être roi. Toutefois, à cause de son dédain pour les mœurs politiques de ses concitoyens, il abandonna ce titre à son frère. Très tôt, Héraclite a été surnommé l'Obscur, en raison du style hermétique de son écriture.

Empédocle est né vers l'an 490 et il est décédé vers l'an 430 avant notre ère. Il était originaire d'Agrigente, en Grande Grèce (Italie). Bien qu'il appartenait à une famille aristocratique qui détenait un pouvoir religieux, Empédocle était un défenseur de la démocratie. De plus, il s'opposait à ce qu'on sacrifie des animaux et qu'on les tue pour s'en nourrir. Il aurait été le premier à affirmer que la Lune reçoit sa lumière du Soleil et à avoir donné une explication exacte des éclipses du Soleil. Banni d'Agrigente à cause de ses convictions politiques, Empédocle se réfugia à la fin de sa vie dans le Péloponnèse (au sud de la Grèce). On raconte que, désespéré des maux de notre monde, il mit fin à ses jours en se précipitant dans le cratère d'un volcan.

Démocrite est né vers 465 et il est décédé vers 370 avant notre ère. Il était originaire d'Abdère, en Thrace, et fit de nombreux voyages grâce à un héritage. On dit qu'il ne conserva de cet héritage que l'argent liquide, car il dédaignait l'accumulation de biens matériels. Il visita l'Égypte, la Perse, l'Inde et l'Éthiopie, où il s'instruisit auprès des sages.

Démocrite d'Abdère : « L'usage intelligent des richesses est utile pour la liberté et le bien public ; mais son usage insensé constitue un impôt considérable dont tout le monde pâtit »[7].

Universel

Ce qui s'applique soit à tous les êtres, animés et inanimés, de l'Univers, soit à tous les êtres d'un même genre (par exemple, le genre animal) ou d'une même espèce (par exemple, l'espèce humaine), soit à tous les êtres d'un autre ensemble considéré.

Lit → bois
Bois → terre
Terre → terre

Ce qui s'est présenté à l'esprit de ces philosophes de la nature comme ce qui persiste au-delà de l'existence éphémère des choses[8], au-delà de leur composition et de leur dégradation, c'est la matière. Ils ont fait l'hypothèse d'une matière élémentaire qui serait constitutive de tous les êtres et qui, malgré les diverses transformations que subissent ceux-ci, resterait toujours identique à elle-même. L'ordre de l'Univers, la conservation et l'équilibre de ce qui le compose seraient donc dus à cette présence **universelle** d'une matière qui ne change pas et qui est à la fois l'origine et l'aboutissement de toute chose. Cette matière est dite élémentaire parce que, selon les connaissances de l'époque, elle ne peut être décomposée en d'autres éléments plus petits. Voici un exemple du raisonnement de ces philosophes.

Si l'on prend un lit et qu'on le décompose, il en résulte du bois ;
si l'on prend ce bois et qu'on le décompose, il en résulte de la terre ;
si l'on prend cette terre et qu'on la décompose, il en résulte de la terre.

Dans cet exemple, la terre apparaît donc comme l'élément indécomposable, l'unité indivisible, la cause première (la véritable raison explicative de l'être), le principe de l'ordre et de la permanence.

Les philosophes, cependant, n'attribuent pas tous cette prédominance au même élément. Selon Thalès, l'élément fondamental, c'est l'eau : tout vient de l'eau et tout retourne à l'eau. L'eau, principe de vie, est en toutes choses. Cela explique que, toujours selon Thalès, toute chose matérielle est vivante et

---

7. Jean-Paul DUMONT, *Les écoles présocratiques*, Paris, Gallimard, 1991, p. 567 (fragment CCLXXXII).

8. Il faut faire attention : le terme « chose » est employé pour désigner aussi bien un être vivant qu'un objet inanimé.

animée, et c'est en ce sens qu'il disait que « tout était plein de dieux »[9]. La Terre elle-même est entourée d'eau et elle s'en nourrit alors que les astres flottent sur les eaux situées au-dessus de notre monde.

À la différence des autres philosophes, Anaximandre propose comme principe du réel une matière qui, en réalité, n'est pas un élément observable : c'est l'*ápeiron*, la matière infinie. Cette matière infinie est, selon lui, inengendrée, impérissable et inépuisable ; elle produit, contient, alimente et gouverne toutes choses. Elle est ce dont naissent toutes choses et ce à quoi elles retournent afin que se rétablisse un juste équilibre entre les éléments. De plus, Anaximandre croit qu'il existe une succession infinie de mondes dans le temps. Au terme de son évolution, un monde se dissout, tout retourne à la matière infinie, puis le cycle reprend.

Selon Anaximène, c'est l'air qui est l'élément premier, sans lequel il ne pourrait y avoir de vie. L'air produit toutes choses en prenant des apparences différentes selon qu'il est plus ou moins condensé ou dilaté. De même que l'unité de l'Univers lui vient de l'air qu'il absorbe, l'âme, parce qu'elle est faite d'air, réalise l'unité de l'individu.

Selon Héraclite[10], c'est le feu qui est l'élément premier d'où proviennent toutes les choses et auquel elles retournent ; cela, parce que le feu possède les attributs de la matière la plus subtile et la moins corporelle. « Toutes choses sont convertibles en feu et le feu en toutes choses.[11] »

Empédocle[12] ne pense pas qu'une matière unique puisse à elle seule se transformer pour donner naissance à toutes choses. Selon lui, l'existence des choses est due à un procédé de mélange et d'échange entre quatre éléments fondamentaux : l'eau, l'air, la terre et le feu. Ce procédé serait dû à la présence dans l'univers de deux causes motrices, l'une positive (qu'il nomme *Amitié* ou *Amour*), l'autre négative (qu'il nomme *Discorde* ou *Haine*), sans lesquelles il ne pourrait y avoir ni génération ni destruction. La théorie d'Empédocle a donc pour avantage de juxtaposer à la cause matérielle une cause du mouvement. Aujourd'hui, évidemment, les scientifiques ne parlent plus d'amitié et de discorde pour évoquer les forces qui agissent dans la nature ; grâce à leurs avancées théoriques et technologiques, ils ont pu identifier, à l'origine du mouvement, des forces telles la force nucléaire et la force électromagnétique. Il reste tout de même que l'intuition d'Empédocle est louable.

Tout comme dans la théorie d'Empédocle, on trouve dans celle de Démocrite une cause du mouvement en plus de la cause matérielle. Démocrite a été le premier à poser l'existence de l'atome (calque du grec *átomos* voulant dire « non divisible ») qu'il concevait comme l'élément indivisible, à l'origine même de l'eau, de l'air, de la terre et du feu. Selon cette théorie, l'ensemble de la réalité est composé de l'être (les atomes) et du non-être (le vide). D'une part, les atomes,

---

9. ARISTOTE, *De l'âme*, I. 5, 411a9, trad. par Jules TRICOT, Paris, Vrin éditeur, 1988, p. 60.

10. La théorie d'Héraclite sera approfondie, en opposition à celle de Parménide, au début du chapitre 2.

11. Jean-Paul DUMONT, *Les écoles présocratiques*, Paris, Gallimard, 1991, p. 86 (fragment B-XC).

12. En guise d'illustration du mode de pensée rationnel, les deux dernières sections de ce chapitre présentent les explications d'Empédocle sur l'origine de l'univers et sur l'origine des humains ; lesquelles sont précédées, en guise d'illustration du mode de pensée mythique, des explications d'Hésiode sur les mêmes thèmes.

qui existent en nombre infini, sont de petites particules imperceptibles à l'œil nu qui se meuvent au hasard dans le vide. En entrant en contact et en se combinant, ils forment la substance des êtres. D'autre part, le vide est conçu comme la cause du mouvement et de la vie ; en n'opposant aucune résistance au mouvement perpétuel des atomes, c'est lui qui rend possible leur combinaison. L'âme elle-même, selon Démocrite, est composée d'atomes très subtils et très mobiles qui permettent aux êtres vivants de se mouvoir et de penser.

Toutes ces théories sont d'un grand intérêt historique. Par exemple, la théorie des quatre éléments d'Empédocle a été marquante ; elle a joué un rôle important en médecine et elle a subsisté pendant tout le Moyen Âge, jusqu'à la constitution de la chimie moderne. Mais plus que tout, ces précurseurs lointains de la pensée scientifique moderne ont jeté les bases d'une méthode encore actuelle. La science d'aujourd'hui procède en effet de façon semblable puisqu'on divise l'Univers, la matière, en ses particules élémentaires – les électrons, les photons, les quarks, les neutrinos –, pour ensuite reconstituer l'ensemble et en avoir une meilleure compréhension.

L'explication de l'origine de l'Univers selon la *Théogonie* d'Hésiode

Dans la *Théogonie*, Hésiode raconte, au moyen de généalogies et de hiérarchies établies entre les dieux, comment Zeus a mis fin au chaos primitif et a accompli l'ordre de l'univers.

Avant l'existence même des dieux olympiens, vénérés par les Grecs, étaient Abîme (le Chaos), Gaïa (la Terre) et Éros (l'Amour primordial, asexué). D'Abîme naquirent Érèbe (les Ténèbres) et Nux (la Nuit) ; de Nux, à son tour, sortirent Éther (la Luminosité à l'état pur) et Hèmera (le Jour). De son côté, Gaïa fit naître d'elle seule Ouranos (le Ciel) et Pontos (la Mer). Or, comme Ouranos couvrait Gaïa tout entière, de leur union vinrent au monde de nombreux enfants : six Titans dont le plus jeune est Cronos (le Temps), six Titanides (leurs sœurs), trois Cyclopes et trois Hécatonchires (géants à cent bras et cinquante têtes). Toutefois, Ouranos ne laissait, entre lui et Gaïa, aucun espace pour permettre à ses enfants de sortir au plein Jour ; il les gardait enfouis en elle. Gaïa, n'en pouvant plus, se gonflant et étouffant, fit alors de Cronos son complice ; celui-ci mutila son père, l'éloigna de sa mère (il ouvrit l'espace entre Ciel et Terre) et régna désormais à sa place.

Sous l'égide de Cronos (ou du Temps), Titans et Titanides purent alors s'unir et initier une succession de générations de divinités dont les noms correspondent également à des puissances naturelles, constructives ou destructives, à des qualités ou des défauts, à des biens ou des maux. Quant à Cronos, il donna naissance avec Rhéia (l'une des Titanides) à ceux qu'on appelle les Olympiens ; mais craignant d'être détrôné, à son tour, par l'un d'eux, il les dévorait au fur et à mesure qu'ils venaient au monde. Rhéia en était si malheureuse qu'elle alla enfanter son dernier enfant, Zeus, chez Gaïa, sa mère, qui le cacha. À son retour, elle remit une pierre entourée de langes à Cronos qui l'engloutit dans son ventre, croyant que c'était le nouveau-né. Zeus a donc pu grandir paisiblement et devenir beau et

Calliope, la muse « à la belle voix », est l'inspiratrice de la poésie épique et, selon Platon, de la philosophie.

puissant. Plus tard, il revint chez Cronos et, au moyen d'une drogue, il le força à restituer tous les enfants dévorés qui, avec l'aide des Cyclopes et des Hécatonchires, entreprirent, auprès de Zeus, de faire la guerre à Cronos et aux Titans.

Pendant très longtemps, les dieux se livrèrent à des luttes fracassantes et terribles, entraînant ainsi l'univers dans un chaos épouvantable. Mais la guerre prit fin lorsque les Titans et le monstre Typhon, duquel sortirent les vents destructeurs, furent jetés dans le Tartare (les Enfers souterrains) par les Hécatonchires et Zeus, et que les Olympiens pressèrent ce dernier de prendre le pouvoir et d'instaurer la paix. C'est alors que Zeus, désormais le roi des dieux et des humains, établit des hiérarchies entre les dieux et, à la manière d'un premier ministre avec ses ministres, leur distribua des fonctions et des domaines où chacun devait régner afin que se maintienne l'ordre définitif du monde.

L'explication de l'origine des humains selon *Les Travaux et les Jours* d'Hésiode

Dans *Les Travaux et les Jours*, Hésiode exhorte son frère Persès au travail et à la justice. Pour s'assurer que ses conseils soient bien entendus, il rappelle d'abord les causes de ce qui constitue le lot des humains en ce monde. Cette explication laisse entrevoir les croyances de l'époque concernant l'origine des humains.

C'est au temps de Cronos que les Immortels ont créé les premiers êtres humains : la race d'or. Ceux-ci, à maints égards, ne nous ressemblaient guère. Naître, vieillir, travailler et souffrir leur étaient étrangers. Ils vivaient comme des dieux, jouissant de l'abondance naturelle qui leur était offerte, sans qu'ils n'eussent à fournir aucun effort. Ni la jalousie, ni la guerre, ni même l'angoisse de la mort ne leur étaient connues ; après avoir longtemps vécu, mourant, ils tombaient dans un profond sommeil.

Cette race est toutefois disparue lorsque Zeus devint le roi et qu'instaurant l'ordre de l'univers, il demanda à Prométhée, son cousin, de départager les dieux et les humains. Or, après que Prométhée l'eut trompé deux fois au profit des humains – la seconde fois en dérobant des parcelles du feu qu'avait caché Zeus – le roi des dieux, ne se contentant pas de déverser sa colère sur lui, envoya une malédiction aux humains. Il fit façonner une femme, Pandore, à l'image des déesses immortelles, qu'il envoya à Épiméthée (le frère de Prométhée). Épiméthée fut si séduit par l'apparence de Pandore qu'il ne se douta pas qu'il y avait là un piège et il la fit entrer chez lui. Alors, Pandore, sous l'ordre de Zeus, ouvrit une jarre qui contenait tous les malheurs et, aussitôt, ceux-ci se répandirent sur l'humanité. Pis encore, l'espérance qui était au fond de la jarre ne put s'échapper avant que Pandore n'eût refermé le couvercle. D'où il s'ensuit que, même s'ils ont gardé la possibilité d'espérer, les humains ne pourront se soustraire aux desseins de Zeus.

Zeus, le roi des dieux et des êtres humains, a établi l'ordre définitif de l'Univers.

Le bonheur des premiers humains est donc tombé dans l'oubli ; Zeus en créera d'autres races, mais leur existence sera toujours davantage entachée de souffrances. La race d'or fut d'abord suivie de la race d'argent qui, bien qu'elle jouissait d'une enfance longue et heureuse, se précipitait, dès l'adolescence, dans la démesure et l'impiété. Cela lui valut son anéantissement de la part de Zeus. Une troisième race, la race de bronze, fut créée, toute faite de terrifiants guerriers ; elle dura le temps qu'il fallut pour qu'ils s'entretuent. Vint alors une quatrième race, celle des héros que l'on nomme demi-dieux. Ils périrent après avoir accompli, à Thèbes et à Troie, devoirs et exploits. Pour les récompenser, Zeus leur offrit les Îles des Bienheureux où ils séjournent loin de l'Hadès où vont les autres morts. Enfin, la cinquième et dernière race, celle dont nous sommes, est la race de fer. Les humains y sont livrés à eux-mêmes : leur descendance et leur conduite sont de moins en moins marquées du sceau divin. Les maux répandus par Pandore sur la terre définissent désormais la condition humaine. Égoïsme, démesure et impudence font que les humains s'attirent eux-mêmes angoisses, fatigues, maladies et souffrances de toutes sortes. On comprend dès lors l'importance des conseils d'Hésiode à Persès.

L'explication de l'origine de l'Univers selon la théorie d'Empédocle

On trouve dans les fragments de l'œuvre d'Empédocle des ressemblances avec l'œuvre des poètes de la pensée mythique. D'abord le style d'écriture demeure poétique ; ensuite, des dénominations qui appartiennent à la pensée religieuse de l'époque subsistent. Toutefois, les différences sont radicales. L'explication est basée non plus sur les dieux, mais sur les causes physiques de l'origine de l'Univers et de sa composition. « Dieu », « Aphrodite », **« Amour », « Discorde »** ne sont plus ou moins que des noms juxtaposés à l'explication sans en constituer le fondement et sans que n'interviennent de

Amour et Discorde

Les figures dramatiques de l'Amour et de la Discorde ont inspiré poètes et scientifiques des XVIIIe et XIXe siècles de notre ère. Voici d'abord un extrait du roman *Hyperion*, écrit par le poète Friedrich Hölderlin (1770-1843), qui sera suivi d'une brève présentation d'une théorie de Sigmund Freud (1856-1939), l'inventeur de la psychanalyse.

Je serai. Comment pourrais-je me perdre hors de la sphère de la vie où l'amour éternel, qui est commun à tous, maintient tous les êtres naturels ? Comment pourrais-je être exclue de l'alliance qui réunit tous les êtres ? Elle ne se brise pas aussi facilement, elle, que les lâches liens de ce temps. Elle n'est pas comme une foire où le peuple accourt dans le vacarme et se disloque. Non ! par l'esprit qui nous unit, par l'esprit divin qui est propre à chacun et à tous commun, non ! Dans l'alliance de la nature, la fidélité n'est pas un rêve.

Nous ne nous séparons que pour être plus intimement unis, unis dans une paix divine avec tous, avec nous-mêmes. Nous mourons pour vivre[13].

Selon Sigmund Freud, l'appareil psychique est composé de trois instances : le ça, le moi et le surmoi. Le ça est régi exclusivement par la satisfaction illimitée des pulsions. Ces pulsions sont de deux types. La première, la pulsion de vie ou pulsion d'amour (*Éros*), pousse l'individu à intégrer tout ce qui est bon à sa conservation. Elle est l'origine des rapports amicaux, de la famille et des communautés politiques. La seconde, la pulsion de mort ou pulsion d'agressivité (*Thánatos*), tend à dissoudre les liens et à ramener l'individu à des stades précoces de son développement. Selon Freud, l'histoire de l'humanité est l'histoire de la lutte entre ces deux pulsions, au sein de l'espèce humaine.

---

13. Friedrich HÖLDERLIN, *Hyperion*, étude et présentation de Rudolph LEONHARD et Robert ROVINI, Poitiers, Pierre Seghers éditeur, 1963, p. 117.

dimensions anthropomorphiques. Les réponses recherchées n'appartiennent plus au domaine des croyances, mais à celui de la connaissance rationnelle sur la nature.

Avant la naissance de l'Univers, l'Être existe dans sa pureté absolue. Sa forme, la sphère, témoigne du mélange harmonieux et parfaitement équilibré entre les éléments primordiaux – l'eau, l'air, la terre, le feu – qui ne font qu'un. La sphère correspond à l'Être parfait : elle ne peut tendre vers aucune amélioration ni être sujette à aucune détérioration. La sphère est par conséquent immobile ; elle ne peut être affectée d'aucun changement ; elle est tenue hors du temps par les liens de l'Amour dans toute sa plénitude.

Or, arrive un moment où la Discorde, qui se tient aux limites de la sphère, vient troubler son repos et l'attaque tout entière. La Discorde disperse la matière dans tous les sens, dissocie ce qui était uni, démembre totalement la sphère, produit le chaos. L'Amour, surpris par cet assaut, se replie un instant aux extrémités de la sphère ; mais, tout aussitôt, il se maîtrise et cherche à rétablir l'ordre, à recréer les liens dissolus. Il exerce alors sur les éléments, disloqués et éparpillés par la Discorde, une attraction qui les pousse à former quatre masses homogènes afin que, de cette disposition de la matière, il puisse reconstituer le mélange harmonieux de la sphère.

L'Amour veut rétablir l'unité de la sphère, mais il doit se confronter à la Discorde. Le mouvement de l'Univers est désormais donné dans lequel deux forces se livrent combat : l'une positive qui oblige les éléments à se rapprocher et à se mélanger ; l'autre négative qui brise les liens créés. Dans cette lutte, l'Amour gagne cependant peu à peu du terrain. À partir des éléments qu'il a disposés à cette fin, il préside à l'organisation du monde, il structure l'ordre de l'Univers : le ciel, la terre, la mer, les astres, tout prend place. Néanmoins la Discorde lui fait toujours obstacle. Dans son élan pour rétablir l'unité de la sphère, l'Amour est ralenti et limité ; la Discorde entraîne la destruction de ce qu'il fait naître. C'est pourquoi au lieu de l'Être parfait, immobile et immortel, notre monde est celui des choses qui naissent et périssent, des générations successives d'êtres mortels ; seuls restent en permanence les éléments dont sont faits les êtres et auxquels ils retournent.

> Car c'est des éléments que sortent toutes choses,
> Tout ce qui a été, qui est et qui sera :
> C'est d'eux que les arbres ont surgi, et les hommes
> Et les femmes, et les bêtes, et les oiseaux,
> Et dans l'eau les poissons, et les dieux qui jouissent
> De la longévité et des plus hauts honneurs.
> Ils sont donc les seuls à avoir l'être, et dans leur course,
> Par échanges mutuels, ils deviennent ceci
> Ou cela ; tant est grand le changement produit
> Par l'effet du mélange[14].

---

14. Jean-Paul DUMONT, *Les écoles présocratiques*, Paris, Gallimard, 1991, p. 190 (fragment B-XXI).

Notre monde évolue entre l'Amour et la Discorde sans que jamais l'une ou l'autre des forces exclue totalement l'autre. Par conséquent, il existe de multiples combinaisons qui, selon les proportions réalisées entre les quatre éléments, donnent forme aux différentes espèces d'êtres. Au cours du temps, l'Amour déployant de façon plus majestueuse sa force, ces dernières ont subi des transformations qui les ont rendues de plus en plus belles et parfaites. Les espèces présentes sont capables de vivre et de durer éternellement, à moins qu'advienne à nouveau le règne total de l'Amour; ce qui mettrait fin au mouvement et à l'Univers.

L'explication de l'origine des humains selon la théorie d'Empédocle

En conformité avec sa théorie sur l'origine de l'Univers, Empédocle présente également l'origine des êtres humains. Il ne faut pas se laisser distraire par le pittoresque des premières formes de vie décrites par lui. Si, comme le veut Empédocle, on ne pose pas de création originelle, mais qu'on ne souhaite pas non plus tout sacrifier au hasard, la difficulté devient grande d'expliquer comment à partir d'éléments matériels inanimés, on passe à l'existence d'êtres vivants et, d'autant plus, pensants. Il convient donc de pardonner quelques « chaînons manquants » à un chercheur du ve siècle avant notre ère.

La genèse des animaux, dont l'espèce humaine, s'est produite progressivement. Avant l'apparition de notre monde, il fut un temps où la force négative du mouvement, la Discorde, l'emportait en puissance sur la force positive, l'Amour. Néanmoins, cette dernière réussissait à produire des mélanges d'éléments – eau, air, terre, feu – selon des rapports arithmétiques qui donnaient lieu à la création de membres: des jambes, des bras, des cous, des yeux qui, toutefois, erraient solitairement, empêchés par la Discorde de s'accorder les uns aux autres.

L'Amour poursuivait coûte que coûte son travail; il assemblait des éléments et fabriquait, en plus des membres, des tissus, de la chair, des os, tout ce qui plus tard allait composer les corps. Puis, vint le moment où eurent lieu les premières rencontres. Au début, celles-ci ne furent pas des plus heureuses: les membres s'additionnaient sans harmonie – des têtes sans cou, des bras dépourvus d'épaules; les alliances se faisaient entre des parties qui n'étaient pas complémentaires et elles donnaient naissance à des êtres monstrueux – des humains à tête de taureau, des taureaux à tête d'humain, des êtres munis d'innombrables mains. Il fallut attendre que l'Amour s'émancipe davantage et que l'équilibre soit mieux balancé entre lui et la Discorde pour que les espèces ainsi formées soient plus viables.

Aujourd'hui, poursuit Empédocle, bien que la conservation des espèces soit due à la permanence des éléments et aux formes conjointes du mouvement, la reproduction sexuelle a remplacé les assemblages qui, naguère, étaient

Le Centaure: être fabuleux semblable à ceux qui ont préexisté aux espèces actuelles, selon Empédocle.

faits, chaque fois, à partir des éléments à l'état pur. Nous en sommes donc à un stade très perfectionné du développement. L'être humain y tient d'ailleurs une place privilégiée grâce à la capacité de connaître dont il jouit. En fait, tous les organismes vivants sont munis de pores qui leur permettent la reconnaissance du semblable par le semblable et, étant donné que tout ce qui existe est constitué des mêmes quatre éléments en proportions diverses, ces pores permettent, pour chaque être vivant, la perception de ce qui, à l'extérieur de son propre corps, lui est adapté.

Chez les animaux, cette connaissance est toutefois limitée à ce qui tombe sous la sensation dans l'immédiateté des rencontres. L'être humain, au contraire, a la faculté de mettre en commun l'activité de tous ses sens, de manière à réaliser la cohésion de ses sensations et à dépasser l'apparence du moment ; il peut ainsi étendre ses connaissances à toutes les formes existantes. Cela nécessite cependant un détachement à l'égard des choses matérielles qui séduisent par leur apparence trompeuse, mais ceux qui recherchent le savoir vivent en plus grande harmonie avec le Tout ; plus encore, ils créent eux-mêmes davantage d'harmonie dans l'Univers.

Résumé

La naissance de la philosophie : un nouveau mode de pensée

La philosophie occidentale est née autour du VIe siècle avant notre ère, en Grèce. Elle se distingue du mode de pensée mythique par sa démarche rationnelle pour répondre à nos interrogations sur l'univers et sur la condition humaine. Aujourd'hui, la philosophie coexiste avec d'autres modes de pensée dont le mode de pensée scientifique.

Le mode de pensée mythique

Le mode de pensée mythique se caractérise principalement par des explications dans lesquelles on donne pour causes à notre monde des forces ou des divinités dont on croit qu'il dépend. La religion constitue un moyen d'entrer en relation avec les divinités et de se rendre ainsi responsables de notre existence. De façon générale, on peut diviser l'évolution de la pensée mythique en deux grandes périodes. Une première où les humains tentent d'imiter les dieux et une seconde où ils les conçoivent à leur image. Bien que l'œuvre des poètes prépare le terrain sur lequel naîtra la philosophie, l'identification qu'on y trouve entre matière et divinité, et entre connaissance et croyance, la rattache au mode de pensée mythique.

Le mode de pensée rationnel

Les présocratiques délaissent l'explication mythique de l'univers pour lui substituer une explication rationnelle. Ils renoncent aux divinités pour leur substituer des causes et des lois immanentes à la nature. La recherche sur ce qui constitue le principe permanent du réel à travers les changements a conduit à la formation de deux tendances : l'une selon laquelle l'ordre est dû à des causes matérielles, l'autre selon laquelle l'ordre est dû à des causes abstraites et intelligibles.

À la recherche de causes matérielles

Les présocratiques de la première tendance ont fait l'hypothèse d'un élément permanent, indivisible et constitutif de toutes les choses, qui serait la cause de l'ordre de l'Univers. Selon Thalès, c'est l'eau ; selon Anaximandre, c'est une matière infinie ; selon Anaximène, c'est l'air ; selon Héraclite, c'est le feu ; selon Empédocle, c'est à la fois l'eau, l'air, la terre et le feu ; enfin, selon Démocrite, c'est l'atome. En plus de ces causes matérielles, Empédocle et Démocrite avancent l'existence de causes du mouvement. Selon Empédocle, ce sont l'Amour et la Discorde ; selon Démocrite, c'est le vide. On peut considérer ces philosophes comme les précurseurs de la pensée scientifique moderne.

L'explication de l'origine de l'Univers selon la *Théogonie* d'Hésiode

Au cœur des générations successives des divinités se trouve une explication de l'organisation structurelle de l'univers matériel ; par exemple, le fils d'Ouranos le force à créer l'espace entre le ciel et la terre. La victoire des Olympiens sur les Titans symbolise la mise en place d'un ordre permanent malgré le Temps (Cronos) et les puissances destructrices qui l'accompagnent.

L'explication de l'origine des humains selon *Les Travaux et les Jours* d'Hésiode

Les dieux ont créé des générations successives d'êtres humains qui marquent toujours davantage une séparation entre les deux mondes. Les ruses de Prométhée contre Zeus sont à l'origine des souffrances qui définissent la condition humaine. La malédiction de Zeus contre les humains manifeste la futilité de leurs désirs démesurés.

L'explication de l'origine de l'Univers selon la théorie d'Empédocle

La sphère, dont les liens sont maintenus par l'Amour, et la destruction de la sphère par la Discorde ont précédé la naissance de l'Univers. Le mouvement de l'Univers est dû à la lutte que se livrent les deux forces opposées : Amour et Discorde. L'Amour vise à rétablir l'unité et l'immobilité paisible de la sphère. La Discorde vise à produire le chaos. Entre ces deux extrêmes, l'ordre de l'Univers est créé, celui des générations successives d'êtres mortels. Seuls les éléments – l'eau, l'air, la terre et le feu – ne peuvent être détruits. Les espèces actuelles peuvent durer éternellement à la condition que subsiste l'équilibre entre les deux forces.

L'explication de l'origine des humains selon la théorie d'Empédocle

Les espèces vivantes actuelles ont été formées progressivement. Au début, on assiste à la création de membres qui, en se réunissant, donnent naissance à des êtres imparfaits et monstrueux. L'accroissement de l'Amour a toutefois poussé ces derniers à céder la place à des formes plus parfaites. La reproduction sexuelle a remplacé les premiers assemblages réalisés à partir des éléments à l'état brut. La connaissance s'explique par un processus naturel de perception du semblable par le semblable.

Lectures et films suggérés

 Lectures

BRUN, Jean. *Les présocratiques*, Paris, PUF, 1989, 127 p. (Coll. « Que sais-je ? », n° 1319)

DUMONT, Jean-Paul. *Les écoles présocratiques*, Paris, Gallimard, 1991, 951 p. (Coll. « Folio/Essais », n° 152)

HERSCH, Jeanne. *L'étonnement philosophique : une histoire de la philosophie*, Paris, Gallimard, 1993, p. 11-26 (Coll. « Folio/Essais », n° 216)

HÉSIODE. *Théogonie. Les Travaux et les Jours. Le Bouclier*, texte établi et traduit du grec ancien par Paul MAZON, Paris, Les Belles Lettres, 1996, 158 p.

HOMÈRE. *L'Iliade* et *l'Odyssée*, nouvelle traduction de Louis BARDOLLET, Paris, Robert Laffont, 1995, 788 p. (Coll. « Bouquins »)

VERNANT, Jean-Pierre et Pierre VIDAL-NAQUET. *La Grèce ancienne : du mythe à la raison*, tome I, Paris, Seuil, 1990, 255 p.

Films

AMENABAR, Alejandro. *Agora* [sur Hypatie], Espagne, 2009.

PETERSEN, Wolfgang. *Troie*, États-Unis, 2004, 155 min, DVD.

Activités d'apprentissage

❶ L'extrait qui suit est tiré du dialogue *Le Banquet* du philosophe Platon (-427 à -347). Six convives, dont le poète comique Aristophane et le philosophe Socrate, y exposent à tour de rôle leur conception de l'amour (*Éros*). C'est le discours d'Aristophane qui nous est proposé ici ; il débute par une description de la nature originelle de l'être humain.

Lisez d'abord très attentivement ce discours. Ensuite, répondez aux questions.

Le Banquet I

[…] Au temps jadis, notre nature n'était pas la même qu'aujourd'hui, elle était d'un genre différent.

Oui, et premièrement, il y avait trois catégories d'êtres humains et non pas deux comme maintenant, à savoir le mâle et la femelle. Mais il en existait encore une troisième qui participait des deux autres, dont le nom subsiste aujourd'hui, mais qui, elle, a disparu. En ce temps-là en effet il y avait l'androgyne, un genre distinct qui, pour le nom comme pour la forme, faisait la synthèse des deux autres, le mâle et la femelle. Aujourd'hui, cette catégorie n'existe plus, et il n'en reste qu'un nom tenu pour infamant.

Deuxièmement, la forme de chaque être humain était celle d'une boule, avec un dos et des flancs arrondis. Chacun avait quatre mains, un nombre de jambes égal à celui des mains, deux visages sur un cou rond avec, au-dessus de ces deux visages en tous points pareils et situés à l'opposé l'un de l'autre, une tête unique pourvue de quatre oreilles. En outre, chacun avait deux sexes et tout le reste à l'avenant, comme on peut se le représenter à partir de ce qui vient d'être dit. Ils se déplaçaient, en adoptant une station droite comme maintenant, dans la direction qu'ils désiraient ; et, quand ils se mettaient à courir vite, ils faisaient comme les acrobates qui font la culbute en soulevant leurs jambes du sol pour opérer une révolution avant de les ramener à la verticale ; comme à ce moment-là ils prenaient appui sur huit membres, ils avançaient vite en faisant la roue.

La raison qui explique pourquoi il y avait ces trois catégories et pourquoi elles étaient telles que je viens de le dire, c'est que, au point de départ, le mâle était un rejeton du soleil, la femelle un rejeton de la terre, et le genre qui participait de l'un et de l'autre un rejeton de la lune, car la lune participe des deux. Et si justement eux-mêmes et leur démarche avaient à voir avec le cercle, c'est qu'ils ressemblaient à leur parent.

Cela dit, leur vigueur et leur force étaient redoutables, et leur orgueil était immense. Ils s'en prirent aux dieux, et ce que Homère raconte au sujet d'Éphialte et d'Otos, à savoir qu'ils entreprirent l'escalade du ciel dans l'intention de s'en prendre aux dieux, c'est à ces êtres qu'il convient de le rapporter.

C'est alors que Zeus et les autres divinités délibèrent pour savoir ce qu'il fallait en faire ; et ils étaient bien embarrassés. Ils ne pouvaient en effet ni les faire périr et détruire leur race comme ils l'avaient fait pour les Géants en les foudroyant – car c'eût été la disparition des honneurs et des offrandes qui leur venaient des hommes –, ni supporter plus longtemps

leur impudence. Après s'être fatigué à réfléchir, Zeus déclara : « Il me semble, dit-il, que je tiens un moyen pour que, tout à la fois, les êtres humains continuent d'exister et que, devenus plus faibles, ils mettent un terme à leur conduite déplorable. En effet, dit-il, je vais sur-le-champ les couper chacun en deux ; en même temps qu'ils seront plus faibles, ils nous rapporteront davantage, puisque leur nombre sera plus grand. Et ils marcheront en position verticale sur deux jambes ; mais, s'ils font encore preuve d'impudence, et s'ils ne veulent pas rester tranquilles, alors, poursuivit-il, je les couperai en deux encore une fois, de sorte qu'ils déambuleront sur une seule jambe à cloche-pied. » Cela dit, il coupa les hommes en deux, comme on coupe les œufs avec un crin.

[…]

Quand donc l'être humain primitif eut été dédoublé par cette coupure, chaque morceau, regrettant sa moitié, tentait de s'unir de nouveau à elle. Et, passant leurs bras autour l'un de l'autre, ils s'enlaçaient mutuellement, parce qu'ils désiraient se confondre en un même être, et ils finissaient par mourir de faim et de l'inaction causée par leur refus de rien faire l'un sans l'autre. Et, quand il arrivait que l'une des moitiés était morte tandis que l'autre survivait, la moitié qui survivait cherchait une autre moitié, et elle s'enlaçait à elle, qu'elle rencontrât la moitié d'une femme entière, ladite moitié étant bien sûr ce que maintenant nous appelons une « femme », ou qu'elle trouvât la moitié d'un « homme ». Ainsi l'espèce s'éteignait.

Mais, pris de pitié, Zeus s'avise d'un autre expédient : il transporte les organes sexuels sur le devant du corps de ces êtres humains. Jusqu'alors en effet, ils avaient ces organes eux aussi sur la face extérieure de leur corps ; aussi ce n'est pas en s'unissant les uns les autres qu'ils s'engendraient et se reproduisaient, mais à la façon des cigales, en surgissant de la terre. Il transporta donc leurs organes sexuels à la place où nous les voyons, sur le devant, et ce faisant il rendit possible un engendrement mutuel, l'organe mâle pouvant pénétrer dans l'organe femelle. Le but de Zeus était le suivant. Si, dans l'accouplement, un homme rencontrait une femme, il y aurait génération et l'espèce se perpétuerait; en revanche, si un homme tombait sur un homme, les deux êtres trouveraient de toute façon la satiété dans leur rapport, ils se calmeraient, ils se tourneraient vers l'action et ils se préoccuperaient d'autre chose dans l'existence.

C'est donc d'une époque aussi lointaine que date l'implantation dans les êtres humains de cet amour, celui qui rassemble les parties de notre antique nature, celui qui de deux êtres tente de n'en faire qu'un seul pour ainsi guérir la nature humaine. Chacun d'entre nous est donc la moitié complémentaire d'un être humain, puisqu'il a été coupé, à la façon des soles, un seul être en produisant deux; sans cesse donc chacun est en quête de sa moitié complémentaire. Aussi tous ceux des mâles qui sont une coupure de ce composé qui était alors appelé « androgyne » recherchent-ils l'amour des femmes et c'est de cette espèce que proviennent la plupart des maris qui trompent leur femme, et pareillement toutes les femmes qui recherchent l'amour des hommes et qui trompent leur mari. En revanche, toutes les femmes qui sont une coupure de femme ne prêtent pas la moindre attention aux hommes; au contraire, c'est plutôt vers les femmes qu'elles sont tournées, et c'est de cette espèce que proviennent les lesbiennes. Tous ceux enfin qui sont une coupure de mâle recherchent aussi l'amour des mâles. [...]

Chaque fois donc que le hasard met sur le chemin de chacun la partie qui est la moitié de lui-même, tout être humain, et pas seulement celui qui cherche un jeune garçon pour amant, est alors frappé par un extraordinaire sentiment d'affection, d'apparentement et d'amour; l'un et l'autre refusent, pour ainsi dire, d'être séparés, ne fût-ce que pour un peu de temps.

Et ces hommes qui passent toute leur vie l'un avec l'autre ne sauraient même pas dire ce qu'ils attendent l'un de l'autre. Nul ne pourrait croire que ce soit la simple jouissance que procure l'union sexuelle, dans l'idée que c'est là, en fin de compte, le motif du plaisir et du grand empressement que chacun prend à vivre avec l'autre. C'est à l'évidence une autre chose que souhaite l'âme, quelque chose qu'elle est incapable d'exprimer. Il n'en est pas moins vrai que ce qu'elle souhaite elle le devine et le laisse entendre. Supposons même que, au moment où ceux qui s'aiment reposent sur la même couche, Héphaïstos[15] se dresse devant eux avec ses outils, et leur pose la question suivante: « Que désirez-vous, vous autres, qu'il vous arrive l'un par l'autre? » Supposons encore que, les voyant dans l'embarras, il leur pose cette nouvelle question: « Votre souhait n'est-il pas de vous fondre le plus possible l'un avec l'autre en un même être, de façon à ne vous quitter l'un l'autre ni le jour ni la nuit? Si c'est bien cela que vous souhaitez, je consens à vous fondre ensemble et à vous transformer en un seul être, de façon à faire que de ces deux êtres que vous êtes maintenant vous deveniez un seul, c'est-à-dire pour que, durant toute votre vie, vous viviez l'un avec l'autre une vie en commun comme si vous n'étiez qu'un seul être, et que, après votre mort, là-bas chez Hadès[16], au lieu d'être deux vous ne formiez qu'un seul être, après avoir connu une mort commune. Allons ! voyez si c'est là ce que vous désirez et si ce sort vous satisfait. » En entendant cette proposition, il ne se trouverait personne, nous le savons, pour dire non et pour souhaiter autre chose. Au contraire, chacun estimerait tout bonnement qu'il vient d'entendre exprimer un souhait qu'il avait depuis longtemps: celui de s'unir avec l'être aimé et de se fondre en lui, de façon à ne faire qu'un seul être au lieu de deux. Ce souhait s'explique par le fait que la nature humaine qui était la nôtre dans un passé reculé se présentait ainsi, c'est-à-dire que nous étions d'une seule pièce: aussi est-ce au souhait de retrouver cette totalité, à sa recherche, que nous donnons le nom d'«amour».

[...]

_____

15. Héphaïstos est le dieu forgeron. C'est lui qui a fabriqué Pandore.
16. Hadès est le dieu des morts.

Si par nos hymnes nous souhaitons célébrer le dieu qui est le responsable de ces biens, c'est en toute justice Éros que nous devons célébrer, lui qui, à l'heure qu'il est, nous rend les plus grands services en nous conduisant vers ce qui nous est apparenté, et qui, pour l'avenir, suscite les plus grands espoirs, en nous promettant, si nous faisons preuve de piété envers les dieux, de nous rétablir dans notre ancienne nature, de nous guérir et ainsi de nous donner félicité et bonheur.

Source : PLATON. *Le Banquet*, 189d-193d, dans *Œuvres complètes*, sous la direction de Luc BRISSON, Paris, Flammarion, 2008, p. 122-126.

Questions

a) Le discours d'Aristophane raconte l'origine de l'humain tel que nous le connaissons, à partir de la transformation d'un « être humain primitif » de nature différente. En quelques phrases (de 60 à 100 mots), expliquez **comment** et **pourquoi** cette transformation s'est opérée.

b) Le discours raconte l'origine de l'acte sexuel. En quelques phrases (de 60 à 100 mots), reformulez en vos propres termes **comment** et **pourquoi**, selon Aristophane, l'acte sexuel serait apparu dans la vie des êtres humains.

c) Le discours donne également une explication de la signification de l'amour. Reformulez cette explication (de 60 à 100 mots) dans vos propres termes, en respectant l'idée d'Aristophane.

d) Le discours d'Aristophane est-il un exemple de pensée mythique ou de pensée rationnelle ? Dans un texte suivi d'au plus 250 mots, répondez à cette question en distinguant les modes de pensée mythique et rationnel, à l'aide du vocabulaire et des concepts appropriés. Vous pouvez également utiliser les explications d'Hésiode et d'Empédocle pour faire des comparaisons.

CHAPITRE 2

L'évolution de la rationalité

« Nous avons été dotés de cette sorte de science, telle que nul bien plus grand ne fut jamais accordé, ni ne le sera jamais par les dieux à la race des mortels. »

Platon, *Timée*

À la recherche de principes abstraits et intelligibles

Aux côtés des philosophes qui ont recherché les causes de l'ordre de l'Univers dans la réalité sensible elle-même, un second groupe de présocratiques a privilégié des principes abstraits et intelligibles[1]. Pour ces derniers, il apparaît contradictoire que ce qui assure la permanence à travers le mouvement soit quelque chose de matériel et de changeant. Au-delà de l'observation de la nature et des données des sens, ces philosophes vont explorer le pouvoir de la raison à connaître les principes du réel et, ce faisant, ils vont libé-rer d'autres voies à la recherche rationnelle. Nous ferons, ici, connaissance de trois de ces philosophes. Il s'agit de Pythagore, de Parménide et d'Héraclite.

Pythagore

Pythagore est né à Samos, en Ionie. On situe la date de sa naissance vers le milieu du VIe siècle et celle de sa mort vers la fin du premier tiers du Ve siècle avant notre ère. Le théorème qui porte son nom est bien connu : dans un triangle rectangle, le carré de la mesure de l'hypoténuse est égal à la somme des carrés des mesures des deux autres côtés ($a^2 + b^2 = c^2$).

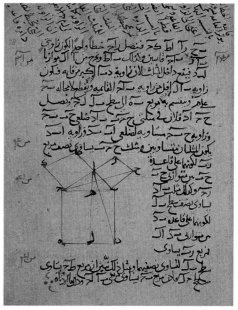

Une démonstration, en langue arabe, du théorème de Pythagore. Au Moyen Âge, les penseurs islamiques ont porté un grand intérêt aux œuvres des philosophes grecs.

---

1. Il serait peut-être utile de réviser les définitions des termes « abstraction » et « intelligible », au chapitre 1, p. 10.

Pourtant, nous ne savons pas grand-chose de l'homme ni de sa vie. Il n'a laissé aucune œuvre écrite et, aussitôt après sa mort, il est devenu un héros légendaire. Néanmoins, les historiens laissent entendre qu'il se serait établi à Crotone, en Italie, après ses voyages en Égypte, à Babylone et en Inde. Il fonda à Crotone une école, qui eut une très grande renommée, où la communauté des biens et la concorde étaient la règle de vie. Contrairement à la coutume, les femmes et les étrangers y étaient admis. Malheureusement, le succès de l'école et de son mode de vie valut aux pythagoriciens la haine de partis politiques ; beaucoup d'entre eux périrent dans un incendie allumé au cours d'une révolte populaire.

En plus d'être une école philosophique, le pythagorisme se rattachait à une forme de spiritualisme. L'enseignement qu'on y recevait devait obligatoirement être tenu secret. On raconte que le pythagoricien Hippase fut mis à mort pour avoir dévoilé la solution de l'incommensurabilité de la diagonale, ce qui témoigne que même les connaissances intellectuelles y étaient investies de propriétés mystérieuses. Les pythagoriciens croyaient notamment en la réincarnation cyclique de l'âme, qui migre d'un corps à l'autre (plante, animal ou humain), jusqu'à expiation complète de ses fautes. C'est pourquoi, avant d'accéder aux spéculations intellectuelles, les novices se soumettaient à une initiation de deux à cinq ans, qui consistait en des rites de purification de l'âme, afin que celle-ci puisse se libérer de son corps et se ressouvenir de ses vies antérieures. De cette façon, l'âme peut rompre avec le déroulement linéaire du temps que subit notre monde, elle peut faire l'unité de ses vies passées et de sa vie présente, et renouer avec ce qui est permanent, malgré les changements matériels. Elle assure ainsi son salut. En contrepartie, le corps, qui ne connaît qu'au moyen des sens, est conçu comme une prison pour l'âme, d'où l'expression *sôma sèma* (le corps est un tombeau).

Dualisme

Doctrine métaphysique selon laquelle la réalité est composée de deux types d'êtres distincts et irréductibles.

Ce **dualisme** de l'âme, qui est immatérielle, et du corps, qui est matériel, repose sur une autre distinction déjà opérée au sein du cosmos entre un monde qui serait immatériel et intelligible et un autre monde qui serait matériel et sensible. La figure 2.1 représente le dualisme de Pythagore.

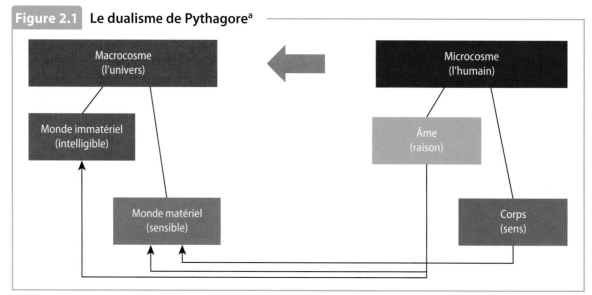

Figure 2.1 · **Le dualisme de Pythagore**[a]

[a] Les flèches indiquent la direction de la connaissance humaine vers l'objet de la connaissance.

Dans le **microcosme**, le corps qui correspond, dans le **macrocosme**, au monde matériel, est doté de cinq sens qui lui permettent de percevoir les êtres sensibles. Pour sa part, l'âme, qui correspond au monde immatériel, possède la raison comme faculté. Elle peut ainsi accéder à la connaissance des êtres intelligibles. En philosophie, il existe une longue tradition de penseurs qui croient que les principes de la réalité sont d'ordre intelligible[2]. Certains d'entre eux rejettent complètement l'utilité de l'observation et de l'expérience sensible, car ils pensent que les principes existent en eux-mêmes en dehors de la réalité sensible, qu'ils sont **transcendants**, et que c'est seulement une fois qu'on les connaît et qu'on les applique à notre monde qu'on a la science de celui-ci. Pour Pythagore, cela permet d'expliquer pourquoi l'âme, avec sa faculté rationnelle, est supérieure au corps. Non seulement elle peut acquérir des connaissances qui sont inaccessibles aux sens mais, grâce à ces connaissances, elle peut également avoir une meilleure compréhension que le corps et les sens de la réalité matérielle.

Selon Pythagore, qui est philosophe mais aussi mathématicien, c'est le nombre qui est le principe premier du réel et de la connaissance véritable des choses. À partir de constatations faites sur les accords musicaux, Pythagore a déduit que tout (les sons, les figures, les mouvements, etc.) se prête à la mesure et que le nombre est l'élément fondamental de toutes les choses ; tout est nombre. C'est donc dans les mathématiques qu'il faut, selon lui, chercher le principe de la réalité. Celui qui s'y adonne peut saisir la correspondance qui existe entre les sons harmonieux de la lyre et la musique céleste du cosmos. À l'exception de l'« Un » (principe purement abstrait, qui diffère du « un » que Pythagore identifie au point), les nombres ont tous une correspondance dans la nature ; ils déterminent les limites respectives des corps et des êtres matériels. En outre, il existe des nombres sacrés (10, par exemple, le nombre parfait) et des nombres ayant une valeur morale ou intellectuelle (1 correspond à l'intelligence, 2 à l'opinion, 4 à la justice, 7 au temps critique, etc.).

Après l'étude des philosophes qui ramenaient toutes choses à des principes matériels, la théorie pythagoricienne a peut-être de quoi nous surprendre. Toutefois, aujourd'hui encore, beaucoup de mathématiciens qui établissent des formules mathématiques sans se référer aucunement à l'expérience sensible croient que ces formules pourraient être en parfaite adéquation avec la réalité. C'est comme si la structure du cosmos reposait sur des combinaisons mathématiques ; tout en ayant une existence indépendante de l'univers matériel, les objets mathématiques seraient donc en parfaite adéquation avec celui-ci. Selon cette perspective, on n'invente pas les formules mathématiques, on les découvre.

Transcendance

Caractère de ce qui, tout en étant extérieur et supérieur à un genre ou à une espèce d'êtres, les détermine. Ce qui est transcendant s'oppose à ce qui est immanent.

Microcosme et macrocosme

On appelle « macrocosme » l'Univers considéré par rapport à l'humain, en supposant qu'il y a correspondance entre leurs parties. Dans ce rapport, l'humain, qui est une copie en miniature de l'Univers, est appelé « microcosme ». Ces mots étaient sans doute déjà employés par les médecins grecs, qui faisaient correspondre terme à terme les parties de l'anatomie de l'homme aux parties de l'Univers. Toutefois, la division du macrocosme en monde intelligible et en monde sensible est due aux philosophes.

---

2. Pour ne nommer que quelques-uns de ces penseurs : dans l'Antiquité, il y a Parménide, Platon et Aristote ; au Moyen Âge, il y a Thomas d'Aquin ; à l'époque moderne, il y a René Descartes, Emmanuel Kant, Friedrich Hegel.

Être en tant qu'être

Quand je dis «que je suis un étudiant, que je suis né en telle année, que je suis de telle nationalité, que je fais de la musique», ce que je dis renvoie à des choses facilement compréhensibles; par contre si je dis simplement «que je suis», qu'est-ce que cela signifie? C'est cette question sur l'être, dans son sens le plus fondamental, que se pose Parménide, en tentant de le dépouiller de tout ce qui est de nature sensible, de tous ces attributs qu'il a dans le monde matériel.

Parménide

Parménide est né vers la fin du vi^e siècle avant notre ère et il est décédé vers l'an -450. Il vient d'une famille aristocratique d'Élée, en Italie du Sud (Grande Grèce). On sait peu de choses sur sa vie, si ce n'est qu'il a peut-être été législateur. C'est à lui qu'on attribue la doctrine de l' **être en tant qu'être** à cause des idées qu'il soutient dans un poème qui a été conservé et qui s'intitule *De la nature*. L'œuvre comprend deux parties: la première porte sur la vérité et la seconde sur l'opinion.

Tout comme Pythagore, Parménide oppose l'âme et le corps. L'âme est supérieure au corps puisque, immortelle, elle peut connaître ce qui reste éternellement identique, ce qui ne se contredit jamais, ce qui est toujours vrai, alors que le corps, mortel, est tourné vers le monde matériel et changeant. Toutefois, pour atteindre la vérité, l'âme ne doit pas se laisser distraire par le monde sensible, le monde de l'expérience. Elle doit se replier sur elle-même et procéder comme dans les mathématiques pures, où le recours à la réalité extérieure n'est jamais nécessaire.

La pensée de Parménide diffère de celle des pythagoriciens en cela qu'elle ne prend pas pour objet les nombres, les proportions et les figures, mais la rigueur des raisonnements. Parménide est le premier à prendre comme point de départ de sa réflexion un principe logique: le principe de non-contradiction. Dans la pratique, on reconnaît facilement la pertinence de ce principe: quand on débat d'une question avec nos parents ou avec nos amis, par exemple, on exige d'eux qu'ils ne se contredisent pas. Toutefois, sans doute parce que Parménide a été le premier à donner toute son importance à ce principe, il l'a conçu d'une façon trop rigide. Il a confondu la non-contradiction et l'identité absolue de l'être. Son principe n'admettait aucun changement dans l'être. Le principe de non-contradiction, tel que l'a pensé Parménide, peut s'énoncer comme suit: «Il est impossible pour un même être de recevoir deux attributs opposés[3].»

Appliqué à la nature, ce principe devait mener à une impasse. En effet, force est de constater que, selon celui-ci, les êtres sensibles sont contradictoires puisqu'ils apparaissent toujours sous des aspects opposés: ils sont vivants et ils sont morts; ils sont en santé et ils sont malades; ils sont chauds et ils sont froids; ils sont jeunes et ils sont vieux. Devenir (changer), pense Parménide, c'est être ce qu'on n'est pas ou ce qu'on n'était pas. Devenir, c'est passer de ce qu'on est à ce qu'on n'est pas, c'est passer de ce qu'on est à autre chose. Devenir autre, ce n'est plus être identique à soi; ce n'est plus être véritablement. Devenir, c'est tout simplement ne pas être.

Comme on le voit, le raisonnement de Parménide aboutit à une conclusion radicale: les êtres de la nature ne sont pas véritablement des êtres, car ils sont changeants et, par ce fait même, contradictoires. Ils n'ont donc pas d'existence

---

3. Il serait pertinent de comparer cette définition avec ce que stipule véritablement le principe de non-contradiction, p. 39 dans ce même chapitre.

réelle ; ils ne sont qu'apparences et illusions. Parménide voit donc le principe du réel dans ce qui reste toujours identique, dans ce qui ne change pas. Selon lui, l'être ne peut que demeurer toujours ce qu'il a toujours été. L'être est, le non-être n'est pas. Le tableau 2.1 laisse voir cette opposition entre l'être et le non-être.

Une autre conséquence de la réflexion de Parménide, c'est l'impossibilité de faire une science[4] de la nature. Si les êtres sensibles n'ont pas d'existence réelle, il est en effet impossible d'en acquérir une connaissance véritable. Quand on tente de la connaître, la nature (c'est-à-dire tout ce qui est matériel et changeant) heurte sans cesse la raison et son principe de non-contradiction. Les êtres de la nature se présentent, d'un moment à l'autre, sous de multiples aspects. C'est pourquoi il existe de multiples opinions par rapport à une même chose. La nature n'est qu'affaire d'opinion, qui varie sans cesse selon la perception que tout un chacun a des choses qui changent. La nature n'offre pas la stabilité nécessaire pour qu'on puisse en dégager les lois de la science. Par conséquent, Parménide condamne la possibilité d'une étude sérieuse de la nature ; selon lui, la science porte sur ce qui est toujours vrai et qui n'est accessible qu'à la raison, alors que les opinions ne portent que sur les apparences éphémères perçues par les sens.

La thèse radicale de Parménide a freiné l'entrain de ceux dont la recherche portait sur la nature. C'est l'une des règles de l'argumentation que d'admettre (au moins provisoirement) les conclusions auxquelles aboutit un raisonnement correctement formé qu'on ne peut réfuter de façon rationnelle. Il faudra attendre longtemps avant qu'on se rende compte qu'il fallait remonter jusqu'au premier principe de sa démonstration pour découvrir l'erreur de Parménide ; c'est Platon et son élève Aristote qui en donneront la solution. Toutefois, on peut accorder à Parménide d'avoir éveillé le souci de la rigueur dans la démonstration et l'intérêt pour les questions relatives à la connaissance et à la logique.

Tableau 2.1	L'être et le non-être selon Parménide
L'être ou le réel	• Le monde intelligible
	• L'être toujours identique
	• L'Un
	• L'être logique (qui ne se contredit jamais)
	• L'objet de la connaissance rationnelle et de la science
Le non-être ou l'apparence	• Le monde sensible ; la nature
	• Le changement, le mouvement ou le devenir
	• Le multiple
	• L'expérience contradictoire
	• L'objet de la connaissance sensible et de l'opinion

---

4. Avant le XVIIᵉ siècle de notre ère, la science comprend toute l'étendue des connaissances rationnelles et considérées comme vraies. Le philosophe, l'homme de science et le savant ne font qu'un.

Un détail de la fresque l'*École d'Athènes* par Raphaël. Héraclite d'Éphèse : « Tout s'écoule, rien ne demeure. »

Héraclite

Nous avons déjà fait brièvement connaissance avec Héraclite lorsqu'il a été question des philosophes de la nature qui faisaient des causes matérielles, les principes du réel (voir la section « À la recherche de causes matérielles » du chapitre 1). Selon Héraclite, en effet, le feu est l'élément à l'origine de toute existence. Par un autre côté, toutefois, la doctrine héraclitéenne se rapproche davantage de celles de Pythagore et de Parménide, car le feu n'est pas conçu simplement comme matière, mais il est également une notion abstraite. Héraclite l'identifie à la Raison divine ; il le nomme Vérité, Sagesse, Principe organisateur, Loi universelle. Néanmoins, ces ressemblances, de part et d'autre, ne nous permettent de rattacher la doctrine d'Héraclite à aucune des deux tendances.

La doctrine d'Héraclite[5] est appelée « mobilisme », car en opposition à la permanence que procurent les principes que postulent les autres présocratiques, le feu, qui est immanent à toutes les choses, est toujours en mouvement. Dans la nature, tout est dans un état d'incessante mobilité : « tout s'écoule, rien ne demeure ». Au principe de la permanence que recherchent les philosophes, Héraclite substitue donc le changement. Aucun substrat ne reste en permanence à travers le changement. Le changement est l'être des choses, et les choses ne sont que des moments de ce changement. Selon Héraclite, « on ne saurait entrer deux fois dans le même fleuve » et « ce n'est pas le même soleil qui se lève chaque jour ».

Une représentation de la voûte céleste et de l'étonnement devant la splendeur de l'Univers.

Bien que dans l'Univers rien ne reste en permanence, le mouvement est régi par une loi qui impose un ordre : c'est la loi de l'opposition et de l'harmonie entre les contraires.

« Ce monde-ci, dit Héraclite, a toujours été, et il est et il sera un feu toujours vivant, s'allumant *avec mesure* et s'éteignant *avec mesure*. » D'une part, il y a un principe de transformation réciproque et continuelle (une lutte) entre les opposés : entre la vie et la mort, le jour et la nuit, le chaud et le froid. « Ce qui est en nous est toujours un et le même : vie et mort, veille et sommeil, jeunesse et

---

5. Toutes les citations d'Héraclite de cette section sont tirées de Jean-Paul DUMONT (dir.), *Les Présocratiques*, Paris, Gallimard, 1988, p. 127-187.

vieillesse ; car le changement de l'un donne l'autre et réciproquement. » Cette lutte entre les contraires donne l'impression d'une sorte d'équilibre dans la nature : certaines choses nous apparaissent immobiles parce que leur changement s'opère à un rythme imperceptible à nos sens ; nous croyons qu'il y a de la stabilité dans les phénomènes de notre monde et que, concernant les affaires humaines, la paix est possible, mais cela n'est qu'illusion. En fait, au cours de la succession des contraires dans la nature, le feu croît toujours davantage (tout devient de plus en plus feu) jusqu'à la conflagration universelle. Alors, le feu, qui est lui-même mouvement entre les contraires, procède aussitôt à la formation d'un autre monde.

D'autre part, au-dessus de cet équilibre apparent, il y a une Harmonie supérieure, le Feu primordial, qui veille à ce qu'aucun des contraires ne l'emporte définitivement afin que la vie et le mouvement se poursuivent. Grâce à sa raison, l'être humain a d'ailleurs la possibilité d'entrer en contact avec ce Feu primordial, qui est partout, d'accorder son âme au courant universel et d'atteindre ainsi la vérité et la sagesse. Mais, pour Héraclite, la plupart des humains se contentent d'apparences et d'illusions : ils « aiment mieux la paille que l'or ».

En définitive, selon Héraclite, tout ce qui existe n'existe que grâce au mouvement perpétuel des contraires. Alors que Parménide condamne le devenir parce que, d'après son principe de non-contradiction, tout dans la nature n'est que changement contradictoire et désordre, Héraclite exclut la possibilité de l'être qui reste en permanence le même. Sans la présence simultanée des contraires dans l'être, il n'y aurait que néant. C'est pourquoi Héraclite ne fait pas de différence entre les opposés. Pour lui, c'est le même d'être l'un ou l'autre : « la route, montante descendante. Une et même ». En effet, selon lui, « le Tout est divisé indivisé engendré inengendré mortel immortel ».

La philosophie et la théorie de la connaissance

Les recherches des philosophes présocratiques ont ouvert des perspectives nouvelles à notre compréhension du monde ; elles ont jeté les bases d'un nouveau mode de pensée que les philosophes de la prochaine génération clarifieront, préciseront, systématiseront.

En premier lieu, bien que cela puisse n'avoir été fait qu'intuitivement, on peut accorder aux philosophes de la première tendance d'avoir réalisé l'ébauche d'une première méthode d'analyse et de synthèse, et de l'avoir appliquée à l'objet même de leur recherche, sans recourir à des réalités d'un autre genre. Ainsi, pour rendre compte de la nature, ces philosophes ont exploré ce qui s'offrait à leurs perceptions dans l'expérience sensible, et ils ont éliminé de leurs explications les divinités et tout ce qui appartenait à une surnature. Cette façon de faire conduira à la découverte d'un critère privilégié de la rationalité : le critère de la pertinence.

En second lieu, le grand mérite des philosophes de la seconde tendance est d'avoir mis en lumière, de façon plus évidente pour nous que ceux de la première tendance, les limites des données des sens si l'on veut élaborer des théories qui correspondent à la réalité. Ce que nous ont appris ces philosophes, c'est que nous devons éviter de prendre pour des faits tout ce que nous présentent nos perceptions sensibles car, entre notre expérience subjective et

Analyse

L'analyse consiste à diviser un tout en ses parties constituantes. Ce tout peut être de nature très variée. Par exemple, les présocratiques divisaient le tout que forme l'Univers en ses éléments fondamentaux ; mais il s'agit encore d'analyse lorsqu'on divise le tout qu'est une œuvre littéraire en ses idées principales et secondaires. L'analyse est un procédé essentiel quand on veut approfondir notre connaissance d'une chose.

Synthèse

La synthèse consiste à réunifier ce qui a été divisé au moyen de l'analyse. Lorsqu'une analyse a été bien menée, elle nous permet de reconstituer le tout dans un modèle (un modèle de l'Univers, un résumé, etc.) qui le représente adéquatement.

Pertinence

Caractère de ce qui entretient un lien logique avec ce qui est porté à notre réflexion. Nous répondons de façon pertinente à une question lorsque notre réponse est du même ordre que le problème soulevé dans la question. On contrevient, au contraire, à la pertinence quand on est hors sujet, que notre réponse n'a pas de rapport avec l'objet visé par la question.

Subjectivité

Caractère de ce qui est déterminé par nos propres facultés sensitives ou cognitives sans que nous soyons en mesure de départager nos sensations ou nos pensées des choses elles-mêmes. Une connaissance est subjective lorsqu'elle tient davantage de nous-mêmes (de nos perceptions, de nos sentiments, de nos jugements) que de la réalité qu'elle est censée décrire.

Objectivité

Qualité de la réalité telle qu'elle existe, indépendamment de la perception ou de la connaissance que nous en avons ou que nous croyons en avoir.

Vraisemblance

Ce qui est vraisemblable se distingue de ce qui est vrai par son degré moindre d'exactitude et de certitude. C'est ce que l'on prend, à bon droit, comme vrai, mais qui pourrait se révéler faux.

Conformisme

Attitude qui consiste à suivre les conventions sociales, tant sur le plan des idées que sur le plan des habitudes de vie, sans remise en question.

Dogmatisme

On appelle « dogmatisme » l'attitude intellectuelle consistant à s'appuyer sur des doctrines établies comme vérités fondamentales ou sur des opinions considérées comme certaines, et auxquelles nous sommes tenus d'adhérer sans remise en question.

Préjugé

Opinion ou jugement que l'on tient pour assuré, mais qui n'est pas fondé rationnellement. Les préjugés sont souvent acquis par l'éducation, la famille, le milieu social ou l'époque.

immédiate des choses et la réalité objective, il n'y a pas de lien nécessaire. Nous avons, par exemple, tendance à croire que les couleurs sont des qualités propres aux choses (qu'elles sont objectives) ; pourtant, les couleurs ne sont en réalité que l'effet, sur nos yeux, de la lumière, à la surface des choses (elles sont subjectives). Il en est ainsi quand nous disons qu'*il y a* un coucher de soleil, que l'arbre qui tombe *fait du bruit* ou, encore, qu'un télescope nous a mis *en présence* d'une galaxie très lointaine ; ce que nous disons alors concerne davantage notre propre pouvoir de connaître que l'existence objective des choses dont nous parlons. En effet, la vitesse de la lumière pour se rendre jusqu'à nous fait en sorte que, depuis huit minutes déjà, le soleil est disparu de notre horizon lorsque nous assistons à son coucher, et que les galaxies très lointaines existaient, telles que nous les voyons, voilà déjà, peut-être, plusieurs millions d'années. De même, le bruit que fait l'arbre qui tombe n'est que l'effet (le choc), sur le tympan de nos oreilles, causé par le mouvement de l'air que produit sa chute.

Évidemment, dans la vie de tous les jours, nous n'avons pas besoin à tout moment d'utiliser une approche scientifique ; tout comme c'est le cas pour les autres animaux, nos sens sont adaptés à notre environnement et nos perceptions suffisent pour que nous puissions répondre à nos besoins. Toutefois, nous devons être conscients que lorsque nous entrons dans le domaine du savoir et que nous cherchons à connaître objectivement le réel, cette recherche de la vérité implique un dépassement de l'expérience quotidienne. C'est donc pourquoi les philosophes nous ont appris à considérer le doute, non seulement à l'égard des sens mais aussi à l'égard de l'intelligence comme un outil indispensable en vue de la connaissance. Pythagore aurait d'ailleurs été le premier à se dire « philosophe » au lieu de « sage » pour souligner, outre les limites des sens, les limites de la raison humaine. Cela témoigne, chez Pythagore, d'une marque d'humilité à l'égard de la perfection du savoir (ce qu'est proprement la sagesse). L'être humain n'est pas un dieu : l'être humain désire tout connaître, il tend vers la perfection, mais il ne peut tout connaître, il n'est pas parfait. Néanmoins, s'il ne peut être sage et posséder une connaissance parfaite, il peut aimer la sagesse (c'est le sens du mot « philosophie ») et tendre avec respect et prudence vers elle.

En nous incitant ainsi à la prudence et à ne pas prendre pour des vérités les chimères de notre esprit et les connaissances qui ne sont que vraisemblables, le doute s'avère le premier pas pour avancer vers la vérité avec le moins grand risque d'erreurs. Ce doute n'est cependant pas un but ; il ne s'agit pas d'en rester là et de ne jamais nous prononcer sur rien. Le doute est une attitude qui nous rappelle d'accepter de remettre en question nos opinions et de ne pas tomber dans les pièges du conformisme et du dogmatisme. En ce sens, la rigueur démonstrative initiée par les premiers philosophes, comme nous l'avons vu par exemple avec Parménide, et l'art de l'argumentation développé par leurs successeurs se présentent pour nous comme une invitation à penser par nous-mêmes. D'où il s'ensuit que l'étude de la philosophie doit être abordée non pas comme la confrontation d'opinions ou de doctrines parmi lesquelles il faut choisir une fois pour toutes, mais plutôt comme un échange personnel avec les idées des plus grands philosophes, destiné à enrichir notre questionnement actuel.

Si les philosophes nous incitent à faire un examen constant de nos opinions et de nos préjugés, et qu'ils n'ont pas de vérités toutes faites à nous transmettre, quelle signification devons-nous donner à cette vérité qu'ils recherchent, et en quoi diffère-t-elle de l'opinion ? La philosophie est une quête de vérité. Or, considérer que le savoir puisse être quelque chose de définitif est une attitude qui fait obstacle à cette quête ainsi qu'à l'avancement de la science. C'est pourquoi, en philosophie, les réponses qui sont acceptées comme vraies sont celles qui, pour le moment, ont été les mieux justifiées. Elles se distinguent par leur caractère d'**impartialité**, d'objectivité et d'universalité[6]. L'opinion, quant à elle, si elle n'est pas le résultat d'une démarche rationnelle, n'est pas valable en philosophie. De façon générale, elle peut même nous faire courir le risque d'être dupe de la séduction et de la persuasion qu'exercent sur nous ceux qui ont l'ambition du pouvoir.

L'élucidation de la méthode et des problèmes philosophiques

Une nouvelle génération de philosophes, qui jouiront jusqu'à nos jours d'une grande renommée dans l'histoire de la pensée, portera la discipline philosophique à maturité. Il s'agit de Socrate, Platon et Aristote. Bénéficiant des recherches de leurs prédécesseurs, ils ont pu classifier les **problèmes** qui s'y trouvaient, pousser plus loin la réflexion sur les conditions de la possibilité d'une connaissance qui réponde aux caractéristiques de la vérité (impartialité, objectivité, universalité), et donner les règles à suivre pour atteindre cette connaissance.

Socrate

Socrate est né à Athènes en l'an 470 avant notre ère. Il est décédé en l'an -399, condamné par le tribunal d'Athènes à boire la ciguë (un poison mortel). Phénarète, sa mère, était sage-femme ; son père, Sophronisque, exerçait le métier de sculpteur. On raconte que Socrate a lui-même pratiqué ce métier avant qu'il décide de se consacrer entièrement à la philosophie. Il aurait pris cette décision à la suite d'un **oracle** que son ami Chéréphon aurait reçu de la **Pythie** au temple d'Apollon à Delphes. L'oracle disait que nul n'est plus savant que Socrate. Ceci constitua une véritable énigme pour Socrate, qui était conscient de la supériorité, en bien des domaines, d'autres hommes sur lui. Il alla donc interroger des hommes d'État, des orateurs, des poètes et des artisans qu'il jugeait ainsi. Il comprit alors que, bien que tous ces gens connussent un tas de belles choses, ils étaient ignorants, en ce sens qu'ils prétendaient connaître des choses qu'ils ne connaissaient pas ; en dehors des questions pour

Impartialité

Qualité de celui ou de celle qui ne cherche pas à défendre l'intérêt de l'un, ou le sien propre, au détriment de l'autre.

Problème

Ce mot concerne ici tout objet de questionnement qui suscite la réflexion et la recherche d'une explication rationnelle. Certains problèmes appartiennent à la philosophie, d'autres à des sciences particulières.

Un détail de la fresque l'*École d'Athènes* par Raphaël. Socrate argumente avec Alcibiade et Xénophon.

Pythie

Selon la mythologie grecque, Apollon a tué le monstre Python pour pouvoir installer son sanctuaire à Delphes où il allait rendre des oracles. La prêtresse du temple reçut le nom de Pythie en l'honneur de cet exploit.

Oracle

Réponse qu'un dieu donne, par l'intermédiaire d'un prêtre ou d'une prêtresse, à ceux qui viennent le consulter. Dans l'Antiquité, il était fréquent que l'on aille au temple consulter le dieu de l'endroit. Ceux qui en avaient les moyens lui offraient des présents dans le but qu'il leur dévoile la vérité. Les oracles avaient la particularité d'être toujours rendus sous forme d'énigmes.

---

6. Voir la définition d'« universel » au chapitre 1, p. 12.

lesquelles ils étaient compétents, ils donnaient leur opinion sur à peu près tout sans jamais douter de ce qu'ils avançaient. Socrate, lui, qui ne prétendait pas être savant, savait du moins qu'il ne savait rien. De cette enquête, il tira donc la conclusion suivante : « Il est plus savant d'être conscient de son ignorance que de croire que l'on sait tout ».

À partir de ce moment, Socrate considéra que la prétention et la vanité sont des signes d'ignorance profonde et, fort de cette conviction, il se chargea de la mission d'aider les autres à prendre conscience de leur condition, comme Apollon venait de l'aider, lui, à le faire. Il ne cessa dès lors de questionner ses concitoyens, d'examiner leurs raisonnements, de les piquer comme un taon, de les inciter à avouer leur ignorance et à se remettre en question. À sa manière, Socrate reprend donc la leçon de ses prédécesseurs et l'applique dans le domaine moral : l'aveu d'ignorance (le doute à l'égard des opinions et des préjugés) est le premier pas vers la sagesse et la vertu.

Dans le but d'aider ses concitoyens à se débarrasser de leurs fausses opinions, Socrate a mis au point une méthode de discussion rationnelle, la discussion réfutative, qui permet d'évaluer tour à tour les raisonnements de chacun. Cette méthode comporte des règles strictes qui visent à ce que les participants ne s'écartent jamais d'une recherche commune de la vérité et que la discussion ne dégénère pas en une confrontation d'opinions où chacun ne tient qu'à l'emporter sur les autres. Ainsi, quel que soit le nombre de participants, il n'y a toujours que deux interlocuteurs à la fois ; les autres doivent suivre attentivement la discussion et pourront, s'ils le veulent, prendre la relève de l'un des interlocuteurs, mais seulement lorsque le raisonnement examiné sera complété. Chacun des deux interlocuteurs a un rôle bien précis : l'un questionne et l'autre répond en défendant du mieux qu'il le peut sa position sur une question d'ordre moral. Le rôle du premier, le questionneur, est, plus précisément, de mettre à l'épreuve les croyances de son interlocuteur ; ce qu'il fait en veillant à trois choses. Premièrement, il doit veiller à ce que le répondant ne s'éloigne pas de l'objet de la discussion ; autrement dit, il doit faire respecter le critère de la pertinence[7]. Deuxièmement, il doit s'assurer que les conclusions auxquelles aboutissent les réponses de son interlocuteur ne soient pas contradictoires, qu'elles respectent le critère de la cohérence ; ce dernier critère nécessitant, troisièmement, que les **concepts** soient bien définis. Définir correctement

Vertu

Disposition stable à toujours agir selon le bien quelles que soient les situations particulières où nous nous trouvons. Socrate ne s'intéressait pas à l'étude de la nature. Il pensait que nous devions d'abord faire acte d'humilité et limiter l'objet de notre recherche à ce qui est le plus près de nous, c'est-à-dire à l'amélioration de notre propre conduite.

Cohérence

Ce critère renvoie essentiellement au principe de non-contradiction. Il nous permet de juger correctement de la vérité ou de l'acceptabilité d'une proposition, ou d'une assertion, en établissant la relation de celle-ci avec un ensemble d'autres propositions. Une proposition est jugée vraie si elle fait partie d'un système de propositions logiquement cohérent, c'est-à-dire si elle n'entre pas en contradiction avec une autre proposition.

Concept

Un concept est une idée générale (une notion universelle) et abstraite à l'égard de laquelle les choses ne sont que des cas individuels et concrets. Par exemple, le concept « humain » est une idée *générale* parce qu'il regroupe les caractéristiques communes et essentielles à tous les humains, alors que « Pierre » est un individu qu'on ne peut donner comme attribut des autres individus (on ne pourrait pas dire que Julie est Pierre). Le concept « humain » est une idée *abstraite*, car il est le résultat d'une opération de la pensée qui, à partir des individus concrets, en retire ce qui est commun et essentiel. Les concepts sont des réalités exclusivement intelligibles ; ce ne sont ni des images ni des mots (par exemple, le mot français « chat » et le mot anglais « cat » renvoient au même concept). Il faut faire attention à ce que le sens premier du mot « concept » ne renvoie pas, comme on a tendance à le considérer, à un projet, un produit ou une création artistique visant un public.

---

7. Voir la définition plus haut dans ce chapitre, p. 31.

les concepts qui sont au cœur d'une discussion s'avère en effet extrêmement important, ne serait-ce que pour s'assurer que les désaccords ne soient pas dus à ce que, tout en croyant parler de la même chose, on utilise un même concept dans des sens différents. Or, une bonne définition[8] doit avoir, selon Socrate, une valeur universelle ; c'est-à-dire qu'elle doit être valable pour l'ensemble des cas que représente le concept dont il est question, peu importe par ailleurs si elle remporte ou non l'adhésion de tous. La valeur d'une opinion n'est pas fondée sur le plus ou moins grand nombre de gens qui lui donne sa faveur car, selon Socrate, il peut arriver, et il arrive très souvent, que la majorité soit dans l'erreur.

Dans les discussions, Socrate joue le rôle du questionneur, car il dit ne pas posséder de savoir à transmettre à ses concitoyens. En les questionnant, il les exerce plutôt à se défaire de leurs fausses idées, à désapprendre ce qu'ils croient savoir. Avec Socrate, la recherche philosophique du vrai doit remplacer l'obéissance sans réflexion à ce qui nous est transmis par notre milieu social, par la tradition et par ce que l'on croit être dicté par les dieux. Elle implique l'engagement de toute notre personne en vue de notre perfectionnement intellectuel et moral. En ce sens, l'activité philosophique de Socrate s'oppose à l'enseignement des **sophistes** . Socrate tourne le dos à ces spécialistes de la **rhétorique**, qui font de beaux et de longs discours en prétendant transmettre la vérité sur la vertu. Selon lui, la vertu ne peut s'acquérir simplement en écoutant les autres en parler ; elle exige, au contraire, un travail sur soi-même. C'est pourquoi Socrate encourage les gens de son entourage à fortifier leur âme au moyen de l'argumentation rationnelle et à se méfier de l'élégance des discours qui ne visent qu'à persuader et qui les entraînent dans l'erreur. Même s'il est parfois douloureux d'être réfuté et de devoir quitter ses fausses croyances, il ne faut pas se satisfaire d'un savoir extérieur ; il faut prendre conscience des exigences réelles d'un savoir vrai. « Une vie sans examen, dit Socrate, ne vaut pas la peine d'être vécue[9]. » Selon Platon et Aristote, Socrate est le premier à avoir eu le souci de la rigueur en ce qui concerne les questions qui relèvent du domaine de l'**éthique** ; on lui doit d'avoir fondé la science morale.

Platon

Platon est né à Athènes en -427, et il est décédé en -347. Il appartenait à une famille aristocratique dont plusieurs membres s'occupaient activement de politique. La famille de son père était, semble-t-il, de sang royal, et celle de sa mère se rattachait

Rhétorique

Art de faire de beaux discours visant à persuader un auditoire plutôt qu'à le convaincre rationnellement. La persuasion substitue aux preuves rationnelles de l'argumentation le style, les ruses trompeuses et les procédés psychologiques ; elle s'adresse beaucoup plus aux émotions des auditeurs qu'à leur intelligence. La rhétorique est très actuelle, notamment dans les médias, les débats politiques et la publicité.

Éthique

L'éthique concerne tout ce qui touche à la conduite de l'individu. Elle fait appel à notre conscience personnelle du bien et du mal, sans laquelle nous ne pouvons exercer notre libre arbitre et sommes condamnés à suivre ce que la nature nous dicte ou ce que nous a inculqué l'habitude. Généralement, c'est le cas dans ce manuel, les termes « éthique » et « morale » sont utilisés comme synonymes ; mais il peut aussi arriver que certains les distinguent en ce sens que la morale ne se fonderait pas sur notre sens critique, mais qu'elle nous inciterait plutôt à régler notre conduite sur un code dont nous n'avons pas décidé nous-mêmes.

Sophiste

Les sophistes étaient des enseignants professionnels qui, à partir du ve siècle avant notre ère, se déplaçaient à travers toute la Grèce pour faire des discours publics et donner des leçons particulières aux jeunes gens qui étaient en mesure de les rémunérer. Les sophistes étaient des maîtres dans l'art du langage ; ils ont inventé et enseigné la rhétorique, l'art de faire de beaux discours, grâce à quoi ils formaient d'habiles orateurs et politiciens.

---

8. Des exercices sur les définitions seront fournis au chapitre 3.
9. PLATON, *Apologie de Socrate*, 38a, dans *Œuvres complètes*, tome I, trad. par Maurice CROISET, Paris, Les Belles Lettres, 1967, p. 167.

Platon et ses disciples se livraient à des recherches d'une étendue encyclopédique.

Solon

En l'an -594, Solon, le « père de la démocratie », apporta à la constitution d'Athènes une réforme importante qui conduisit, en l'an -508, la cité à un régime démocratique[10].

Essence

L'essence, ou la forme, est ce par quoi un être est toujours ce qu'il est, malgré les changements qui peuvent l'affecter (Pierre est et restera un être humain de sa naissance à sa mort). C'est ce qui explique pourquoi un être particulier appartient à un ensemble (pourquoi un triangle isocèle appartient à l'ensemble des triangles); c'est l'universel dans les choses singulières (« être une figure géométrique plane à trois côtés » appartient à toute la multitude des triangles).

L'essence est une réalité intelligible qui ressemble en quelque sorte à un concept, bien que – nous le verrons plus loin – Platon en fasse une réalité qui n'est pas simplement abstraite du monde sensible, mais qui existe antérieurement et séparément de lui.

indirectement à **Solon**. Dans sa jeunesse, Platon avait lui-même des visées politiques. À Athènes, vers la fin du ve siècle avant notre ère, de multiples dissensions internes avaient corrompu l'exercice de la démocratie et Platon aurait aimé participer à l'instauration d'un régime politique droit. Mais à la vue des pratiques politiques de son époque, il prit conscience de la difficulté d'administrer correctement les affaires de l'État. De plus, la mise à mort de Socrate lui fit éprouver une grande désillusion. Platon, qui avait assisté à l'activité philosophique de Socrate pendant la décennie qui a précédé sa condamnation, avait ressenti une très vive admiration vis-à-vis du pouvoir moral qu'il exerçait, incomparablement plus pur et plus authentique que le pouvoir de ceux qui voulaient imposer leurs lois. Il ne comprenait donc pas comment Athènes, qui se glorifiait d'être la plus juste de toutes les cités grecques, pouvait mettre à mort un homme qui, selon lui, était le plus juste de tous les hommes. Gardant l'espoir de voir se réaliser, un jour, un gouvernement qui aspirerait réellement à l'établissement de la justice, Platon s'est détourné de la politique active pour se consacrer à la philosophie ; il fallait d'abord, pensait-il, redéfinir les fondements d'un régime politique droit. En -387, il ouvrit une école de philosophie qui devint prestigieuse, la célèbre Académie. Platon et ses élèves y faisaient des recherches qui couvraient l'ensemble des préoccupations intellectuelles de l'époque : les causes premières de l'être, les objets mathématiques, la nature, le langage, la logique, l'éducation, la religion, l'éthique et la politique.

Platon a étudié les différentes conceptions philosophiques élaborées par ses prédécesseurs. Il a étudié la doctrine des pythagoriciens, dont l'influence se fait sentir dans l'importance qu'il donne aux mathématiques. L'étude des mathématiques est, selon Platon, une propédeutique indispensable pour aborder la philosophie ; c'est pourquoi il a fait inscrire sur le fronton de l'Académie la formule suivante : « Que nul n'entre ici s'il n'est géomètre ». Il a par ailleurs démontré que la méconnaissance du principe de non-contradiction a conduit Parménide et Héraclite à des conclusions contestables opposées. Pour Parménide, l'être (le monde intelligible) et le non-être (le monde sensible) constituaient deux mondes séparés l'un de l'autre par un fossé infranchissable. Mais Platon, qui, avant sa rencontre avec Socrate, a été l'élève de l'héraclitéen Cratyle, est convaincu de la réalité des choses sensibles, bien que celles-ci soient en perpétuel changement. Toutefois, il juge que la doctrine d'Héraclite est incomplète et que la connaissance des choses sensibles nécessite l'existence de certaines réalités qui, tout en étant distinctes des choses sensibles, leur donnent un sens. Platon jettera donc un pont, un rapport de participation, entre l'être permanent de Parménide et les êtres changeants d'Héraclite. Ce faisant, Platon veut rendre à l'étude de la nature sa légitimité. Il souhaite cela malgré que, à l'instar de Parménide, il pense que l'être se situe avant tout du côté de ce qui demeure toujours le même, et qu'ainsi nos sens sont impuissants à nous dévoiler l'être des choses, leur essence. Selon lui, les choses changeantes de la réalité sensible ont une existence véritable ; elles ne sont pas qu'objets d'opinions contradictoires. Pour n'importe quel genre de choses, il existe une **essence** qui est la cause de leur existence réelle et de la connaissance que nous pouvons en avoir.

---

10. Des explications sur la démocratie athénienne sont données dans le chapitre 5.

Platon a écrit de nombreux **dialogues** dans lesquels il présente, en opposition à la rhétorique des sophistes, mais en continuité avec la méthode socratique, la démarche qu'il faut suivre pour quitter l'obscurité où nous enferme le pseudo-savoir et accéder à la lumière de la vérité. Tout comme Socrate, il soutient la supériorité de la raison sur les sens, car, selon lui, seule l'intelligence peut nous faire saisir l'être véritable et permanent à travers la multiplicité et les changements des choses sensibles. Pour Platon, connaître, c'est regrouper la diversité des êtres sous leurs essences respectives ; c'est, par exemple, savoir que telle ou telle chose est un lit (un lit de bois, un lit de fer, un lit de paille, un lit double, un lit simple, etc.) parce que la définition universelle et essentielle du lit est valable pour chacune de ces choses.

La méthode platonicienne a pour nom « dialectique ». Elle consiste en deux opérations de la raison : la synthèse et l'analyse (la division). D'abord, il faut ramener à l'unité les notions éparses afin d'éclaircir, par la définition essentielle, le sujet que l'on veut traiter : c'est la synthèse. L'esprit doit s'élever jusqu'à la saisie des essences qui serviront de principes premiers (de points de départ) à la connaissance. Par exemple, dans leur recherche sur la nature de l'amour, les dialecticiens partent de différentes hypothèses – l'amour est l'union harmonieuse des contraires ; l'amour est la quête de notre moitié complémentaire ; l'amour est le dieu qui inspire les poètes ; l'amour est le désir des plaisirs charnels ; l'amour est le désir du bien, etc. – et ils font un examen rationnel de ces hypothèses jusqu'à ce qu'ils aboutissent à la découverte de la définition essentielle de l'amour.

Une fois atteinte l'essence du sujet que l'on traite, la division, ou analyse, consiste à la redistribuer en ses différentes parties, en tâchant de ne rien omettre. Ainsi, à partir de l'essence, les dialecticiens s'attachent à déduire toutes les connaissances qui en découlent ; ils sont alors en mesure de reconnaître, dans le monde sensible, ce qui fait véritablement partie de l'ensemble des choses que l'on désigne, par exemple, sous le nom d'« amour ». Ils résolvent les contradictions nées de l'affrontement des opinions, parce qu'ils examinent chacune de ces dernières à la lumière des essences universelles. La figure 2.2 permet de voir le lien de continuité qu'il y a entre la discussion socratique et la dialectique platonicienne.

Dialogue

Le dialogue était une forme littéraire courante à l'époque de Platon. C'est d'ailleurs principalement grâce aux dialogues qu'a écrits Platon que la pensée de Socrate est parvenue jusqu'à nous, car Socrate lui-même n'a rien écrit ; on y voit donc apparaître Socrate qui discute avec ses interlocuteurs. Les commentateurs de l'œuvre de Platon divisent généralement ses dialogues en deux groupes. Ceux du premier groupe, les dialogues socratiques, présenteraient la véritable pensée de Socrate alors que, dans ceux du deuxième groupe, Platon aurait gardé Socrate comme héros, mais c'est sa propre philosophie qu'il aurait transmise par la bouche de Socrate.

Figure 2.2 Les démarches de la dialectique

1. *Démarche préliminaire.* Destruction des idées reçues. Cette démarche est l'œuvre de Socrate. C'est en quelque sorte une première forme d'analyse qui doit être accomplie avant l'opération de synthèse dont parle Platon.

2. *Démarche ascendante ou synthèse.* Élévation jusqu'à la saisie des définitions essentielles. C'est ici que se situe, selon Platon, la science du dialecticien ou philosophe.

3. *Démarche descendante ou analyse.* Application des principes à la réalité. À partir de la connaissance des essences, il est possible de déduire toutes les autres connaissances qui portent sur la nature et sur les pratiques humaines, et de constituer ainsi les sciences particulières.

Selon Platon, la dialectique est l'unique méthode qui permet de discourir de façon scientifique sur toutes choses. C'est pourquoi, dans son dialogue intitulé *Phèdre*, il fait s'exprimer Socrate en ces termes :

> Voilà, Phèdre, de quoi je suis amoureux, moi : c'est des divisions et des synthèses ; j'y vois le moyen d'apprendre à parler et à penser. Et si je trouve quelque autre capable de voir les choses dans leur unité et leur multiplicité, *voilà l'homme que je suis à la trace comme un dieu.* Ceux qui en sont capables, Dieu sait si j'ai tort ou raison de leur appliquer ce nom, mais enfin jusqu'ici je les appelle dialecticiens[11].

Aristote

Aristote contemplant le buste d'Homère, Rembrandt (1653).

Aristote est né en -384 et il est décédé en -322, un an après la mort d'**Alexandre le Grand** dont il a été le précepteur de -343 à -340. Il est originaire de Stagire, une colonie grecque de la péninsule de la Chalcidique. Sous l'influence de son père, qui était médecin, Aristote affectionna dès son jeune âge la biologie et l'anatomie. Lors de son premier séjour à Athènes, qui dura environ de -367 à -347, il étudia et donna des cours à l'Académie de Platon. Ce dernier, qui avait beaucoup d'estime pour son jeune disciple, l'appelait « le liseur » et « le cerveau de l'École ». Aristote a épousé Pythias puis, après le décès de celle-ci, Herpyllis, avec qui il eut une fille et un fils, Nicomaque, qui mourut jeune, et auquel il a dédié un traité d'éthique. Vers -335, il fonda sa propre école, le Lycée, où il prit l'habitude de se promener avec ses élèves, les péripatéticiens (ceux qui se promènent), pour discuter de philosophie. L'enseignement qu'il y donnait s'oppose, en plusieurs points de doctrine, à l'enseignement de Platon[12] ; ce qu'on explique

Alexandre le Grand

Fils de Philippe II de Macédoine, qui conquit la Grèce en -338, Alexandre le Grand vécut de -356 à -323 et fut roi de l'Empire macédonien de -336 à -323. Ses conquêtes lui valurent d'étendre son règne en Égypte, en Phénicie et de l'Asie Mineure jusqu'à l'Inde. On situe la fin de la période hellénique (voir le tableau chronologique) en -323, date du décès d'Alexandre et du partage de l'empire entre les généraux de son armée. Cette période marque une nouvelle étape dans l'histoire de la pensée. On assiste alors à un mélange des cultures grecque et orientale.

---

11. PLATON, *Le Banquet : Phèdre*, 266b, trad. par Émile CHAMBRY, Paris, Flammarion, 1964, p. 152.

12. Ces oppositions seront abordées au chapitre 6.

généralement par les penchants prononcés, qu'il a conservés de sa jeunesse, pour l'étude des êtres vivants. L'œuvre d'Aristote est considérable et touche tous les domaines de la connaissance, comme en témoignent les titres de certains de ses écrits : *Métaphysique, Du ciel, Physique, De la génération et de la corruption, Histoire des animaux, De l'âme, Organon* (ensemble de six traités de logique), *Rhétorique, Poétique, Éthique à Nicomaque, Les Politiques*.

Bien qu'Aristote accorde une part beaucoup plus grande que Platon à l'expérience sensible dans l'étude de la nature, il maintient, tout comme lui, l'existence d'une cause formelle (les essences) à l'origine de la permanence et de la réalité des êtres sensibles. Aristote a donné sa formule définitive au principe de non-contradiction et, ce faisant, il a montré, d'une part, à l'encontre d'Héraclite, que l'existence nécessite que, sous le mouvement perpétuel des êtres sensibles, il y ait quelque chose qui reste en permanence et, d'autre part, à l'encontre de Parménide, que le changement n'est pas synonyme de non-être. Voici le principe de non-contradiction dûment formulé par Aristote :

> « Il est impossible que le même attribut appartienne et n'appartienne pas en même temps, au même sujet et sous le même rapport[13]. »

Si l'on compare ce principe avec la formulation qu'en avait donné Parménide (voir la section intitulée « Parménide », plus haut dans ce chapitre), il appert que Parménide avait omis de prendre en considération la temporalité. Aristote règle le problème en soutenant qu'il n'y a pas de contradiction dans le fait qu'un même être reçoive deux attributs opposés (par exemple la jeunesse et la vieillesse), à condition qu'il ne les reçoive pas en même temps ; ainsi, un individu reste le même individu de sa naissance à sa mort.

Pour Aristote, le principe de non-contradiction est un principe qui vaut pour tout ce qui existe et que, par conséquent, on doit respecter dans tous les domaines de la connaissance. Mais, selon lui, en plus de principes très généraux, chacune des sciences possède également des principes qui lui sont propres et qui ne sont pas transférables d'une science à l'autre. Aristote est le premier à diviser de façon rigoureuse les problèmes, selon le genre de réalités auquel ils appartiennent. Par exemple, si l'objet de mon questionnement est l'être humain en cela que cet être vise des fins politiques, le point de départ de ma réflexion sera différent de celui dont j'aurai besoin pour étudier l'être humain en cela qu'il est un être naturel ; les principes qui président à la reproduction de l'espèce ne sont pas, en effet, du même genre que les principes qui président à l'établissement d'une société juste. La figure 2.3 présente cette division des domaines du savoir selon Aristote.

Grâce à Aristote, la démarche rationnelle s'est également dotée de règles qui permettent de faire progresser les différents domaines du savoir. Aristote est l'inventeur de la logique, c'est-à-dire de la discipline dont l'objet est l'étude des règles qui nous permettent de raisonner correctement. Il a mis en forme le raisonnement déductif (le syllogisme) et le raisonnement inductif[14], et il a montré pour chacun son utilité.

---

13. ARISTOTE, *Métaphysique*, IV, 3, 105b 19, trad. du grec par Jules TRICOT, Paris, Vrin éditeur, 1986, p. 195.

14. Les raisonnements déductif et inductif seront abordés dans le chapitre 3, cette fois selon les développements que leur ont donnés les logiciens actuels.

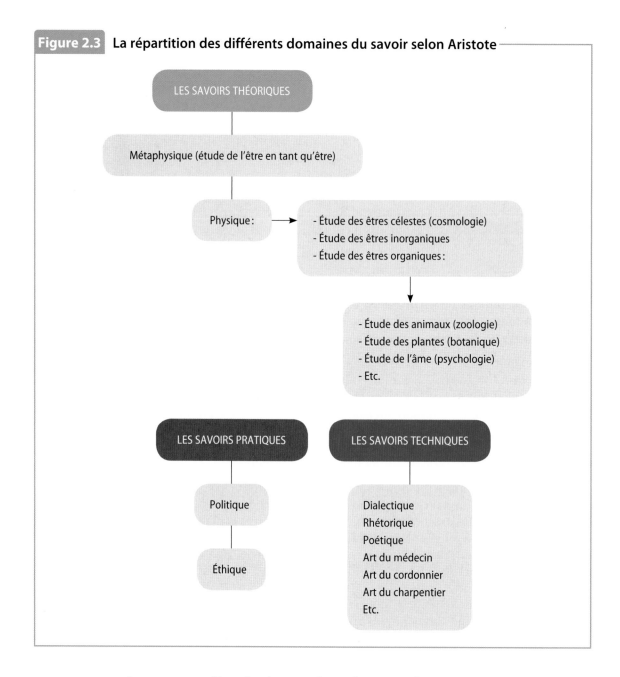

Figure 2.3 La répartition des différents domaines du savoir selon Aristote

LES SAVOIRS THÉORIQUES

Métaphysique (étude de l'être en tant qu'être)

Physique :
- Étude des êtres célestes (cosmologie)
- Étude des êtres inorganiques
- Étude des êtres organiques :

- Étude des animaux (zoologie)
- Étude des plantes (botanique)
- Étude de l'âme (psychologie)
- Etc.

LES SAVOIRS PRATIQUES

Politique

Éthique

LES SAVOIRS TECHNIQUES

Dialectique
Rhétorique
Poétique
Art du médecin
Art du cordonnier
Art du charpentier
Etc.

La poursuite de la recherche sur la nature

Selon Aristote, quel que soit l'objet dont nous entreprenons l'étude, il faut procéder à l'examen des causes[15] qui le déterminent. Concernant les êtres vivants, qui sont l'objet propre de l'étude de la nature, il y en a quatre : la cause matérielle, la cause du mouvement, la cause formelle et la cause finale. Les explications des philosophes présocratiques reposaient déjà sur deux d'entre elles.

• La cause matérielle : ce dont une chose est faite ; le substrat (le support physique) à partir duquel un être est engendré et qui demeure en lui comme un élément

---

15. Voir la définition de ce terme au chapitre 1, p. 9.

de sa composition. Par exemple, la matière avec laquelle est conçu un enfant apparaît en lui sous l'aspect de la chair et des os. Pour connaître la cause matérielle d'une chose, nous posons la question : « De quoi cette chose est-elle faite ? ».

- La cause du mouvement : ce qui, à l'extérieur d'un être, fait qu'il acquiert l'existence, de même que son principe interne de vie (les changements qu'il subit tout au long de son existence). Pour comprendre le mouvement, nous devons poser la question : « Comment ? ». Par exemple : « Comment s'opère la reproduction de telle espèce animale ? la respiration ? la digestion ? la locomotion ? ».

Puis, Platon en a ajouté une troisième.

- La cause formelle ou l'essence[16] : ce que la matière devient (par exemple, l'ovule fécondé devient un vivant ayant la forme humaine) et qui reste en permanence (qui ne change pas) dans l'être ainsi constitué. Pour obtenir la définition essentielle d'un être, il faut poser la question : « Qu'est-ce qu'est essentiellement cet être malgré les changements qu'il peut subir tout au long de son existence ? ». Par exemple, à la question « Qu'est-ce qu'est essentiellement Julie ? », on répondra « Julie est essentiellement un être humain, de sa naissance à sa mort, même si elle change de profession, si elle subit un accident et qu'elle perd l'usage de ses bras et de ses jambes, si elle vieillit ».

L'essence est aussi le genre et l'espèce auxquels appartiennent tous les individus d'un même ensemble. De génération en génération, tout humain est un animal (genre) rationnel (différence spécifique).

Enfin, Aristote a découvert une quatrième cause.

- La cause finale : ce vers quoi tend un être, le but de son existence, le bien qu'il doit viser et qui lui est véritablement utile, par opposition à ce qui peut (lorsqu'il s'agit d'un être humain) lui sembler tel. La fin (le *télos*) que vise un être est toujours extérieure à lui et plus parfaite que lui. Nous connaissons la fin d'une chose lorsque nous posons la question « Pourquoi ? ». Par exemple, à la question « Pourquoi le nouveau-né recherche-t-il la présence de sa mère ? », on répondra : « Pour se maintenir en vie et se développer jusqu'à sa maturité ».

Ces quatre grandes questions – « De quoi cette chose est-elle faite ? » ; « Comment ? » ; « Qu'est-ce qu'elle est ? » ; « Pourquoi ? » – ont motivé de multiples recherches ; jusqu'au XVIᵉ siècle de notre ère, les philosophes et, pareillement, les hommes et les femmes de science œuvraient à cette tâche dans le but de faire progresser l'étendue des connaissances humaines.

Le *Discobole* de Myron (Vᵉ siècle avant notre ère). Au IIᵉ siècle de notre ère, l'aristotélicien Alexandre d'Aphrodise a illustré les quatre causes ainsi : la statue a pour cause matérielle la pierre ou le bronze ; pour cause du mouvement, le statuaire (l'artiste) ; pour cause formelle, un discobole ; pour cause finale, honorer un athlète.

La philosophie, les sciences modernes et les techniques

De façon générale, avant le XVIᵉ siècle, les recherches des philosophes portaient sur les causes premières des êtres. Le but de ces recherches était de mieux connaître tous les aspects des êtres, simplement par amour de la connaissance. Toutefois, les sciences vont progressivement s'émanciper et se définir des objets, des buts et une méthode qui leur sont propres ; c'est la naissance des sciences

---

16. Voir également la définition du mot « essence », plus haut dans ce chapitre, p. 36.

Portrait de Galileo Galilei, dit Galilée (1564-1642), peint par Sustermans, en 1636. Galilée a fourni la preuve expérimentale de l'existence du système solaire découvert par Copernic.

modernes. Ce nouveau mode d'explication du réel prend forme au milieu du XVIᵉ siècle avec un groupe de philosophes anglo-saxons, les naturalistes, et avec la révolution scientifique, qui entraînera le renversement des représentations que l'on s'était faites jusque-là de l'Univers. À partir de cette période de l'histoire, une séparation s'opère entre les philosophes ; parmi eux, ceux qui feront naître les sciences modernes s'intéressent à la matière et au mouvement des choses (le comment) ; le but de leur existence (le pourquoi) et leurs attributs essentiels constitueront l'objet des recherches de ceux qui resteront attachés à la philosophie.

Les naturalistes valorisent l'expérimentation, avec l'utilisation d'instruments scientifiques, la mathématisation de la nature et le développement des sciences et des techniques sous de multiples formes. Ils observent les êtres matériels et ils cherchent à comprendre les processus qui gouvernent les changements qu'ils notent. Cette valorisation de l'expérience sensible et du développement des sciences modifie alors la façon de voir le rapport qui existe entre l'être humain et la nature. Jusque-là, on avait considéré que l'être humain faisait partie intégrante de la nature, qui était elle-même conçue comme vivante et ayant ses propres fins ; par exemple, on considérait que la reproduction des espèces et leur conservation étaient des finalités inscrites dans la nature elle-même. Désormais, on tend à penser que la nature, incluant les animaux, n'est que matière sans vie et qu'elle n'existe que pour les fins que l'humain lui donne. Par conséquent, l'être humain acquiert un statut supérieur à tout ce qui l'entoure, et les scientifiques se donnent pour but d'instaurer sur la terre son règne et son bonheur.

C'est ainsi que, dans son livre intitulé *Nouvel Organon*, Francis Bacon (philosophe anglais qui a vécu de 1561 à 1626 et principal représentant du mouvement naturaliste) décrit une utopie technique qui garantirait le bonheur des hommes ; c'est la nouvelle Atlantide, une île dotée d'un centre de recherches et qui profite de multiples innovations techniques imaginées par le philosophe : un centre d'élevage scientifique où on expérimente sur des animaux de nouvelles méthodes médicales, un centre de biochimie pour examiner la qualité des aliments, des explosifs, la machine à vapeur, le microscope, le télescope et un modèle de téléphone. Le but du projet scientifique de Bacon est utilitaire : on cherche à comprendre comment fonctionnent les choses afin d'intervenir, au moyen de techniques, dans les processus naturels, et ainsi transformer la nature pour qu'elle nous serve. La connaissance doit permettre à l'humain d'exercer son pouvoir sur les choses et de soumettre les lois de la nature à ses propres fins. Par exemple, une fois que les scientifiques ont compris suffisamment les étapes du processus de la reproduction (de la fécondation à la naissance), ils ont pu procéder à des manipulations génétiques. De même, la connaissance des liens de cause à effet dans les phénomènes psychologiques, économiques et sociologiques permet, par exemple, d'opérer des changements dans les comportements des individus, des consommateurs et des sociétés.

Dans cette nouvelle perspective, la science cesse alors d'être simplement synonyme de connaissance vraie : elle doit permettre de faire des choses, elle privilégie l'utilité et l'efficacité. En fait, l'efficacité technique devient une preuve de connaissance vraie. C'est pourquoi de plus en plus de nouvelles sciences naissent et limitent, chacune, leur objet. Par exemple, la biologie se construit, puis se divise pour donner naissance à des spécialités comme la zoologie, la botanique, l'anatomie comparée, l'embryologie, la génétique, la biologie cellulaire, la biologie moléculaire, l'éthologie, la bactériologie, la virologie, la biogéographie, l'écologie, etc. Plus l'objet des sciences se rétrécit, plus celles-ci acquièrent de l'exactitude, et de plus en plus de découvertes scientifiques et technologiques sont rendues possibles.

La philosophie, elle, ne recherche pas ce genre d'exactitude ; au contraire des sciences modernes qui fragmentent l'être en parties de plus en plus restreintes, elle vise à sauvegarder les liens entre les différentes parties de l'être. Elle tend à considérer l'être dans son unité, afin de conserver un sens à l'existence. Elle cherche, par exemple, à déterminer la place que doivent avoir les découvertes scientifiques dans l'univers humain, à quelles fins elles doivent être utilisées, le pourquoi des recherches. Sur le plan éthique, l'enquête philosophique est, en ce sens, nécessaire lorsque la recherche scientifique ne suffit pas à mettre fin à un débat. Aujourd'hui, par exemple, on sait comment fabriquer des armes extrêmement puissantes et comment cloner des êtres vivants, mais – et c'est ce que font les philosophes – on doit se demander : cela veut-il dire qu'on doive le faire ? Pour répondre à ce genre de problèmes, la philosophie nous pousse à examiner ce qui est à la source des dissensions et elle interroge les présupposés qui, de part et d'autre, n'ont pas été remis en question. Elle cherche à aller au fond du questionnement afin d'apporter des réponses qui soient les plus humainement valables.

La philosophie et les sciences sont complémentaires. En renouvelant l'interrogation fondamentale sur l'être, la philosophie veut montrer que, malgré l'utilité des sciences, le monde n'a véritablement de sens que dans le maintien de son intégrité. Elle veut que ce soit l'humain qui, par sa réflexion, se serve de la science, non pas qu'il soit asservi à elle. Les sciences nous apportent de multiples bienfaits, mais il faut veiller à ce qu'elles n'échappent pas à notre réflexion et à ce qu'elles ne soient pas elles-mêmes assujetties à des impératifs économiques. La philosophie est **réflexive**. Elle se fonde sur le pouvoir que la raison a de se remettre en question, de prendre conscience de ses limites et de ne rien tenir pour acquis. Elle est un questionnement sur les réponses déjà données et sur leur relation avec l'être pensé dans sa totalité. La philosophie nécessite donc que la raison prenne du recul à l'égard de ses propres jugements, même scientifiques, sur le réel.

Comme activité réflexive, la philosophie remplit à notre époque deux fonctions à l'égard des sciences expérimentales. L'une, éthique, qui s'interroge sur l'orientation des recherches (c'est ce qui a été montré précédemment), l'autre, **épistémologique**, qui remet en question les concepts, les lois et les principes sur lesquels les scientifiques fondent leurs recherches. Ainsi, chaque science expérimentale base ses applications sur des lois **positives**. Partant de l'observation des faits, les sciences formulent des hypothèses qu'elles considèrent comme vraies, après en avoir vérifié l'exactitude dans l'expérimentation. Elles énoncent que telle cause provoque (nécessairement ou dans certaines circonstances données) tel effet, dans tel domaine circonscrit du réel. L'hypothèse devient alors une loi générale.

Comme le montre la figure 2.4, en philosophie, on ne s'arrête jamais aux faits ; on s'intéresse aux résultats scientifiques, mais ces résultats ne sont pas considérés comme des conclusions. La philosophie examine les lois scientifiques à la lumière de principes premiers, qui sont à l'origine de toutes les sciences. Ce faisant, elle nous procure un savoir indispensable ; par sa réflexion, elle assure la validité de nos raisonnements et permet l'évolution de la pensée. La différence qui existe entre philosophie et science ne porte donc pas tellement sur un contenu que sur

Réflexivité

Qualité de la pensée qui a la capacité de se détacher de ses représentations du monde extérieur et d'accomplir un retour sur elle-même, pour examiner son rapport avec les choses et en analyser sa compréhension.

Épistémologie

L'épistémologie est l'étude, ou la théorie, de la connaissance (en grec, le mot « connaissance » se dit *épistèmè* »). C'est, en d'autres termes, l'étude des conditions nécessaires à l'acquisition de la science, entendue comme connaissance vraie. Il convient de noter que certains scientifiques accomplissent eux-mêmes ce travail d'épistémologie dans leur science particulière. Il est indéniable que, dans des domaines très spécialisés, le questionnement épistémologique nécessite que l'on soit soi-même savant en la matière.

Positif

Ce qui est connu comme fait d'expérience. Une loi positive est une loi tirée de l'expérimentation, que l'on reconnaît comme représentant de façon exacte la réalité.

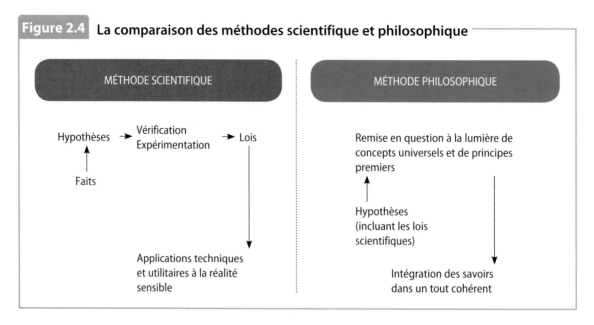

Figure 2.4 **La comparaison des méthodes scientifique et philosophique**

une disposition d'esprit à l'égard de ce contenu. On peut comparer cette différence à celle qui existe entre le fait de connaître et de respecter les règles établies dans un sport et celui de réfléchir à la justesse et à la valeur de ces règles.

Résumé

À la recherche de principes abstraits et intelligibles

Les présocratiques de la seconde tendance explorent le pouvoir de la raison et émettent l'hypothèse que le principe du réel est intelligible. Les pythagoriciens établissent une distinction radicale entre l'âme, qui est immatérielle, et le corps, qui est matériel. L'âme a le pouvoir de connaître l'être permanent et les principes qui déterminent le monde matériel, alors que le corps n'a que des perceptions sensibles. Selon Pythagore, le nombre est le principe qui transcende toutes les choses. Tout comme lui, Parménide pense que le pouvoir rationnel de l'âme lui confère un statut nettement supérieur à celui du corps. Il prend comme point de départ de sa réflexion le principe de non-contradiction qu'il confond avec le principe de l'identité absolue de l'être. Cela le conduit à conclure que toute existence sensible n'est qu'apparence et qu'il est impossible de n'acquérir aucune vérité sur la nature. Selon lui, seul ce qui reste toujours identique est, véritablement. Parménide a contraint ses successeurs à une grande rigueur démonstrative.

Selon Héraclite, le feu est à la fois le principe matériel et la Raison organisatrice du réel. Puisque le feu, qui est immanent à tout ce qui existe, est toujours en mouvement, le changement est l'être même des choses. Rien ne reste en permanence : sous les choses, il n'y a que le mouvement perpétuel des contraires.

La philosophie et la théorie de la connaissance

Les présocratiques de la première tendance ont fait l'ébauche d'une première méthode d'analyse et de synthèse. Leurs explications ont rendu manifeste le critère rationnel de la pertinence. Les présocratiques de la seconde tendance nous ont fait prendre conscience des limites de nos facultés sensitives et cognitives. Avec eux, le doute est apparu comme la condition première à la quête de la science car, entre notre expérience subjective des choses et leur réalité objective, il n'y a pas de lien nécessaire. La remise en question des opinions et des préjugés est indispensable si l'on veut apprendre à penser par soi-même et à ne pas être asservi au conformisme et au dogmatisme ambiants. En philosophie, les réponses qui sont les mieux justifiées et qui, par conséquent, sont acceptées comme vraies, se reconnaissent à leurs caractères d'impartialité, d'objectivité et d'universalité.

L'élucidation de la méthode et des problèmes philosophiques

Bénéficiant des recherches des présocratiques, Socrate, Platon et Aristote ont consolidé les bases de la philosophie. Selon Socrate, la véritable ignorance consiste à croire que l'on sait ce qu'on ne sait pas ou, autrement dit, à prendre ses opinions pour des vérités. Selon lui, l'aveu d'ignorance est le premier pas vers la sagesse et la vertu ; de plus, ces dernières ne peuvent se transmettre, comme le croient les sophistes, au moyen de beaux discours. La discussion réfutative, qu'il a développée, permet de vérifier la pertinence et la cohérence des réponses de celui qui soutient une position, ainsi que la rectitude de ses définitions ; elle vise surtout à nous débarrasser de notre pseudo-savoir, car une vie sans examen n'est pas une vie digne d'un être humain. Platon concilie les doctrines de Parménide et d'Héraclite : les êtres sensibles ne sont pas des êtres contradictoires, car les essences leur procurent la permanence nécessaire à leur existence réelle. Pour connaître de façon scientifique la réalité sensible, il faut regrouper la diversité des êtres sous leurs essences respectives. La dialectique platonicienne poursuit le travail de la discussion réfutative. Elle consiste en deux opérations : la synthèse et l'analyse. En énonçant correctement le principe de non-contradiction, Aristote libère le statut des êtres naturels des controverses qui avaient cours jusqu'alors. Selon lui, chacune des sciences possède des principes qui lui sont propres, et sans lesquels elle ne peut progresser. Aristote est l'inventeur de la logique. Selon lui, les règles à suivre pour connaître peuvent différer selon l'objet de la recherche.

La poursuite de la recherche sur la nature

À partir d'Aristote, l'étude de la nature, ou des êtres vivants, consiste en un examen des quatre causes suivantes : 1) la cause matérielle, ce dont une chose est faite ; 2) la cause du mouvement, comment un vivant acquiert l'existence et comment s'opèrent les changements en lui ; 3) la cause formelle, ce qu'est essentiellement un être ; 4) la cause finale, ce vers quoi tend un être. La découverte des connaissances liées à ces quatre causes a motivé les recherches des philosophes et des scientifiques jusqu'au XVIe siècle de notre ère.

La philosophie, les sciences modernes et les techniques

Avant le XVIe siècle, la science et la philosophie tendent vers un même savoir. Le mouvement naturaliste est à l'origine des sciences modernes ; il privilégie l'étude du mouvement à des fins utilitaires. Alors que les sciences fragmentent l'être pour plus d'efficacité, la philosophie s'intéresse à l'être dans son unité. La philosophie est réflexive : d'une part, elle évalue le but des recherches scientifiques ; d'autre part, elle remet en question les lois positives sur lesquelles se fonde la recherche scientifique. La philosophie et les sciences sont complémentaires : leur coopération est la voie pour le plus grand bien de l'humanité.

Lectures et film suggérés

 ## Lectures

CLOTTES, Jean, *et al. La plus belle histoire de l'homme : comment la Terre devint humaine*, Paris, Seuil, 1998, 201 p. (Coll. « Points », n° 779)

NAGEL, Thomas. *Qu'est-ce que tout cela veut dire ? : une très brève introduction à la philosophie*, trad. de l'anglais américain par Ruwen OGIEN, Perreux, l'Éclat, 1993, 96 p.

PICHOT, André. *La naissance de la science : 2. Grèce présocratique*, Paris, Gallimard, 1991, p. 59-352. (Coll. « Folio/Essais », n° 155)

REEVES, Hubert, *et al. La plus belle histoire du monde : les secrets de nos origines*, Paris, Seuil, 1996, 187 p. (Coll. « Points », n° 897)

RUSSEL, Bertrand. *Problèmes de philosophie*, Paris, Payot, 1989, p. 177-186 (chapitre XV).

 ## Film

OFFICE NATIONAL DU FILM (2002). *Hubert Reeves : conteur d'étoiles*, Canada, 52 min, DVD.

Activités d'apprentissage

❶ Le texte qui suit est un extrait de l'*Alcibiade*, un dialogue écrit par le philosophe Platon. Socrate discute ici avec Alcibiade, le fils adoptif de Périclès qui a été un homme d'État très important, à Athènes, de -443 à -429. Alcibiade aspire à occuper lui aussi des fonctions politiques, mais Socrate lui conseille de s'instruire tout d'abord à propos de ce qui rend un régime politique juste.

Lisez d'abord attentivement l'extrait et, en une ou deux phrases, répondez à chacune des questions.

Alcibiade

Socrate [...] si quelqu'un se lève pour donner un conseil soit aux Athéniens, soit aux habitants de Péparète, croyant connaître ce qui est juste et ce qui ne l'est pas et qu'il dise que les choses justes sont parfois mauvaises, que ferais-tu d'autre que de te moquer de lui, puisque toi aussi tu affirmes [comme moi] que les choses justes et avantageuses sont identiques ?

Alcibiade Mais par les dieux, Socrate, je ne sais plus ce que je dis, mais il me semble avoir un comportement étrange. Car quand tu m'interroges, tantôt je crois dire une chose, tantôt une autre.

Socrate Et ce trouble, mon cher, ignores-tu ce qu'il est ?

Alcibiade Absolument.

Socrate Penses-tu que si quelqu'un te demandait si tu as deux ou trois yeux, deux ou quatre mains ou quelque chose de ce genre, tu répondrais tantôt une chose, tantôt une autre ou toujours la même chose ?

Alcibiade Je finis par craindre de me tromper aussi à mon sujet, mais je crois que je répondrais la même chose.

Socrate N'est-ce pas parce que tu le sais ? N'en est-ce pas la raison ?

Alcibiade Oui, je le crois.

Socrate Alors, ces choses à propos desquelles tu fais, malgré toi, des réponses contradictoires, il est évident que tu ne les connais pas.

Alcibiade C'est vraisemblable.

Socrate Et en ce qui concerne le juste et l'injuste, le beau et le laid, le bien et le mal, l'avantageux et le désavantageux, tu dis t'égarer dans tes réponses ? N'est-il donc pas évident que c'est parce que tu ne les connais pas que tu t'égares ?

Alcibiade Certainement.

Socrate Est-ce donc ainsi ? Lorsque quelqu'un ne connaît pas quelque chose, son âme s'égare nécessairement ?

Alcibiade Comment non ?

Socrate Quoi donc ? Sais-tu de quelle manière tu pourrais escalader le ciel ?

Alcibiade Par Zeus, non.

Socrate Ton opinion s'égare-t-elle aussi à ce sujet ?

Alcibiade Certes non.

Socrate En connais-tu la raison ou bien vais-je te l'expliquer ?

Alcibiade Explique-le.

Socrate Parce que, cher ami, tu ne crois pas le savoir tout en ne le sachant pas.

Alcibiade Que dis-tu là ?

Socrate Voyons ensemble. Ce que tu ne sais pas, mais tu sais que tu ne le sais pas, t'égares-tu à ce sujet ? Par exemple, en ce qui concerne la préparation des repas, tu sais évidemment que tu n'y connais rien.

Alcibiade Absolument.

Socrate À ce sujet, as-tu de toi-même une idée sur la manière dont il faut faire cette préparation, ou bien t'en remets-tu à celui qui s'y connaît?

Alcibiade Je fais ainsi.

Socrate Et si tu naviguais sur un bateau, aurais-tu une opinion sur la manière de diriger le gouvernail en dehors ou en dedans, et, faute de la savoir, t'égarerais-tu ou bien t'en remettrais-tu en toute tranquillité au pilote?

Alcibiade Je m'en remettrais au pilote.

Socrate Donc, au sujet de ce que tu ne sais pas, tu ne t'égares pas si tu sais que tu ne sais pas.

Alcibiade Non, sans doute.

Socrate Remarques-tu donc que les erreurs dans l'action sont causées par cette ignorance qui est de croire savoir ce que l'on ne sait pas?

Alcibiade Que dis-tu là?

Socrate Nous entreprenons une action lorsque nous croyons savoir ce que nous faisons?

Alcibiade Oui.

Socrate Lorsque l'on ne croit pas savoir, on s'en remet à d'autres?

Alcibiade Pourquoi en ferait-on autrement?

Socrate De même, de tels ignorants sont sauvés parce qu'ils s'en remettent à d'autres pour ce qu'ils ignorent?

Alcibiade Oui.

Socrate Qui sont donc les ignorants? Certes pas ceux qui savent.

Alcibiade Assurément pas.

Socrate Puisque ce ne sont ni ceux qui savent, ni ceux des ignorants qui savent qu'ils ne savent pas, que reste-t-il d'autre sinon ceux qui croient savoir ce qu'ils ne savent pas?

Alcibiade Ce sont ceux-là.

Socrate C'est cette ignorance qui est la cause de ce qui est mal, c'est elle qui est répréhensible?

Alcibiade Oui.

Socrate Et c'est lorsque les sujets sont les plus importants qu'elle est la plus malfaisante et la plus honteuse?

Alcibiade De beaucoup.

Socrate Eh quoi? Peux-tu parler de choses plus importantes que le juste, le beau, le bon et l'avantageux?

Alcibiade Certes non.

Socrate N'est-ce pas à ce sujet que tu prétends t'égarer?

Alcibiade Oui.

Socrate Et si tu t'égares, n'est-il pas évident d'après le raisonnement précédent que c'est parce que tu ignores les choses les plus importantes, mais aussi que tu crois les connaître tout en ne les connaissant pas?

Alcibiade C'est le risque.

Socrate Vraiment, Alcibiade, quel trouble que le tien! J'hésite à le nommer, mais puisque nous sommes seuls, il faut en convenir: tu cohabites avec l'ignorance la plus extrême. Ce sont ton propre discours et toi-même qui t'accusent. C'est pourquoi tu te précipites vers la politique avant d'être éduqué. Tu n'es pas le seul à souffrir de ce mal, mais c'est le cas de la plupart de ceux qui gèrent les affaires de la cité, sauf quelques-uns et peut-être ton tuteur Périclès.

Source: PLATON. *Alcibiade*, 116d-118c, dans *Œuvres complètes*, sous la direction de Luc BRISSON, Paris, Flammarion, 2008, p. 18-21.

Questions

a) Dans ce dialogue, Socrate amène son jeune ami Alcibiade à comprendre l'origine de la confusion et des contradictions dans lesquelles ce dernier s'empêtre parfois, lorsqu'il dialogue avec Socrate. Résumez, en une phrase, cette explication.

b) Socrate profite de cet entretien pour instruire Alcibiade d'une condition qu'il est important de remplir avant de participer à la vie politique, si l'on ne veut pas nuire à la Cité. Dites, en une phrase complète, quelle est cette condition.

❷ L'extrait de texte qui suit est tiré du dialogue *Gorgias* de Platon. Ce titre est emprunté au nom du sophiste Gorgias mis en scène, ici, par Platon. Gorgias est l'un des premiers à avoir développé la rhétorique ou l'art de faire de beaux discours en public. Il avait une réputation si grande que « gorgianiser » est devenu une expression montrant la volonté d'autres rhéteurs à discourir comme lui. Au cours de l'entretien, Socrate juge bon de prendre une pause pour expliquer à Gorgias dans quel esprit il veut discuter avec lui.

Lisez d'abord attentivement l'extrait. Ensuite, répondez à la question.

Gorgias I

Socrate J'imagine, Gorgias, que tu as eu, comme moi, l'expérience d'un bon nombre d'entretiens. Et, au cours de ces entretiens, sans doute auras-tu remarqué la chose suivante : les interlocuteurs ont du mal à définir les sujets dont ils ont commencé de discuter et à conclure leur discussion après s'être l'un et l'autre mutuellement instruits. Au contraire, s'il arrive qu'ils soient en désaccord sur quelque chose, si l'un déclare que l'autre se trompe ou parle de façon confuse, ils s'irritent l'un contre l'autre, et chacun d'eux estime que son interlocuteur s'exprime avec mauvaise foi, pour avoir le dernier mot, sans chercher à savoir ce qui est au fond de la discussion. Il arrive même, parfois, qu'on se sépare de façon lamentable : on s'injurie, on lance les mêmes insultes qu'on reçoit, tant et si bien que les auditeurs s'en veulent d'être venus écouter pareils individus. Te demandes-tu pourquoi je parle de cela ? Parce que j'ai l'impression que ce que tu viens de dire n'est pas tout à fait cohérent, ni parfaitement accordé avec ce que tu disais d'abord au sujet de la rhétorique. Et puis, j'ai peur de te réfuter, j'ai peur que tu ne penses que l'ardeur qui m'anime vise, non pas à rendre parfaitement clair le sujet de notre discussion, mais bien à te critiquer. Alors, écoute, si tu es comme moi, j'aurais plaisir à te poser des questions, sinon, j'y renoncerais.

Veux-tu savoir quel type d'homme je suis ? Eh bien, je suis quelqu'un qui est content d'être réfuté, quand ce que je dis est faux, quelqu'un qui a aussi plaisir à réfuter quand ce qu'on me dit n'est pas vrai, mais auquel il ne plaît pas moins d'être réfuté que de réfuter. En fait, j'estime qu'il y a plus grand avantage à être réfuté, dans la mesure où se débarrasser du pire des maux fait plus de bien qu'en délivrer autrui. Parce qu'à mon sens, aucun mal n'est plus grave pour l'homme que se faire une fausse idée des questions dont nous parlons en ce moment. Donc, si toi, tu m'assures que tu es comme moi, discutons ensemble ; sinon, laissons tomber cette discussion, et brisons-là.

Source : PLATON. *Gorgias*, 457c-458b, dans *Œuvres complètes*, sous la direction de Luc BRISSON, Paris, Flammarion, 2008, p. 428.

Question

Dans cet extrait, Socrate oppose deux formes de discussion. Dans un tableau, opposez trois à cinq caractéristiques de l'une et de l'autre.

❸ **Lisez attentivement les trois exposés suivants et répondez aux questions.**

Exposé n° 1

La génétique moléculaire a confirmé l'hypothèse de Darwin selon laquelle l'évolution est un mélange de hasard et de nécessité. Premièrement, elle a prouvé que la variabilité biologique – plus importante, par ailleurs, que le pensait Darwin – est due aux recombinaisons de gènes et que, à cette première étape de la sélection naturelle, le hasard joue le rôle principal : les variations qui apparaissent ne sont pas nécessairement adaptatives.

Deuxièmement, les expériences réalisées par les généticiens ont permis de montrer que les conditions écologiques déterminent l'augmentation des fréquences des gènes les plus favorables et que l'apparition de nouvelles modifications dans les organismes est due à cette adaptation progressive au milieu.

Exposé n°2

L'efficacité des techniques du conditionnement opérant, développées par le psychologue B. F. Skinner, lui a permis de confirmer la justesse de sa théorie de l'apprentissage. Pour obtenir des résultats sur le plan des interventions pratiques, il fallait d'abord limiter l'analyse psychologique à ce qui est observable et mesurable, et laisser tomber toute interprétation des causes. Ensuite, il fallait admettre que l'état psychologique des individus et leurs comportements dépendent des mêmes lois physiques. Enfin, en considérant l'environnement comme l'unique facteur des réactions internes et externes des individus, il fallait adopter une approche qui permette d'agir sur l'environnement et mettre à contribution les proches des individus présentant des comportements inadéquats. Ainsi, l'équation S-R-C, stimulus-réaction-conséquence, indique comment, après la réaction du patient à un stimulus, l'intervenant peut provoquer l'augmentation ou la diminution de ce même comportement en utilisant des renforçateurs, d'ordre matériel ou d'ordre social, qui agissent comme de nouveaux stimuli (C) et transforment l'environnement immédiat. C'est donc en étudiant les mécanismes du comportement que, selon Skinner, on peut être en mesure de transformer la réalité à des fins qui soient utiles aux humains.

Exposé n°3

L'astrophysique a porté nos connaissances sur l'univers à un niveau inimaginable pour les scientifiques des siècles passés. Quel bonheur c'eût été pour les philosophes de l'Antiquité grecque de pouvoir en bénéficier ! L'exactitude de plus en plus grande de ses outils et procédés a permis aux chercheurs de reconstituer, du Big Bang à la formation de la terre, comment les forces – nucléaire, électromagnétique, gravitationnelle et quantique – ont mis en branle la matière informe pour créer les atomes, les molécules, les étoiles, les galaxies et notre planète. Concernant cette dernière, ils ont également démontré que, grâce à sa capacité de retenir l'eau, la vie a pu s'y développer à partir des débris des étoiles qui s'étaient éteintes. Nous nous demandons, toutefois, d'où viennent ces forces dont la constance est si mathématiquement réglée, dans un univers où tout change ? Précédaient-elles l'univers ? Existe-t-il un ordre prédéterminé, une intention cachée ? Est-ce le simple hasard qui a conduit cette longue aventure de quinze milliards d'années jusqu'à l'existence d'un être conscient ? Et que deviendrons-nous quand le feu du soleil s'éteindra ? Y a-t-il donc un sens fondamental à l'existence humaine ou n'y a-t-il que des individus qui, par leurs projets, créent un monde ?

Source : Inspiré du récit de Hubert Reeves dans *La plus belle histoire du monde : les secrets de nos origines*.

Questions

a) Parmi ces exposés, un est philosophique et deux sont scientifiques. Lequel est de nature philosophique ?

b) Dans un texte d'environ 250 mots, démontrez pourquoi l'un de ces discours est philosophique alors que les deux autres sont scientifiques. Vous devez : 1) appuyer votre démonstration sur les critères qui distinguent les deux formes de discours ; 2) utiliser le vocabulaire approprié ; et 3) illustrer ce que vous dites à l'aide d'exemples tirés des exposés.

c) Donnez une raison qui, selon vous, fait que les sciences modernes procurent un savoir qui nous est indispensable.

d) Donnez une raison qui, selon vous, fait que la philosophie procure un savoir qui nous est indispensable.

PARTIE 2

L'argumentation rationnelle

CHAPITRE 3   Les notions de base de l'argumentation

CHAPITRE 4   Les règles et la pratique de l'argumentation

Les notions de base de l'argumentation

<< *Aie le courage de te servir de ton propre entendement !* >>
Emmanuel Kant, *Qu'est-ce que les Lumières ?*

L'autonomie et la rationalité

Maintenant que nous sommes instruits des origines et de la nature de la philosophie, ainsi que de ses liens indissociables avec la rationalité, il s'agit, pour nous, de faire l'apprentissage de la méthode de l'argumentation qu'elle nous a léguée ; nous allons exercer notre propre faculté rationnelle afin d'accéder, à notre tour, à l'autonomie intellectuelle et citoyenne.

Dans la langue populaire, on considère généralement qu'un individu est autonome s'il se débrouille par lui-même dans la vie quotidienne : s'il travaille, paie son loyer, planifie son budget, se prépare à manger, et autres. Mais l'autonomie que nous voulons atteindre ici diffère de ce premier sens en cela même qu'on la qualifie d'intellectuelle et de citoyenne. L'autonomie intellectuelle exige que nous quittions les habitudes qui consistent à porter sur tout des jugements spontanés, à répéter sans pouvoir le justifier ce que l'on dit dans notre entourage et à obéir (ou à désobéir) sans réfléchir à ce qu'on nous a appris ; elle exige que nous répondions à l'invitation des philosophes à remettre en question nos opinions et à apprendre à penser correctement par nous-mêmes. Sur le plan moral, l'autonomie intellectuelle se reconnaît à la capacité de choisir par soi-même (en grec : *autós*) ses propres règles (en grec : *nómoi*) de conduite ; « Aie le courage de te servir de ton propre entendement ! » disait le philosophe Emmanuel Kant au XVIIIe siècle de notre ère. Nous avons toutes et tous une intelligence entière, grâce à laquelle il nous est possible de distinguer ce qui

Le penseur d'Auguste Rodin, sculpteur français (1840-1917).

vaut universellement de ce qui ne vaut que de façon partiale, et ainsi d'être à soi-même son propre législateur. C'est d'ailleurs cette dernière caractéristique qui confère la qualité de citoyenne à l'autonomie, car on est, au sens fort, un citoyen quand on recherche le sens de sa liberté dans ce que l'on juge être rationnellement valable non seulement pour soi-même mais aussi pour les autres. Comme on le voit, être autonome nécessite beaucoup d'efforts qui ne pourraient aboutir sans le bon usage de notre raison. Or, s'il est vrai que, par comparaison avec les autres animaux, l'espèce humaine se caractérise par sa faculté de conceptualiser et de raisonner, cela implique, premièrement, que tout être humain possède une aptitude innée au raisonnement et, deuxièmement, que l'être humain se réalise pleinement en perfectionnant au mieux cette faculté naturelle. Cela ne s'oppose pas, par ailleurs, au fait que l'émancipation de l'humain requiert également le développement de l'aspect affectif en lui. Le cœur et la raison ne sont pas des ennemis. Sans leur influence réciproque, nous pouvons facilement tomber soit dans les pièges des émotions et des sentiments démesurés, soit dans ceux de la froide rationalisation. C'est pourquoi, si l'on recherche une existence harmonieuse plutôt qu'une existence désordonnée, il faut s'appliquer à la maîtrise de toutes nos facultés, dont évidemment notre raison.

Dire que les êtres humains ont une aptitude innée au raisonnement n'est pas la même chose que de leur conférer un instinct : nous ne raisonnons pas correctement dès la naissance et sans y mettre l'effort. Nous devons apprendre à le faire, tout comme nous devons apprendre à compter, à lire et à écrire. Et, tout comme nous apprenons à calculer et à compter correctement en étudiant les mathématiques, nous pouvons apprendre ce qu'est le raisonnement et quelles sont les normes ou les règles qui déterminent si nous raisonnons correctement ou non, grâce à une discipline philosophique qui s'appelle la logique.

On distingue la **logique formelle**, qui fait appel à un symbolisme abstrait très éloigné des langues courantes, comme le français, et la logique informelle (ou argumentation), qui étudie les raisonnements tels que nous les formulons dans la langue que nous utilisons quotidiennement. Dans les pages qui suivent, nous étudierons l'argumentation, qui aura, pour nous, une utilité beaucoup plus immédiate dans nos études et, de façon générale, dans nos vies.

L'argumentation est indispensable parce qu'elle nous fournit une méthode pour mieux exercer notre sens critique ; plus on maîtrise les règles de l'argumentation, plus il nous est facile de penser correctement par nous-mêmes. Mais, sans cette méthode, et ce, malgré toute notre bonne volonté, nous commettons à notre insu de nombreuses erreurs de raisonnement et nous ne pouvons pas juger si les raisonnements des autres sont corrects ou non. C'est comme si l'on tentait de résoudre des problèmes d'arithmétique sans connaître les règles du calcul. En fait, ceux qui ne maîtrisent pas les règles de base de l'argumentation sont tout aussi désarmés et impuissants que ceux qui ne savent ni lire ni écrire : ce sont des analphabètes de la raison.

Logique formelle

La logique formelle traite de raisonnements en les codifiant par un symbolisme abstrait. Par exemple, à partir de la formule « Si (P), donc (Q) ; (P) est vrai ; donc, (Q) est vrai », elle considère que tous les raisonnements qui ont cette forme sont valides et ce, indépendamment de la vérité du contenu des propositions.

Les attitudes qui vont à l'encontre d'un usage approprié de la raison

Beaucoup de gens se croient capables d'argumenter correctement sans qu'il leur soit nécessaire d'apprendre les règles de l'argumentation. L'ignorance de ces règles les conduit à adopter de mauvaises attitudes ayant des répercussions négatives sur la réalisation de la démocratie. La démocratie se fonde avec raison sur la liberté d'expression, mais que vaut un droit de pensée et de parole si nous ne nous donnons pas les moyens de l'exercer convenablement ?

1. L'attitude des relativistes

Nous pouvons assez facilement reconnaître autour de nous des gens, auxquels nous donnons ici le nom de « **relativistes** », qui, parce qu'ils ignorent qu'il existe des règles qui servent à raisonner correctement et à communiquer rationnellement avec les autres, croient à tort que ces règles n'existent tout simplement pas. Cette croyance les conduit à un laisser-aller qu'ils confondent avec le respect d'autrui, mais qui n'est en fait que de la fausse tolérance : ils croient qu'on peut dire n'importe quoi, n'importe comment et, au fond, que toutes les opinions se valent. Tout le monde a raison puisque tout dépend du point de vue que chacun adopte. Le malheur, c'est que, comme ils échouent à raisonner par eux-mêmes, ils se laissent fréquemment séduire par d'autres éléments du discours qui, sous des apparences de rationalité, n'ont pas pour but d'établir la vérité ni ce à quoi il est rationnel d'acquiescer. L'éloquence, le style, l'originalité, l'appel aux sentiments, par exemple, sont très souvent des moyens de persuasion qui les conduisent à adopter des opinions dont ils sont incapables de prévoir les conséquences. Au fond, sous le couvert de l'originalité, ceux qui croient que leurs opinions valent bien celles des autres, sans pourtant chercher à les justifier rationnellement, adoptent le plus souvent des idées conformes à ce que d'autres souhaitent qu'ils croient.

Il suffit toutefois que l'on y réfléchisse un peu pour comprendre que, sur le plan de la vérité, cette attitude très largement répandue est contestable. D'abord, s'il était vrai que toutes les opinions sont également valables, l'opinion qu'elles ne se valent pas serait nécessairement vraie aussi ; ce qui est pour le moins contradictoire. Ensuite, si toutes les opinions se valent, non seulement il ne vaudrait plus la peine d'enseigner quoi que ce soit, mais on ne voit pas pourquoi les gens rechercheraient l'opinion du médecin lorsqu'ils sont malades ou celle du mécanicien lorsque leur auto a besoin d'une réparation. Finalement, dire que toutes les opinions ont une valeur égale est tout aussi absurde que de supposer que, tout en méconnaissant la méthode scientifique ou celle de l'argumentation, chacun pourrait prétendre être physicien, astronome, psychologue ou éthicien.

2. L'attitude des sceptiques

Les sceptiques partent de l'idée qu'il est toujours possible de douter de ce que l'on affirme être la vérité, et ils en concluent qu'il faut suspendre

Relativiste

De façon générale, les relativistes soutiennent qu'aucune vérité objective[1] ne peut être connue parce que la connaissance dépend toujours d'un point de vue subjectif, indépassable. Selon eux, même s'il existait une réalité en soi, elle est inconnaissable. Nos perceptions sensibles et nos états de conscience nous empêchent de connaître le réel tel qu'il est en lui-même. Tout ce qu'on appelle « réel » n'est en fait qu'une construction de l'esprit et, puisque chacun vit dans son propre monde, ce qu'il considère vrai pour lui n'apparaît pas nécessairement vrai pour l'autre. La vérité est alors relative à chacun. Ce qui, pour beaucoup, conduit sans plus à conclure que toutes les opinions se valent.

---

1. Pour les termes « objectivité » et « subjectivité », voir les définitions au chapitre 2, p. 32 et 31.

son jugement. Certes, comme nous l'avons vu au chapitre 2 avec les présocratiques et Socrate lui-même, une certaine dose de scepticisme est nécessaire pour avancer prudemment vers la science. Toutefois, si au lieu de considérer le doute et la remise en question comme le premier pas vers la connaissance, les sceptiques les considèrent comme le but à rechercher, ils valorisent alors le doute pour lui-même et croient que tout le monde a toujours tort. Dès lors, comme il ne vaut plus la peine de discuter avec autrui, leur attitude, parfois inconsciente, consiste à refuser toute discussion rationnelle, à saboter le dialogue et à tenter d'imposer le silence aux autres.

3. L'attitude des dogmatiques

Les dogmatiques sont ceux qui croient en la vérité de leurs propres opinions sans aucune possibilité de remise en question; ils acceptent donc d'entendre seulement ce qui va dans leur sens et condamnent tout ce qui s'en écarte. Leur attitude est manifestement intolérante et méprisante à l'égard de ceux qui recherchent l'échange rationnel.

Toutes ces mauvaises attitudes – celle des relativistes, celle des sceptiques et celle des dogmatiques – entraînent la paresse de l'esprit (on se décourage au moindre effort de la pensée) et la misologie, ou la haine (en grec: *mîsos*) de la raison (en grec: *lógos*); on en vient à être méfiant à l'égard de l'argumentation, et cela peut aller jusqu'au dénigrement de la raison.

Les principes de l'éthique de l'argumentation

À l'encontre de ces mauvaises attitudes (le relativisme, le scepticisme et le dogmatisme), il existe toutefois une éthique de l'argumentation qui vise la mise en commun des idées et la progression vers une meilleure entente entre citoyens. Cette éthique comprend quatre principes.

1. Le respect des règles de l'échange rationnel

En argumentation, on ne cherche pas à déjouer l'intelligence de ses interlocuteurs, à détourner la conversation quand on est à court d'arguments ni à tromper volontairement avec des techniques de persuasion ou en éveillant des sentiments qui nous permettent d'exercer une domination psychologique ou politique sur les autres. Toute discussion doit être entrevue comme le travail d'une communauté de recherche (quel que soit le nombre de participants) à laquelle nous participons en toute bonne foi, c'est-à-dire en nous faisant l'obligation de respecter les règles de l'échange rationnel. Ces règles seront étudiées au prochain chapitre, après que nous aurons assimilé les notions de base.

2. La charité envers autrui

Quand ce que dit (ou écrit) un interlocuteur offre plusieurs interprétations possibles, il faut opter pour celle qui est la plus favorable. Si l'on veut que le dialogue soit bénéfique, il faut être généreux, il faut donner à l'autre le bénéfice du doute ou, comme on dit, «donner la chance au coureur». Toutefois, cela ne signifie pas que l'on doive faire des concessions à ce que l'on sait être faux.

3. La faillibilité

Il faut faire preuve d'humilité et accepter de remettre en question nos propres opinions si elles font l'objet d'une réfutation rationnelle. Il est certes très difficile d'admettre que nous ne sommes pas infaillibles et que nous commettons parfois des erreurs, surtout si nous sommes réfutés au sujet de nos convictions les plus profondes. Mais l'argumentation nécessite que ce soit toujours la vérité qui soit visée et non pas nous-mêmes face à des interlocuteurs. Il faut donc accepter de changer d'avis si, étant nous-mêmes incapables de justifier rationnellement ce qu'on avance, d'autres nous présentent des positions qui résistent mieux à l'évaluation rationnelle que les nôtres.

4. L'accord des esprits

Une fois que nous avons opté pour la position qui s'est présentée comme la plus rationnelle à nos esprits, on ne peut pour autant imposer celle-ci à l'extérieur de notre communauté de recherche. La discussion doit alors reprendre avec nos nouveaux interlocuteurs (ce qui, par exemple, est parfois le rôle d'un porte-parole), car aussi bonne que puisse être notre position, toute tentative d'imposition relève toujours d'une attitude dogmatique.

La proposition

Le matériau de base de l'argumentation est la proposition : c'est en reliant des propositions de diverses manières que l'on construit des raisonnements. La proposition (qu'on appelle parfois aussi « **jugement** ») est ce qui sert à porter et à communiquer le sens d'une phrase déclarative ; c'est ce qu'un locuteur (la personne qui parle) déclare être vrai dans une phrase dont l'intention est précisément d'énoncer une assertion, c'est-à-dire ce qu'un locuteur dit représenter fidèlement une réalité. Évidemment, l'auditeur (la personne à qui s'adresse le locuteur) n'est pas tenu d'accepter la vérité d'une assertion. Par exemple, un locuteur déclare que « la terre est ronde », et nous pouvons lui répondre « cela est vrai » ou « cela est faux » ; il déclare que « la terre n'est pas ronde », et nous pouvons lui répondre « cela est vrai » ou « cela est faux ».

Bien qu'elle soit toujours incluse dans une phrase déclarative, la proposition n'est pas identique à la phrase. En effet, rien n'empêche qu'une même phrase contienne plus d'une assertion. Par exemple, si un locuteur déclarait : « La population du Québec en l'an 2011 était de huit millions d'habitants et, parmi eux, seulement 10 % étaient des enfants de moins de douze ans », il y aurait alors deux propositions sur la vérité desquelles nous devrions nous prononcer. À l'inverse, tout comme il peut exister plusieurs mots pour exprimer un même concept[2], il peut arriver que plusieurs phrases déclaratives expriment une même proposition. Il est en effet possible de combiner les mêmes mots de

> **Jugement**
>
> Il y a jugement toutes les fois que l'on associe un sujet (ce dont on parle) et un prédicat (ce que l'on déclare sur un sujet). « Le tableau est vert », « $E = mc^2$ », « Il fait beau » et « Juger propage le sida » sont quatre jugements, c'est-à-dire quatre propositions sur la vérité ou l'acceptabilité desquelles nous pouvons exercer notre sens critique. Il importe de comprendre qu'il est impossible de penser sans juger, c'est-à-dire sans associer des sujets et des prédicats. Le dicton selon lequel « il ne faut pas juger » mérite par conséquent d'être modifié de la façon suivante : « Il ne faut pas juger de façon précipitée ».

---

2. Voir la note expliquant le terme « concept » au chapitre 2, p. 34.

différentes façons pour obtenir le même sens. Par exemple, « Marie aime Pierre » et « Pierre est aimé de Marie » sont des phrases déclaratives distinctes mais qui ont le même sens et qui, par conséquent, renvoient à une même proposition. Il arrive parfois aussi qu'un exposé formé de plusieurs phrases ne contienne qu'une seule proposition. C'est le cas, par exemple, quand un professeur répète un même contenu de manières différentes pour s'assurer que l'ensemble des étudiantes et des étudiants comprennent ce qu'il enseigne. Enfin, une même proposition peut également être exprimée en différentes langues. « Il neige », « *It is snowing* », « *Está nevando* », « *Sta nevicando* », « *Es schneit* » sont cinq phrases déclaratives qui ont le même sens.

Les phrases que nous énonçons ne sont toutefois pas toutes des phrases déclaratives. Il existe d'autres types de phrases qui ne sont pas dites par un locuteur dans le but d'énoncer une assertion et auxquelles il serait pour le moins étrange de répondre par « cela est vrai » ou « cela est faux », « cela est acceptable » ou « cela est inacceptable » : c'est le cas de la phrase impérative dont le but est d'exprimer un ordre ou un commandement et celui de la phrase interrogative dont le but est d'obtenir une information. Dans l'analyse de l'argumentation, que nous étudierons au prochain chapitre, ce sont seulement les propositions que nous retenons, puisqu'on argumente pour s'approcher de la vérité et que c'est dans les propositions que se trouve ce qu'un locuteur déclare être vrai.

Comme nous le voyons, en argumentation, c'est toujours le sens de ce qui est déclaré qui compte, et non la langue, le style, le choix des mots ou l'agencement de ceux-ci. Toutefois, si l'on veut être compris des autres et faire progresser la discussion, il est important de s'assurer de formuler nos phrases de façon claire et précise. Il faut éviter les phrases vagues et ambiguës, qui laissent supposer que notre discours ne contient aucune proposition ou bien qu'il en existe plusieurs interprétations possibles.

Les critères de vérité

Nous avons établi qu'une proposition est une assertion qui peut être acceptée ou refusée par les personnes à qui elle est adressée. Mais comment faire exactement pour savoir si nous devons accepter ou refuser une proposition ? Il existe deux critères qui nous permettent de juger correctement si une proposition est vraie ou fausse, si elle est acceptable ou inacceptable.

La correspondance

Le critère de la correspondance concerne l'adéquation d'une proposition (ce qui est dit, ce qui est établi comme vrai par un locuteur) avec le réel (ce qui est) : une proposition est vraie quand elle correspond à ce qui se passe dans la réalité, quand elle est une description fidèle et objective des faits. Elle est fausse lorsqu'elle contrevient à cette règle. Prenons un exemple : Lucie est membre de l'exécutif de l'association étudiante. Pour la fête des finissants, elle engage son ami photographe, Emmanuel. Par souci de prudence et de respect, les membres de l'exécutif demandent à Emmanuel de vider le contenu de la carte mémoire de son appareil photo une fois qu'ils auront choisi les photos à conserver. Emmanuel promet alors de n'utiliser ces clichés que pour le montage de l'album souvenir et de les détruire une fois celui-ci réalisé. Or, Emmanuel n'a pu s'empêcher de garder, sans le dire, quelques photos qu'il trouvait particulièrement olé olé. En ne respectant pas sa promesse de détruire tous les clichés produits, Emmanuel a par conséquent menti ; il a énoncé une proposition qu'il sait être fausse. Pourquoi fausse ? Parce qu'elle ne correspond pas au réel. Au contraire, si, au moment où il en a eu l'intention, Emmanuel avait avoué qu'il conserverait certaines photos, il aurait dit la vérité, il aurait énoncé une proposition vraie. Pourquoi vraie ? Parce que le contenu de ce qu'il aurait déclaré aurait été en parfaite adéquation avec le réel.

Le critère de la correspondance est indispensable pour évaluer les propositions empiriques, c'est-à-dire qui concernent des faits de la réalité sensible[3]. Les moyens que l'on utilise pour vérifier la correspondance entre les propositions empiriques et le réel varient selon la complexité de ces propositions. Pour certaines, comme « Je détruirai tous les clichés que j'aurai produits », l'observation peut suffire. Pour d'autres, comme « L'énergie équivaut à la masse multipliée par la vitesse de la lumière au carré » (mieux connue par l'équation $E = mc^2$), nous devons recourir à l'expérimentation scientifique. Pour d'autres encore, comme « Les Québécois préfèrent le hockey au soccer », nous avons besoin d'une analyse statistique. Mais, dans tous les cas, la vérité de ces propositions est fondée sur une même raison : la correspondance entre ce qui est énoncé et ce qui est.

La cohérence

On recourt au critère de la cohérence lorsque la correspondance entre une proposition et les faits ne peut être vérifiée directement. Reprenons l'exemple d'Emmanuel. Au cours de l'été, son amie Lucie fait la rencontre d'un nouveau partenaire de tennis qui se nomme Christian. Ce dernier lui déclare qu'il l'a trouvée « super-sexy » sur le blogue d'Emmanuel et qu'il a regretté de ne pas être un étudiant ; ce qui lui aurait permis de participer à cette fameuse fête de fin d'année. Lucie, tout étonnée, est placée alors devant des propositions inconciliables : si (1) « Emmanuel a détruit les clichés qu'il avait pris », cela implique que (2) « il n'y a pas de photo d'elle sur son blogue ». Toutefois, la proposition (2) ne peut être vraie si la proposition (3) « Christian l'a trouvée "super-sexy" sur le blogue d'Emmanuel » est vraie. Et si (2) est fausse, (1) est fausse aussi. Lucie est donc devant un ensemble de propositions qui ne peuvent logiquement être vraies en même temps. Les propositions (1) et (3) se contredisent ; elles ne sont pas logiquement cohérentes. Ne pouvant, pour l'instant, vérifier directement les faits, Lucie examine les propositions à sa disposition et conclut que, si Christian dit la vérité, Emmanuel ment.

Cet exemple nous aide à comprendre la fonction du critère de la cohérence. Ce critère nous permet de juger correctement de la vérité ou de l'acceptabilité[4]

---

3. Voir la définition de « sensible » au chapitre 1, p. 10.

4. Le critère de la cohérence ne nous permet pas d'affirmer si une proposition est vraie ou fausse avec autant d'exactitude que le critère de la correspondance. Quand il est impossible de se prononcer en toute certitude sur la valeur de vérité d'une proposition, nous nous servons des termes « acceptable » (en mentionnant le degré d'acceptabilité) et « inacceptable » (en mentionnant les raisons).

d'une proposition, non pas en recourant à la réalité extérieure au discours, mais en établissant la relation de celle-ci avec un ensemble d'autres propositions. Essentiellement, il nous renvoie au principe de non-contradiction[5]. Dans la mesure où l'on ne peut vérifier la correspondance, une proposition est jugée vraie ou acceptable si elle fait partie d'un système de propositions logiquement cohérent, c'est-à-dire si elle n'entre pas en contradiction avec une autre proposition. Le critère de la cohérence nous est également utile lorsque nous sommes en présence de propositions qui ne renvoient à aucune réalité sensible et à l'égard desquelles il n'y a aucun fait à vérifier. Par exemple, la proposition $1 + 1 = 2$ est vraie, même si aucun fait sensible ne correspond à cette proposition. Par conséquent, dans le cas des sciences abstraites et non empiriques, comme les mathématiques et la géométrie, une proposition est vraie si elle fait partie intégrante d'un système de propositions cohérent.

Les types de propositions

Afin de pouvoir juger de la vérité ou de l'acceptabilité des propositions, il faut apprendre à les classifier en types distincts. En premier lieu, on distingue les propositions empiriques et les propositions non empiriques auxquelles on ajoute, en deuxième lieu, des subdivisions. Enfin, on aborde les propositions de préférence.

Les propositions empiriques

Comme nous venons de le voir, les propositions empiriques, qu'on appelle également «jugements de faits», sont des propositions qui portent sur l'existence ou l'inexistence, dans la réalité sensible, d'une chose ou d'un fait. Leur vérité repose d'abord sur la correspondance; pour savoir si une proposition empirique est vraie ou fausse, on doit observer si la chose dont on parle correspond à ce qu'on en dit ou, dans les cas plus complexes, recourir à l'expérimentation ou à une analyse statistique. Lorsqu'il est impossible de vérifier directement les faits, on utilise le critère de la cohérence.

Les propositions empiriques se divisent elles-mêmes en différents types selon la quantification du sujet de la proposition considérée. Prenons, par exemple, une proposition dont le sujet est «vin québécois» et le prédicat[6] «doux», et voyons quels types de propositions sont possibles.

1. La proposition singulière: «Ce vin québécois est doux.»

2. La proposition particulière: «Certains vins québécois sont doux.»

3. La proposition universelle: «Tous les vins québécois sont doux.»

4. La proposition indéfinie: «Le vin québécois est doux.»

Cet exemple illustre l'importance de prendre en considération le quantificateur du sujet, car ce n'est évidemment pas la même chose de se prononcer sur

---

5. Voir la formulation du principe de non-contradiction et la définition de « cohérence » au chapitre 2, p. 34.

6. Voir la note expliquant le « jugement » un peu plus haut, p. 55.

la vérité d'une proposition, qui ne concerne que la douceur de *ce* vin (celui-ci), et sur la vérité d'une proposition, qui suppose de notre part une connaissance de *tous* les vins québécois. Quant à la dernière proposition, elle est dite indéfinie, car le quantificateur est ambigu. Pour être en mesure d'évaluer cette assertion, il nous faudrait demander au locuteur ce qu'il entend par « le ». Veut-il dire « tous les vins », « ceux qu'il a goûtés », « la majorité » ou « celui qu'il est en train de boire » ? On ne peut évidemment accepter une proposition dont on ne comprend pas le sens.

Les propositions non empiriques

Les propositions non empiriques ne portent pas sur l'existence ou l'inexistence d'un fait. Nous ne pouvons donc recourir à la réalité sensible pour savoir si elles sont vraies ; ce qui exclut l'utilisation du critère de la correspondance. Leur vérité repose, par conséquent, sur la cohérence. Ces propositions se divisent en propositions de valeur et en propositions analytiques.

Les propositions de valeur

Les propositions de valeur, qu'on appelle également « jugements de valeur », se divisent elles-mêmes en deux types.

1. Les propositions d'appréciation, dans lesquelles on déclare qu'une chose est ou n'est pas digne d'estime sur le plan moral : « Le mensonge est un acte immoral » ; « L'éducation est le fondement d'une société égalitaire ».

2. Les propositions d'obligation, dans lesquelles on prescrit une action que l'on considère comme un devoir moral : « Il ne *faut* jamais dire de mensonge » ; « Tous *devraient* avoir un même droit à l'éducation ».

Les propositions de valeur constituent l'essence des discours éthiques et politiques. Toutefois, il faut faire attention de ne pas confondre les propositions de valeur avec toutes les propositions qui renferment un concept dont on traite généralement en éthique ou en philosophie politique. Par exemple, si je dis : « La peine de mort est une bonne chose », je porte un jugement qualitatif sur la réalité ; j'énonce une proposition de valeur. Par contre, si je dis : « La peine de mort est dissuasive », mon jugement découle d'une analyse quantitative ou statistique d'un fait ; j'énonce une proposition empirique.

La vérité ou, plus généralement, l'acceptabilité des propositions de valeur se fonde sur le critère de cohérence. Par exemple, si l'on affirme : « La peine de mort est une bonne chose », il faut que cette proposition ne soit pas en contradiction avec les autres propositions du discours, soit les propositions par lesquelles on tente de montrer en quoi elle est une bonne chose, soit la proposition dans laquelle on donne une définition du bien ; il en est ainsi des autres propositions du discours.

Les propositions analytiques

Les propositions analytiques sont des propositions nécessairement vraies en vertu, uniquement, du sens des termes qu'elles renferment. Leur vérité ne repose donc ni sur la réalité sensible (même s'il ne devait exister aucun spécimen du sujet que l'on traite, ce qu'on en dit pourrait demeurer vrai), ni sur leur lien à d'autres propositions.

Les propositions analytiques peuvent être de différents types.

1. La proposition d'identité (entre le sujet et le prédicat) : « Une rose est une rose ».

2. La proposition dont le prédicat est déjà nécessairement contenu dans le sujet (on n'ajoute rien au sujet qu'il ne possède intrinsèquement en lui attribuant le prédicat) : « Ma grand-mère est une femme ».

3. La définition essentielle : « Un triangle est une figure géométrique plane à trois côtés ».

Un des moyens de s'assurer que nous sommes en présence d'une proposition analytique, qui est par conséquent nécessairement vraie, est de lui appliquer le test de la négation du prédicat ; s'il résulte de cette négation du prédicat une contradiction évidente, en ce cas, on a la preuve de la vérité et de la nécessité de la proposition initiale. Par exemple, dire : « Ma grand-mère n'est pas une femme » renferme en soi une contradiction évidente, puisque cela équivaut à dire : « La femme qui est la mère de ma mère n'est pas une femme ».

Le test de la négation du prédicat ne vaut qu'avec les propositions analytiques ; il ne peut donc servir avec d'autres types de propositions. Par exemple, même si l'on niait la proposition empirique « La cigarette est une cause du cancer » en affirmant : « La cigarette n'est pas une cause du cancer », cela ne pourrait servir de preuve de la vérité de la première de ces deux propositions, car la seconde ne présente pas, de façon nécessaire, de contradiction dans les termes.

Enfin, bien que les définitions essentielles soient un type de propositions analytiques, elles sont néanmoins plus difficiles à repérer à l'aide du test de la négation du prédicat. D'autres moyens seront présentés dans la sous-section intitulée « La définition », un peu plus bas.

Les propositions de préférence

Il existe enfin un dernier type de propositions, soit les propositions de préférence qu'on appelle aussi « jugements de goût », dont l'usage est répandu, mais qui ne peuvent être d'aucune utilité en argumentation, car elles font dévier l'objet que l'on cherche à connaître sur les préférences du locuteur lui-même ou sur celles de quelqu'un d'autre. Par exemple, si je veux prouver que « le Canadien est l'équipe de hockey la meilleure du monde » en donnant la raison que « je suis séduite par le physique de Carey Price », cela ne concourt objectivement en rien à ce que je suis censée démontrer. Le tableau 3.1, à la page suivante, présente une synthèse des types de propositions utiles en argumentation.

La définition

La définition est une proposition dont le but est de clarifier le sens d'un concept. Pour comprendre ce qui est signifié par un concept (le concept d'être vivant, le concept d'amour, le concept d'univers, le concept de justice, etc.), il faut que, par une définition, on en montre les limites et le contenu. Or, ne

Tableau 3.1	Les types de propositions		
Type 1			**Les critères de vérité**
Propositions empiriques ou *jugements de faits*		Proposition singulière Proposition particulière Proposition universelle Proposition indéfinie	1. La correspondance 2. La cohérence
Type 2			
Propositions non empiriques	Propositions de valeur ou *jugements de valeur*	Proposition d'appréciation Proposition d'obligation	1. La cohérence
	Propositions analytiques	Proposition d'identité Proposition dont le prédicat est déjà contenu dans le sujet Définition essentielle	1. La cohérence des concepts 2. Le test de la négation du prédicat

pas accorder aux définitions de concepts toute l'importance qu'elles ont nous fait courir plusieurs risques. D'abord, pour peu qu'il soit questionné, celui qui ne sait pas bien définir les concepts qu'il emploie est assez facilement conduit à se contredire et à être réfuté. Ensuite, si nous ne demandons pas aux autres de définir leurs concepts, nous risquons de nous laisser persuader par des individus plus rusés que nous, qui comptent sur notre peu de vigilance intellectuelle pour gagner notre adhésion à leurs opinions. Enfin, cela peut donner lieu à des dialogues de sourds et à des confrontations inutiles. Comme l'illustre l'exemple fictif suivant, qui porte sur le concept de désobéissance civile, sans définition, rien ne peut nous assurer que nous parlons de la même chose en utilisant un même concept.

Le gouvernement de l'Océania a adopté une nouvelle loi stipulant que, sauf dans les cas de maladies contagieuses, les listes d'attente de tous les services hospitaliers du secteur public devaient prioriser les citoyens qui paient des impôts. Louis-Philippe, qui est directeur d'un hôpital dans un quartier défavorisé du sud de l'Océania, trouve inadmissible le fait que la santé et, bien des fois la vie, fasse ainsi l'objet de privilèges dont on exclut ceux qui, se trouvant sans emploi, vivent sous le seuil de la pauvreté. Louis-Philippe s'est donc vu placé devant le choix suivant: ou bien il ordonnait au personnel autorisé de procéder aux modifications nécessaires à l'application de la loi et, dans ce cas, il sanctionnait une loi qui, selon lui, allait à l'encontre de droits fondamentaux; ou bien il n'obéissait pas à la loi, mais il risquait de payer de fortes amendes et d'aller en prison. Après mûre réflexion, il s'est décidé pour la désobéissance civile. Voici les termes de sa réflexion: « Puisque nous vivons en société, nul n'est au-dessus des lois. Si, par conséquent, la loi est juste, alors la peine infligée à celui qui lui désobéit est juste. Mais une loi qui concerne la santé est-elle juste si elle privilégie des citoyens au détriment d'autres citoyens ? Cette loi ne doit-elle pas elle-même être assujettie à une justice supérieure qui dicte un égal respect de la santé et de la vie de tous ? Et si elle va à l'encontre de cette justice supérieure, ne faut-il pas démontrer par l'injustice de la peine qui me sera donnée, l'injustice de cette loi ? Il m'apparaît clairement que mon intérêt personnel est bien peu de

▶

choses comparé à ce que me dit ma conscience. Par conséquent, je ne dois pas faire appliquer cette loi à l'hôpital que je dirige, je dois annoncer publiquement mon intention, et encourager ainsi d'autres directeurs d'hôpitaux et tout le personnel hospitalier à la résistance jusqu'à ce que, suite à des arrestations et par conséquent d'un manque de personnel, l'injustice de la loi transparaisse ». Or, il a fallu bien peu de temps pour que des conflits naissent entre les patients des salles d'urgence, que les autorités municipales déploient des forces policières et que la crainte d'une pénalité divise le personnel. Quant à l'opinion publique, elle oscillait entre les positions les plus contradictoires. La désobéissance civile est-elle, comme le prétendait le gouvernement de l'Océania, un appel antidémocratique à la violence ? Est-elle, comme on l'entendait dans les médias, un synonyme pur et simple d'infraction à la loi, de délinquance et de criminalité ? Est-elle, comme le prétendaient certains qui manifestaient en sa faveur, un acte dont la finalité est de créer le désordre social au nom de la liberté ? Ou est-elle, comme semblait le penser Louis-Philippe, un acte public, temporaire mais moralement nécessaire, illégal mais juste, dont on doit se plier volontairement aux conséquences prévues par la loi même que l'on conteste, et dont la finalité est le bien commun ?

Il est d'autant plus important de bien définir les concepts qui sont au cœur d'un débat que leur compréhension a des conséquences dans l'action. Pour reprendre ce même exemple, si, tout en étant favorable à l'appel lancé par Louis-Philippe, j'identifiais la désobéissance civile à ce qu'on en dit dans les médias, je pourrais participer à du vandalisme en croyant faussement agir pour le bien commun ; ou, autre exemple, je pourrais rester caché chez moi craignant de me faire attaquer. Mais, dans un cas comme dans l'autre, mon action serait irrationnelle, car elle traduirait mon incompréhension de ce que signifie la désobéissance civile.

Nous pourrions croire que lorsqu'il y a mésentente sur le sens d'un concept, nous n'avons qu'à consulter un dictionnaire. Le problème peut toutefois s'avérer plus complexe puisqu'il existe plusieurs types de définitions.

La définition lexicale

La définition lexicale correspond au type de définition que l'on trouve dans un dictionnaire. Le but de ce type de définition est de préciser le plus fidèlement possible les multiples emplois d'un même terme, tels qu'on les retrouve dans la langue courante. Ces définitions ont toutes été établies par convention ; elles sont le résultat d'une décision volontaire prise à la suite de l'usage qui a été fait du mot. Il y a donc en elles quelque chose d'arbitraire, par opposition à ce qui est par nature ou ce qui représente objectivement le réel.

La définition stipulative

Le but de la définition stipulative est d'indiquer de manière explicite la signification que l'on veut donner à un terme pour répondre aux exigences d'une situation particulière. L'importance de ce type de définition apparaît clairement dans les contrats et les textes de lois, où il serait risqué de laisser place à des interprétations multiples. Par exemple, dans le *Règlement des prêts et bourses*, le ministère de l'Éducation a intérêt à donner une définition stipulative de « l'étudiant à temps plein ». Bien que, contrairement à la définition lexicale, la définition stipulative ne puisse prêter à confusion, elle est, tout comme la définition lexicale, le résultat d'une convention ou d'un choix ; elle peut donc contenir de l'arbitraire.

La définition universelle

Au contraire des définitions établies par convention, la définition universelle vise à décrire de façon objective la nature des choses. Le terme défini renvoie directement à la chose dont on parle sans faire intervenir les perceptions ou la volonté de la personne qui parle. C'est pourquoi la définition universelle est aussi parfois appelée « définition réelle ». Ce type de définition est celui que l'on utilise en sciences et en philosophie, et que l'on trouve dans les dictionnaires spécialisés dont la fonction est de rendre compte objectivement de la réalité. Les scientifiques et les philosophes ne s'intéressent pas au sens ordinaire des termes ; ils n'ont pas besoin de définitions lexicales ou stipulatives ; ce qu'ils veulent, c'est définir la nature intrinsèque des choses.

Les caractéristiques d'une définition universelle sont les suivantes.

1. **L'universalité (elle-même).** Une définition est universelle si elle est valable dans tous les cas que représente le concept considéré. Par exemple : « Un triangle est une figure géométrique plane à trois côtés », ce qui est identique à « Tous les triangles sont des figures géométriques planes à trois côtés ».

2. **L'essence[7].** Pour être universelle, une définition doit faire voir l'essence des choses dont on parle, c'est-à-dire qu'elle doit faire voir la raison pour laquelle une chose particulière appartient de façon permanente à un ensemble. Par exemple : Le triangle isocèle appartient à l'ensemble des triangles parce que, malgré ses particularités comparativement au triangle rectangle ou au triangle scalène, c'est une figure géométrique plane à trois côtés. Autre exemple : Pierre appartient à l'ensemble des humains, non pas parce qu'il a les cheveux bruns, blonds ou noirs, mais parce qu'il est et qu'il restera un animal rationnel.

3. **Le genre et l'espèce.** L'ensemble auquel appartient une chose se divise en genre (le type de réalités auquel appartient ce dont on parle) et en espèce (la différence qui est propre à ce dont on parle comparativement à d'autres réalités du même type). Par exemple : Le genre du triangle rectangle est « figure géométrique plane à trois côtés » et son espèce (ce qui le différencie du triangle isocèle et du triangle scalène) est « avoir deux côtés à angle droit ».

4. **L'appartenance en propre.** Pour être universelle, une définition doit appartenir en propre au terme que l'on définit. Par exemple, « figure géométrique plane à trois côtés » appartient en propre au triangle, alors que « figure géométrique plane » appartient aussi à d'autres figures. Il ne faut donc pas qu'une définition soit trop inclusive (« Un triangle est une figure géométrique plane »), ni trop exclusive (« Un triangle est une figure géométrique plane à trois côtés dont deux forment un angle droit »), ce qui exclut d'autres triangles.

---

7. Voir la définition du terme « essence » au chapitre 2, p. 36.

5. **L'inversion des termes.** Dans une définition universelle, il est toujours possible d'inverser le sujet et le prédicat. Par exemple : « Toutes les figures géométriques planes à trois côtés sont des triangles ». Par contre, bien que la proposition universelle « Tous les chiens sont des animaux » soit vraie, ce n'est pas une définition, car je ne peux pas dire : « Tous les animaux sont des chiens ».

Une muse jouant de la lyre.

Dans les discussions qu'il entretenait avec ses concitoyens, on se souvient que Socrate[8] accordait beaucoup d'importance à la recherche de définitions universelles dans le domaine moral. Selon lui, sans cette recherche, on ne peut prétendre connaître ce dont on parle même si nous réussissons à persuader toute une foule de ce que nous disons ; la connaissance n'est pas la même chose que la persuasion. L'extrait[9] qui suit en présente un exemple. Socrate y discute avec Hippias, un sophiste[10] renommé qui, au moment de leur rencontre, revient tout juste de Lacédémone où il dit avoir fait un fort beau discours sur les belles occupations auxquelles les jeunes doivent se consacrer. Socrate veut alors en profiter pour interroger Hippias sur la nature de la beauté ; il lui démontrera par la même occasion, sa vanité et son ignorance. Toutefois, comme Socrate connaît le caractère orgueilleux d'Hippias et qu'il ne veut pas le vexer d'entrée de jeu, il fait semblant d'avoir été lui-même interrogé à ce sujet par un proche parent qui n'était jamais satisfait des réponses qu'il lui donnait. Il dit qu'il n'a pas su quoi répondre, qu'il s'est couvert de ridicule et que, si Hippias acceptait qu'il le questionne à la manière de ce curieux parent, il pourrait, à l'occasion d'une prochaine rencontre, montrer à ce dernier, qui n'est au fond nul autre que lui-même, qu'il a de bons arguments. Flatté, Hippias accepte. Socrate lui demande alors de définir ce qu'est le beau.

Dans le texte intégral, Hippias donne en tout huit définitions du beau qui sont tour à tour réfutées par Socrate. Voici la première et une partie de la deuxième, accompagnées de leurs réfutations, que nous résumerons par la suite[11].

Hippias Sache donc, Socrate, puisqu'il faut te dire la vérité, que le beau, c'est une belle fille.

Socrate Par le chien, Hippias, voilà une belle et brillante réponse. Et maintenant crois-tu, si je lui réponds comme toi, que j'aurai correctement répondu à la question et que je n'aurai pas à craindre d'être réfuté ?

Hippias Comment pourrait-on te réfuter, Socrate, si sur ce point tout le monde est d'accord avec toi et si tes auditeurs attestent tous que tu as raison ?

Socrate Soit, je le veux bien. Mais permets, Hippias, que je prenne à mon compte ce que tu viens de dire. Lui va me poser la question

8. Si nécessaire, on peut réviser la section « L'élucidation de la méthode et des problèmes philosophiques » au chapitre 2, p. 33 à 35.

9. L'extrait est tiré de PLATON, *Hippias majeur*, 287e-290d, dans *Premiers dialogues*, trad. par Émile CHAMBRY, Paris, Flammarion, 1967, p. 365-369.

10. Voir la note explicative au chapitre 2, p. 35.

11. Dans les « Activités d'apprentissage », un exercice semblable est donné portant sur un extrait du *Lachès*.

suivante : « Allons, Socrate, réponds. Toutes ces choses que tu qualifies de belles ne sauraient être belles que si le beau en soi existe ? » Pour ma part, je confesserai que, si une belle fille est belle, c'est qu'il existe quelque chose qui donne leur beauté aux belles choses.

Hippias Crois-tu donc qu'il entreprendra encore de te réfuter et de prouver que ce que tu donnes pour beau ne l'est point ou, s'il essaie, qu'il ne se couvrira pas de ridicule ?

Socrate Il essayera, étonnant Hippias, j'en suis sûr. Quant à dire si son essai le rendra ridicule, l'événement le montrera. Mais ce qu'il dira, je veux bien t'en faire part.

Hippias Parle donc.

Socrate « Tu es bien bon, Socrate, dira-t-il. Mais une belle cavale, n'est-ce pas quelque chose de beau, puisque le dieu lui-même l'a vantée dans son oracle ? » Que répondrons-nous, Hippias ? Pouvons-nous faire autrement que de reconnaître que la cavale a de la beauté, quand elle est belle ? Car comment oser nier que le beau ait de la beauté ?

Hippias Tu as raison, Socrate ; car ce que le dieu a dit est exact : le fait est qu'on élève chez nous de très belles cavales.

Socrate « Bien, dira-t-il. Et une belle lyre, n'est-ce pas quelque chose de beau ? » En conviendrons-nous, Hippias ?

Hippias Oui.

Socrate Après cela, mon homme dira, j'en suis à peu près sûr d'après son caractère : « Et une belle marmite, mon excellent ami ? N'est-ce pas une belle chose ? »

Hippias Ah ! Socrate, quel homme est-ce là ? Quel malappris, d'oser nommer des choses si basses dans un sujet si relevé ?

Socrate Il est comme cela, Hippias, tout simple, vulgaire, sans autre souci que celui de la vérité. Il faut pourtant lui répondre, à cet homme, et je vais dire le premier mon avis. Si la marmite a été fabriquée par un bon potier, si elle est lisse et ronde et bien cuite, comme ces belles marmites à deux anses qui contiennent six conges et qui sont de toute beauté, si c'est d'une pareille marmite qu'il veut parler, il faut convenir qu'elle est belle ; car comment prétendre qu'une chose qui est belle n'est pas belle ?

Hippias Cela ne se peut, Socrate.

Socrate Donc, dira-t-il, une belle marmite aussi est une belle chose ? Réponds.

Hippias Voici, Socrate, ce que j'en pense. Oui, cet ustensile est une belle chose, s'il a été bien travaillé ; mais tout cela ne mérite pas d'être considéré comme beau, en comparaison d'une cavale, d'une jeune fille et de toutes les autres belles choses.

Socrate Soit. Si je te comprends bien, Hippias, voici ce que nous devons répondre à notre questionneur : « Tu méconnais, l'ami, la justesse de ce mot d'Héraclite, que le plus beau des singes est laid en comparaison de l'espèce humaine. De même la plus belle marmite est laide, comparée à la race des vierges, à ce que dit Hippias le savant. » N'est-ce pas cela, Hippias ?

Hippias Parfaitement, Socrate : c'est très bien répondu.

Socrate Écoute maintenant, car, après cela, je suis sûr qu'il va te dire : « Mais quoi, Socrate ! Si l'on compare la race des vierges à celle des dieux, ne sera-t-elle pas dans le même cas que les marmites comparées aux vierges ? Est-ce que la plus belle fille ne paraîtra pas laide ? Et cet Héraclite que tu cites ne dit-il pas de même que le plus savant des hommes comparé à un dieu paraîtra n'être qu'un singe pour la science, pour la beauté et pour tout en général ? » Accorderons-nous, Hippias, que la plus belle jeune fille est laide, comparée à la race des dieux ?

Hippias Qui pourrait aller là contre, Socrate ?

Socrate Si donc nous lui accordons cela, il se mettra à rire et dira : « Te souviens-tu, Socrate, de la question que je t'ai posée ? » Oui, répondrai-je : tu m'as demandé ce que peut être le beau en soi. « Et puis, reprendra-t-il, étant interrogé sur le beau, tu m'indiques en réponse une chose qui, de ton propre aveu, est justement

▶

tout aussi bien laide que belle. » Il le semble bien, répondrai-je. Sinon, mon cher, que me conseilles-tu de répliquer ?

Hippias Moi ? ce que tu viens de dire. S'il dit que, comparée aux dieux, la race humaine n'est pas belle, il dira la vérité.

Socrate Mais, poursuivra-t-il, si je t'avais demandé tout d'abord, Socrate, qu'est-ce qui est à la fois beau et laid, et si tu m'avais répondu ce que tu viens de répondre, ta réponse serait juste. Mais le beau en soi qui orne toutes les autres choses et les fait paraître belles, quand cette forme s'y est ajoutée, crois-tu encore que ce soit une vierge, ou une cavale, ou une lyre ?

Hippias Eh bien, Socrate, si c'est cela qu'il cherche, rien n'est plus facile que de lui indiquer ce qu'est le beau, qui pare tout le reste et le fait paraître beau en s'y ajoutant. Ton homme, à ce que je vois, est un pauvre d'esprit et qui n'entend rien aux belles choses. Tu n'as qu'à lui répondre que ce beau sur lequel il t'interroge n'est pas autre chose que l'or. Il sera réduit au silence et n'essayera pas de te réfuter. Car nous savons tous que, quand l'or s'y est ajouté, un objet qui paraissait laid auparavant, paraît beau, parce qu'il est orné d'or.

Socrate Tu ne connais pas l'homme, Hippias. Tu ignores jusqu'à quel point il est intraitable et difficile à satisfaire.

Hippias Qu'est-ce que cela fait, Socrate ? Si ce qu'on dit est juste, force lui est de l'accepter ; s'il ne l'accepte pas, il se couvrira de ridicule.

Socrate Il est certain, excellent Hippias, que loin d'accepter ta réponse, il se moquera même de moi et me dira : « Es-tu fou ? prends-tu Phidias pour un mauvais sculpteur ? » Et moi je lui répondrai sans doute : « Non, pas du tout. »

Hippias Et tu auras bien répondu, Socrate.

Socrate Oui, certainement. Dès lors, quand je serai convenu que Phidias était un excellent artiste, il poursuivra : « Et tu crois que ce beau dont tu parles, Phidias l'ignorait ? — Pourquoi cette demande ? dirai-je. — C'est, dira-t-il, qu'il n'a fait en or ni les yeux de son Athéna, ni le reste de son visage, ni ses pieds, ni ses mains, s'il est vrai qu'étant d'or la statue devait paraître plus belle, mais qu'il les a faits en ivoire. Il est évident qu'en cela il a péché par ignorance, faute de savoir que c'est l'or qui rend beaux tous les objets auxquels on l'applique. » Quand il dira cela, que faut-il répondre, Hippias ?

Hippias Il n'y a là rien de difficile. Nous lui dirons que Phidias a bien fait ; car l'ivoire aussi, je pense, est une belle chose.

Socrate « Alors, pourquoi, dira-t-il, au lieu de faire le milieu des yeux en ivoire, l'a-t-il fait d'une pierre précieuse, après en avoir trouvé une qui fût aussi semblable que possible à l'ivoire ? Serait-ce qu'une pierre est aussi une belle chose ? » Le dirons-nous, Hippias ?

Hippias Oui, nous le dirons, à condition qu'elle convienne.

Socrate Et lorsqu'elle ne convient pas, elle est laide ? L'avouerai-je, oui ou non ?

Hippias Avoue-le, du moins lorsqu'elle ne convient pas.

Socrate « Mais alors, savant homme, dira-t-il, l'ivoire et l'or ne font-ils pas paraître belles les choses auxquelles ils conviennent, et laides celles auxquelles ils ne conviennent pas ? » Le nierons-nous ou avouerons-nous qu'il a raison ?

Hippias Nous avouerons que ce qui convient à une chose, c'est cela qui la rend belle.

PREMIÈRE DÉFINITION : Le beau, c'est une belle jeune fille.

RÉFUTATION : La beauté d'une jeune fille est relative ; tout dépend des choses auxquelles on la compare. Une jeune fille est belle comparée à une marmite, même si celle-ci est faite de la main d'un bon potier, mais elle est laide comparée aux dieux. Elle est donc aussi bien laide que belle et ne peut donc être le beau en soi.

DEUXIÈME DÉFINITION : Le beau, c'est l'or.

RÉFUTATION : L'or n'est pas plus beau que l'ivoire ou qu'une pierre précieuse, car l'or (tout comme l'ivoire et une pierre précieuse) ne fait paraître belles que les choses auxquelles il convient. Par exemple, Phidias, qui était un excellent sculpteur, n'a pas choisi l'or pour faire le visage, les pieds et les mains de son Athéna ; il savait que l'ivoire était davantage approprié. Plus loin dans le texte, Socrate fera, de même, accepter par Hippias que la mouvette en bois de figuier est plus belle que la mouvette en or, car elle convient mieux à la purée et à la marmite.

Socrate ne peut accepter les définitions d'Hippias parce que celui-ci ne fait pas la différence entre les belles choses et ce qui fait que ces choses sont belles ; il ne fait que donner des exemples de beauté plutôt que de donner la définition universelle et essentielle du beau. Les définitions d'Hippias sont trop exclusives : en ne se rapportant, chacune, qu'à un seul cas de beauté, elles excluent tous les autres cas. C'est pourquoi, à la fin de ce dialogue, Socrate se demande comment on peut prétendre faire de fort beaux discours si l'on est incapable de discourir sur la nature du beau sans se contredire. Socrate fait par ailleurs un reproche semblable à ceux qui se disent compétents pour dicter la conduite des autres en rédigeant des lois prétendument justes, alors qu'ils sont incapables de définir correctement la justice. Selon lui, si celui qui s'affaire à rédiger des lois se contredit aussitôt qu'on l'interroge sur la nature de la justice, comment fera-t-il pour discerner si ces lois sont ou ne sont pas justes ?

Table des lois du IVe siècle avant Jésus-Christ.

Il est vrai que la recherche de définitions universelles dans le domaine des pratiques humaines (éthique et politique) est une recherche difficile, mais son importance est d'autant plus grande, car elle nous incite à la prudence dans nos paroles et dans nos actions. Pour nous aider dans cette recherche, voici une liste d'erreurs à éviter.

1. La définition trop exclusive (ou trop restreinte)

Comme son nom l'indique, ce type de définition exclut des cas qui appartiennent au type de réalités que le concept à définir doit englober dans sa définition. Une définition est trop exclusive lorsqu'elle n'est qu'un simple exemple (c'est l'erreur d'Hippias) ou qu'elle ne vaut que pour une partie des choses que représente le concept. Si je dis : « Un humain est un animal rationnel aux yeux bruns », j'exclus, de ma définition de l'humain, les humains qui ont les yeux d'une autre couleur.

2. La définition trop inclusive (ou trop large)

Ici, on fait l'erreur inverse de la précédente : les termes qui composent cette définition sont trop peu nombreux. Par exemple : « Un humain est un animal ». Comme nous pouvons le voir, cette définition inclut plus de réalités que celle qu'elle est censée englober ; elle manque de précision.

3. La définition par énumération

Cette définition ressemble à la définition trop exclusive parce qu'elle ne se rapporte qu'à des exemples et à des cas particuliers. Mais, au lieu de n'en retenir qu'un seul, elle en énumère plusieurs : « Une profession est, pour les enseignants, celle d'enseigner aux élèves ; pour les médecins, celle de soigner les malades ; pour les avocats, celle de défendre les accusés ».

4. La définition circulaire

Cette définition ne fait que répéter, en des termes différents, le concept qu'on est censé définir ; elle n'en montre pas l'essence et, par conséquent, ne nous apprend rien du tout. « Le bonheur, c'est d'être heureux. »

5. La définition négative

Ici, on nous dit ce que n'est pas une chose au lieu de nous dire ce qu'elle est alors qu'une définition universelle doit nous dire ce qu'est une chose et non pas ce qu'elle n'est pas. Par exemple : « Le brochet n'est pas un mammifère » est vrai, mais cela ne nous avance à rien ; le brochet n'est pas un primate non plus.

6. La définition persuasive

Cette définition a pour but de nous influencer dans nos croyances et, parfois, dans nos actions. À cette fin, elle use astucieusement de qualificatifs et donne une coloration émotive au terme défini : « Le cubisme est la forme la plus évoluée de l'art et le seul vrai art ».

7. La définition émotive

La définition émotive ressemble à la définition persuasive en ce sens qu'elle est subjective. L'intention qu'elle cache n'est pas cependant de nous influencer ; elle ne fait qu'exprimer les émotions et les sentiments du locuteur : « Le chien est le meilleur ami de l'homme ».

Le raisonnement

Nous avons dit que le matériau de base de l'argumentation est la proposition : c'est en reliant des propositions que l'on construit des raisonnements. Mais à quoi servent les raisonnements ?

Un raisonnement est un type particulier de **discours**. Il est toujours conçu pour convaincre rationnellement de quelque chose. Plus précisément, son but est de montrer

---

Discours

Un discours est toute forme d'expression, orale ou écrite, de la pensée. Il en existe plusieurs types pouvant être répartis selon l'intention qui leur est sous-jacente. Par exemple, le raisonnement est un type de discours qui appartient au mode de pensée rationnel et qui vise à nous convaincre de quelque chose. Un raisonnement peut donc être de type philosophique ou de type scientifique ; et, à l'intérieur de ce dernier type, on peut distinguer les discours selon les disciplines – physique, biologie, écologie, psychologie, etc. – auxquelles appartiennent les objets sur lesquels il y a débat.

Il faut noter que s'il y a raisonnement et débat, cela implique qu'il doit également y avoir ouverture au dialogue et à la critique. D'autres types de discours sont fermés à cette ouverture, car ce qu'ils visent est l'adhésion des auditeurs sans remise en question ; c'est le cas par exemple du discours mythique et du discours religieux. Cela n'exclut cependant pas qu'on puisse traiter des questions qu'ils posent de façon rationnelle. Il y a encore d'autres types de discours qui peuvent avoir une intention pédagogique (exemple : une fable), une intention de divertissement (exemple : une comédie), une intention de persuasion (exemple : certains discours politiques, les publicités), une intention esthétique (exemple : un poème), et bien d'autres.

qu'une proposition, appelée « conclusion » (ou parfois « thèse »), est vraie sur la base de sa relation avec une ou plusieurs autres propositions appelées « prémisses ». Il s'agit donc d'établir que la vérité des prémisses (P) implique que la conclusion (C) est également vraie (P implique C) ou, du moins, qu'elle (C) est acceptable.

Prenons un exemple. Vous êtes un détective de la police de Mont-Laurier chargé d'enquêter sur la mort d'un certain Adam Christian, que le facteur a trouvé assassiné dans son salon lundi matin. Tout ce que vous savez, c'est que l'arme du crime, sur laquelle il n'y avait aucune empreinte, est un grand couteau de cuisine, et que la mort remonte au samedi soir, entre 18 h 30 et 19 h 30. Vous procédez à un interrogatoire des gens de l'entourage immédiat de la victime, qui semblent tous convaincus de la culpabilité de Gaston Arès, un voisin avec qui Adam Christian se disputait régulièrement. Vous vous méfiez de leur promptitude à désigner un coupable, mais vous devez suivre la piste et, comme vous n'avez pour le moment aucun indice, vous ne pouvez savoir si ce qu'ils disent est vrai ou faux. Par contre, ce dont vous êtes sûr, c'est que, logiquement, les deux propositions suivantes ne peuvent être vraies en même temps : « Gaston Arès est l'assassin d'Adam Christian » et « Gaston Arès n'est pas l'assassin d'Adam Christian ». Si, donc, vous prouvez que l'une de ces deux propositions est vraie, vous aurez aussi prouvé que l'autre est fausse ; et si vous prouvez que l'une est fausse, vous aurez aussi prouvé que l'autre est vraie.

Mardi matin, vous vous rendez à la résidence de Gaston Arès pour l'interroger. Ce dernier affirme qu'il est revenu samedi soir d'un bref séjour à l'étranger et qu'au moment du crime, il était à bord d'un avion en provenance de Boston. Vous retournez au bureau et vous informez votre supérieur que sous peu vous saurez si Arès est innocent. Vous lui faites part de votre raisonnement :

(1) Si Gaston Arès se trouvait ailleurs qu'à Mont-Laurier au moment du crime, il n'est pas l'assassin d'Adam Christian.

(2) Gaston Arès se trouvait dans un avion en provenance de Boston au moment du crime.

(C) Gaston Arès n'est pas l'assassin d'Adam Christian.

Vous vous dites que, de toute évidence, votre supérieur jugera que votre raisonnement est bien formé, que vous avez correctement établi les liens logiques entre les propositions. Vous n'osez croire que votre supérieur puisse vous dire que, même si vos prémisses étaient vraies, Arès serait l'assassin. Cela serait illogique et il vous apparaîtrait étrange qu'il se contredise de la sorte, qu'il ne sache pas raisonner. Mais, au fond de vous, vous êtes plutôt porté à croire que votre supérieur trouvera votre raisonnement rigoureux, car il est hors de tout doute que si vos prémisses sont vraies, nécessairement, votre conclusion l'est aussi. Or, de toute évidence, la prémisse (1) est vraie ; il ne vous reste donc qu'à vérifier la prémisse (2) pour déterminer si la conclusion est vraie.

Sur la base de cet exemple, **nous pouvons définir le raisonnement comme un enchaînement de propositions dans lequel la vérité ou l'acceptabilité de l'une des propositions, appelée « conclusion »** ou « **thèse** », résulte de sa relation logique avec une ou plusieurs autres propositions, appelées « **prémisses** ». Par conséquent, dans un raisonnement bien formé, la relation logique entre la ou les prémisses (P) et la conclusion (C) est telle que la vérité ou l'acceptabilité des prémisses (quel qu'en soit le nombre) est une preuve de la vérité ou de l'acceptabilité de la conclusion (P justifie rationnellement C). À l'inverse, la vérité ou l'acceptabilité de la conclusion est donc déterminée par celle des prémisses (C est une conséquence logique de P).

Les indicateurs de prémisses et de conclusions

Dans un raisonnement, on trouve, la plupart du temps, de petits mots (adverbes, conjonctions) et des locutions servant à repérer les prémisses et les conclusions et à indiquer les relations logiques entre elles. Sans un emploi

judicieux de ces indicateurs, un raisonnement peut être incompréhensible même si les idées qu'il contient sont excellentes. Toutefois, les propositions ne sont pas toutes précédées d'un indicateur ; lorsque c'est le cas, il faut user de notre bon jugement. Dans le tableau 3.2, les indicateurs sont divisés en six catégories. Pour l'instant, on peut se limiter à distinguer les indicateurs de conclusions (ceux de la première catégorie) des indicateurs de prémisses (ceux des cinq autres catégories). Plus loin, nous apprendrons à discriminer les différentes catégories d'indicateurs de prémisses ; nous apprendrons aussi à distinguer les prémisses liées des prémisses convergentes. Nous devrons alors être attentifs à ne pas employer indifféremment ces indicateurs, mais selon le contexte et le sens.

Périclès s'adressant aux citoyens d'Athènes lors d'une assemblée populaire (peinture de Philipp von Foltz [1805-1877]).

Le raisonnement bien formé et le raisonnement mal formé

On ne doit jamais dire d'un raisonnement qu'il est « vrai » ou qu'il est « faux ». La vérité et la fausseté ne concernent toujours que le contenu des propositions considérées une à une. Une proposition est vraie si elle correspond à ce qui se passe dans la réalité ou, quand on ne peut vérifier directement les faits, si elle fait partie d'un système de propositions cohérent[12]. Elle est fausse si elle contrevient à la règle de la correspondance, ou encore si elle fait partie d'un ensemble de propositions qui contrevient à la règle de la cohérence.

---

12. Le plus souvent, l'acceptabilité remplace la vérité pour les propositions dont on ne peut juger de la correspondance, mais qui font partie d'un système cohérent.

Tableau 3.2 | Une liste d'indicateurs de prémisses et de conclusions

1. Quelques indicateurs de conclusions (finales ou intermédiaires)	Donc	D'où il suit que
	Par conséquent	Il s'ensuit que
	C'est pourquoi	De ce fait
	C'est pour cette raison (ces raisons)	Ainsi[a]
	Pour toutes ces raisons	Aussi[b]
	Ce qui implique que	En définitive
	En conclusion	

[a] *Ainsi* peut également servir d'indicateur pour une prémisse servant à illustrer ce qui vient d'être dit.
[b] *Aussi*, comme indicateur de conclusion, se place en tête de phrase. Ailleurs dans la phrase, il sert à ajouter une prémisse.

2. Quelques indicateurs de prémisses qui servent à créer une inférence avec une conclusion (intermédiaire ou finale)	Car[c]	Vu que
	Parce que	D'autant que
	Puisque	En effet
	Attendu que	D'ailleurs
	Étant donné que	Par exemple
	Pour la raison (les raisons) que voici	Ainsi

[c] *Car*, contrairement à *parce que* ou *puisque*, n'introduit pas une proposition qui répond à la question *pourquoi* ? Autrement dit, la justification que donne la proposition introduite par *car* n'est pas la cause réelle de ce qui a été énoncé auparavant. Exemples : Pierre a abandonné ses études, car nous ne l'avons pas vu de toute la session. Pierre a abandonné ses études parce qu'il était dans l'obligation de travailler à temps plein.

3. Quelques indicateurs de prémisses liées (voir également la prochaine catégorie)	Or[d]	En revanche
	Mais	Par contre
	Cependant	Par opposition
	Toutefois	Bien que
	Pourtant	Alors que
	Néanmoins	Malgré que

[d] *Or* s'emploie pour ajouter une nuance, une précision ou une information supplémentaire soit à la prémisse qui le précède immédiatement, soit à une autre prémisse qui est antérieure à celle-ci. Les autres indicateurs de cette catégorie indiquent plutôt une restriction, une concession ou une opposition à ce qui vient d'être dit.

4. Quelques indicateurs de prémisses liées ou de prémisses convergentes	Et[e]	De plus
	D'une part, d'autre part	En outre
	Par ailleurs	De même
	Aussi	Plus encore
	Quant à	

[e] *Et* peut aussi servir à unir deux parties d'une même proposition.

Tableau 3.2 | Une liste d'indicateurs de prémisses et de conclusions *(suite)*		
5. Quelques indicateurs de prémisses convergentes ou d'arguments convergents	D'abord, ensuite, enfin…	Premièrement, deuxièmement, troisièmement…
6. Quelques indicateurs de prémisses complexes	**Indicateurs de prémisses hypothétiques**	**Indicateurs de prémisses disjonctives**
	Si… alors… Exemple : « *Si* tu es prêt avant midi, *alors* je t'accompagnerai à la gare » ne constitue qu'une seule prémisse.	Ou bien… ou bien…
	… à supposer que…	Soit… soit…
	… à condition que…	Il n'y a que deux choix : … ou…

Quant au raisonnement, puisque sa fonction est d'établir des liens entre des propositions, on peut en dire qu'il est bien formé ou mal formé. Un raisonnement est bien formé, ou logiquement rigoureux, lorsque les liens entre (P) et (C) sont correctement établis. Par exemple : (1) Si Gaston Arès se trouvait ailleurs qu'à Mont-Laurier au moment du crime, il n'est pas l'assassin d'Adam Christian ; (2) Gaston Arès se trouvait dans un avion en provenance de Boston au moment du crime ; (C) Gaston Arès n'est pas l'assassin d'Adam Christian.

Un raisonnement est mal formé, ou logiquement non rigoureux, quand les liens entre (P) et (C) sont incorrectement établis. Ce serait le cas, par exemple, si, dans le même exemple, on concluait des deux mêmes prémisses que « Gaston Arès est l'assassin d'Adam Christian ».

Cette distinction entre la rigueur logique du raisonnement et la vérité des propositions est très importante, car un raisonnement bien formé peut comporter des propositions fausses :

> « Tout ce qui vole est un oiseau ;
> la libellule vole ;
> la libellule est un oiseau ».

Et un raisonnement mal formé peut être composé de propositions vraies :

> « Le cheval hennit ;
> le bœuf beugle ;
> donc, le mouton bêle ».

Dans le premier exemple, le raisonnement est bien formé, car si les prémisses étaient vraies, il s'ensuivrait nécessairement que la conclusion est vraie. Dans le second exemple, le raisonnement est mal formé, car même si les prémisses et la conclusion sont vraies, on ne peut pour autant fonder la vérité de la conclusion sur la vérité des prémisses : il n'y a aucun lien logique entre elles.

Les raisonnements déductif et inductif

Il existe deux types de raisonnements : le raisonnement déductif et le raisonnement inductif. Le tableau 3.3 présente leurs caractéristiques respectives, et une explication de chacune d'entre elles est donnée par la suite.

Tableau 3.3	Les caractéristiques permettant de distinguer les raisonnements déductifs et les raisonnements inductifs	
Les raisonnements déductifs		**Les raisonnements inductifs**
1. Si les prémisses sont vraies (ou si nous les considérons comme vraies), il s'ensuit **nécessairement** que la conclusion est vraie (ou que nous devons la considérer comme vraie).		1. Les prémisses nous donnent de **bonnes raisons** de croire en la vérité de la conclusion.
2. Il est impossible d'affirmer que les prémisses sont vraies et que la conclusion est fausse sans se contredire.		2. Il est possible d'affirmer que les prémisses sont vraies et que la conclusion est fausse sans se contredire.
3. Il n'existe pas de degrés concernant la force des prémisses.		3. Il existe des degrés concernant la force des prémisses.
4. L'ajout d'autres prémisses ou d'autres preuves est inutile.		4. L'ajout d'autres prémisses ou d'autres preuves est toujours utile.
5. Si la conclusion est fausse, c'est qu'il y a au moins une prémisse qui est fausse.		5. Même si toutes les prémisses sont vraies, il peut arriver qu'on découvre des preuves qui nous font nier la conclusion.
6. C'est un raisonnement non amplifiant.		6. C'est un raisonnement amplifiant.

Le raisonnement déductif

Le raisonnement déductif, plus simplement appelé « déduction », est un raisonnement dans lequel la vérité des prémisses constitue une garantie absolue de la vérité de la conclusion.

Première caractéristique

Un raisonnement déductif est bien formé ou valide quand le lien logique entre les prémisses et la conclusion est nécessaire. Si les prémisses sont vraies ou si nous les acceptons comme vraies, il s'ensuit nécessairement que la conclusion est vraie ; nous sommes, du moins, dans l'obligation de l'accepter comme vraie.

Deuxième caractéristique

Une déduction est valide s'il est impossible d'affirmer que les prémisses sont vraies et que la conclusion est fausse sans contrevenir au principe de non-contradiction. Par exemple, le raisonnement suivant : « (1) Tout ce qui vole est un oiseau ; (2) La libellule vole ; (C) La libellule est un oiseau », est une déduction valide parce que même si la prémisse (1) et la (C) sont fausses, dans l'hypothèse

Valide

Seul le raisonnement déductif, lorsqu'il est bien formé, peut être dit valide. La validité ne concerne que la forme logique du raisonnement déductif et non le contenu des propositions. Les termes « valide » et « vrai » ne sont donc pas applicables aux mêmes choses.

où nous accepterions les prémisses ⑴ et ⑵ comme vraies, nous serions dans l'obligation d'accepter également la vérité de la Ⓒ ; dans le cas contraire, nous nous contredirions.

Ces deux premières caractéristiques montrent que la validité des déductions repose exclusivement sur leur **rectitude formelle**, sans que l'on ait à tenir compte de leur contenu[13].

Rectitude formelle

Les logiciens ont répertorié toutes les formes valides de la déduction. Par exemple, toutes les fois que nous rencontrons un raisonnement qui a la forme suivante :

« Tout ⓐ est ⓑ.

Tout ⓑ est ⓒ.

Donc, tout ⓐ est ⓒ »,

nous pouvons admettre sa validité sans tenir compte de la vérité ou de la fausseté des propositions qu'il contient. Ainsi

« Tous les gorilles ⓐ sont gauchers ⓑ.

Tous les gauchers ⓑ sont des ivrognes ⓒ.

Donc, tous les gorilles ⓐ sont des ivrognes ⓒ »,

est un raisonnement bien formé, une déduction valide, quelle que soit l'absurdité de ce qui est dit. Voici un autre exemple de forme valide qu'on appelle *modus ponens* :

(1) $p \rightarrow q$ (p implique q)

(2) p   (p est vrai)

(c) q   (q est vrai).

Ainsi ⑴ Si Gaston Arès se trouvait ailleurs qu'à Mont-Laurier au moment du crime, il n'est pas l'assassin d'Adam Christian. ⑵ Gaston Arès se trouvait dans un avion en provenance de Boston au moment du crime. Ⓒ Gaston Arès n'est pas l'assassin d'Adam Christian.

Troisième caractéristique

La déduction n'admet pas de degrés concernant la force des prémisses ; autrement dit, les prémisses ne peuvent nous convaincre davantage, car elles offrent déjà une garantie absolue de la conclusion. Affirmer que les prémisses impliquent nécessairement la conclusion, c'est dire qu'il n'est pas possible qu'il en soit autrement. Dans notre exemple du meurtre de Mont-Laurier, si nous acceptons les prémisses, nous ne pouvons conclure « il est possible que Gaston Arès soit innocent » ; nous devons conclure « il est nécessaire que Gaston Arès soit innocent ».

Quatrième caractéristique

Il est impossible de renforcer une déduction en ajoutant d'autres prémisses ou d'autres preuves. Aucune information supplémentaire ne peut rendre le raisonnement plus convaincant.

Cinquième caractéristique

Lorsqu'une déduction est valide, mais que nous savons tout de même que la conclusion est fausse, c'est qu'il y a toujours au moins une prémisse qui est

---

13. Cette logique formelle est très enrichissante, mais elle nécessite la connaissance de toutes les formes valides de la déduction ; ce qui serait très laborieux dans ce cours dont le but est de nous initier à l'argumentation, de sorte que nous en trouvions tout de suite une utilité dans nos études et dans notre quotidien.

fausse. Cela est important à retenir, car si nous ne voulons pas être obligés d'admettre une conclusion fausse, la connaissance de cette règle nous encourage à rechercher la ou les propositions fausses.

Sixième caractéristique

La déduction est un raisonnement non amplifiant. Une déduction n'augmente pas l'étendue de nos connaissances empiriques ; elle ne nous permet pas de connaître un nouveau fait. Autrement dit, dans une déduction, l'information fournie dans la conclusion est déjà contenue dans les prémisses. La conclusion ne fait qu'affirmer explicitement ce qui est déjà dans les prémisses ; c'est d'ailleurs pourquoi elle découle nécessairement des prémisses et que ce serait se contredire que d'affirmer que les prémisses sont vraies et la conclusion, fausse.

Le raisonnement inductif

Le raisonnement inductif, plus simplement appelé « induction », est un raisonnement dans lequel la vérité des prémisses rend probable la vérité de la conclusion. Les raisonnements bien formés ne sont donc pas toujours des raisonnements dans lesquels nous obtenons une garantie absolue de la vérité de la conclusion. Au contraire, la grande majorité des raisonnements que nous faisons quotidiennement, ainsi que ceux qui sont employés en sciences humaines et en sciences naturelles, sont inductifs ; heureusement, ils ne sont pas tous, pour autant, mal formés.

Première caractéristique

Nous disons qu'un raisonnement inductif est bien formé ou **probant** quand les prémisses nous donnent de bonnes raisons de croire que la conclusion est vraie, sans pour autant en constituer une garantie absolue. Contrairement à une déduction valide, une induction probante ne nous met jamais dans l'obligation d'accepter la conclusion ; même quand il y a de très fortes chances que la conclusion soit vraie, il y a toujours un risque d'erreur, si faible soit-il. Autrement dit, lorsque les prémisses sont vraies, même s'il y a de bonnes raisons d'induire que la conclusion l'est également, il se peut néanmoins que la conclusion soit fausse. La conclusion n'est donc pas nécessairement vraie, mais elle est probablement vraie.

Probant

Seul le raisonnement inductif, lorsqu'il est bien formé, peut être dit probant. Une induction est probante lorsque les prémisses fournissent suffisamment de raisons pour que la conclusion soit acceptable.

Deuxième caractéristique

Il s'ensuit de ce que nous venons de dire que, contrairement à ce que nous pouvons affirmer d'une déduction valide, dans une induction bien formée, il est possible d'affirmer que les prémisses sont vraies et que la conclusion est fausse, tout en demeurant logiquement cohérent et en n'enfreignant pas le principe de non-contradiction. Prenons un exemple très familier de raisonnement inductif : un sondage.

La maison Inspect fait un sondage pour tenter de prédire qui gagnera les élections dans la circonscription de Jonquilles, qui compte 15 000 électeurs. Les sondeurs ont sélectionné un échantillon de 1000 personnes ayant le droit de vote, auxquelles ils ont soumis un questionnaire. Sur ces 1000 personnes, 750 ont répondu qu'elles voteront pour le député actuel, Rémi

Doré. Les sondeurs ont alors de bonnes raisons d'induire que Rémi Doré restera député de Jonquilles ; ils peuvent donc rendre compte du résultat de leur enquête :

> (1) Puisque 750 personnes sur les 1000 personnes interrogées ont déclaré avoir l'intention de voter pour Rémi Doré, (2) on peut prévoir que plus ou moins de 75 % des électeurs du comté, c'est-à-dire 11 250 électeurs sur 15 000, voteront pour Rémi Doré le jour de l'élection. (C) Par conséquent, Rémi Doré gagnera très probablement les élections.

Bien que les prémisses n'offrent pas une garantie absolue de la vérité de la conclusion et qu'une certaine marge d'erreur persiste, la maison de sondage Inspect peut en toute bonne foi livrer ce résultat aux médias.

Thomas Polémos prend connaissance du résultat du sondage au cours d'une tribune téléphonique à la radio. Il téléphone aussitôt pour émettre son opinion : selon lui, même s'il est vrai que 750 électeurs ont déclaré avoir l'intention de voter pour Rémi Doré, celui-ci ne sera pas réélu.

Les auditeurs sont intrigués : ils aimeraient connaître les raisons qui poussent Thomas Polémos à douter de la conclusion du sondage car, même s'ils en ont été convaincus, ils admettent qu'il n'est pas irrationnel d'en douter. Bien que la proposition « Rémi Doré remporte l'élection » soit très probable, cela ne veut pas dire qu'elle soit certaine. Il se peut même que, si Thomas Polémos fournit de bonnes raisons pour justifier sa position, il renverse celle de certains auditeurs.

Troisième caractéristique

Comme l'induction ne produit jamais de certitude, mais qu'elle offre de bonnes raisons de considérer la conclusion comme vraie, il existe des degrés dans la force de ses prémisses. Dans l'exemple ci-dessus, la conclusion sera davantage plausible si le sondage a été fait une semaine avant l'élection plutôt qu'un mois avant l'élection. Elle le sera encore plus si les sondeurs démontrent que l'échantillon choisi est sans aucun doute représentatif de la totalité des électeurs, et si d'autres maisons de sondage parviennent également à un résultat semblable.

Quatrième caractéristique

Il est possible de renforcer une induction en ajoutant d'autres prémisses ; des informations supplémentaires touchant à d'autres aspects du problème considéré peuvent toujours rendre le raisonnement plus convaincant. Par exemple, pour contrer les critiques de tous les Thomas Polémos du comté, les sondeurs de la maison Inspect pourraient apporter d'autres preuves en faveur de la conclusion :

- le député Doré a été réélu trois fois ;
- depuis 25 ans, Jonquilles élit un député membre du parti de Doré ;
- les autres partis politiques n'investissent ni temps ni argent dans le comté ;
- les autres candidats sont jeunes et sans expérience.

Cinquième caractéristique

Puisque même une induction dont les prémisses sont toutes vraies ne conduit cependant pas à une certitude absolue, il pourrait arriver qu'on découvre d'autres preuves qui nous incitent à nier la conclusion. Par exemple, supposons que ce que Thomas Polémos n'avait pas voulu dire à la radio avait rapport à une histoire de trafic de drogue et que, quatre jours avant l'élection dans Jonquilles, on apprend que le député Doré a été arrêté la veille dans le port de Montréal, en compagnie de trafiquants de drogue, en train de conclure une transaction de cinq millions de dollars. Le député Doré se dit innocent mais, même si c'était le cas, cela prendra beaucoup de temps pour que les citoyens lui fassent à nouveau confiance. Ils ne seront donc plus 75 % à voter pour lui.

Sixième caractéristique

L'induction est un raisonnement amplifiant. L'information contenue dans la conclusion augmente l'étendue de nos connaissances empiriques ; comparativement à la déduction, ce que l'induction perd en exactitude, en revanche, elle le gagne en amplitude. Par exemple, la maison Inspect tire la conclusion que Rémi Doré remportera ses élections, en généralisant à l'ensemble des électeurs une information qu'elle a obtenue d'une partie seulement des électeurs. La conclusion va donc au-delà de ce qu'a révélé le sondage. Une induction pourrait aussi procéder en sens inverse, c'est-à-dire qu'à partir d'une connaissance générale, elle pourrait nous fournir une connaissance sur un fait particulier. Par exemple, comme il arrive souvent que le mardi matin l'autobus soit bondé, j'en induis que, mardi prochain, je serais mieux de partir un peu plus tôt et de marcher.

Résumé

L'autonomie et la rationalité

Sans le bon usage de la raison que nous procure la méthode de l'argumentation, on ne peut acquérir l'autonomie intellectuelle et citoyenne. L'ignorance des règles de l'argumentation nous conduit à croire soit que la vérité est relative à chacun, soit qu'il est toujours mieux de suspendre son jugement, soit que nous possédons le privilège exclusif de la connaissance de la vérité. Ces croyances conduisent à la paresse de l'esprit et parfois à la misologie ; elles ont des répercussions négatives sur la démocratie. L'éthique de l'argumentation comporte quatre principes : le respect des règles de l'échange rationnel ; la charité envers autrui ; la faillibilité ; l'accord des esprits.

La proposition

La proposition est une assertion ; elle est ce qu'un locuteur établit comme vrai, ce qu'il dit représenter fidèlement une réalité, dans une phrase déclarative. Il est très important d'apprendre à distinguer et dénombrer les propositions d'un raisonnement, car si l'on cherche à s'approcher de la vérité, on doit comprendre le sens de ce qui est dit, indépendamment du style.

Les critères de vérité

Il existe deux critères qui nous permettent de juger si une proposition est vraie ou fausse, acceptable ou inacceptable. Le critère de la correspondance concerne l'adéquation d'une proposition empirique avec le réel ; l'évaluation des propositions repose alors soit sur l'observation, soit sur l'expérimentation, soit sur l'analyse statistique. Le critère de cohérence permet de juger de la vérité ou de l'acceptabilité d'une proposition d'après sa relation logique avec un ensemble de propositions ; il y a cohérence lorsqu'il n'y a pas de contradiction.

Les types de propositions

Les propositions empiriques portent sur l'existence ou l'inexistence d'une chose ou d'un fait. Leur vérité repose soit sur la correspondance, soit sur la cohérence. Parmi les propositions empiriques, on distingue les propositions singulières, les propositions particulières, les propositions universelles et les propositions indéfinies. Les propositions non empiriques sont de deux sortes : les propositions de valeur et les propositions analytiques. La vérité des propositions de valeur repose sur la cohérence de leurs liens avec d'autres propositions ; il en existe deux types : les propositions d'appréciation et les propositions d'obligation. La vérité des propositions analytiques repose sur la nécessité de leurs liens entre les termes qui les composent ; c'est pourquoi on peut les reconnaître au moyen du test de la négation du prédicat. Il existe trois types de propositions analytiques : les propositions d'identité, les propositions dont le prédicat est déjà contenu dans le sujet et les définitions universelles. Les propositions de préférence ne sont d'aucune utilité en argumentation, car elles ne nous apprennent rien d'objectif sur ce qu'on est censé démontrer.

La définition

La définition est une proposition dont le but est de clarifier le sens d'un concept. Savoir définir est extrêmement important, car la compréhension que nous avons d'un concept influence notre action. La définition lexicale dénote les multiples emplois que nous faisons d'un terme dans la langue courante. La définition stipulative désigne la signification que l'on donne à un terme dans un contexte précis. La définition universelle est celle qui nous intéresse en philosophie et en argumentation. Elle se distingue par les caractéristiques suivantes : 1) elle vaut pour tous les cas que représente le concept considéré ; 2) elle fait voir l'essence des choses ; 3) elle indique le genre et l'espèce des choses ; 4) elle appartient en propre à ce qu'on définit ; 5) son sujet et son prédicat sont réciproquement convertibles. L'exemple d'Hippias témoigne que la réputation d'un orateur et l'élégance de son discours n'ont rien à voir avec la capacité de bien définir et la recherche de la vérité. Une bonne définition ne doit être ni trop exclusive ni trop inclusive. De même, les définitions par énumération, circulaire, négative, persuasive et émotive sont autant d'erreurs à éviter.

Le raisonnement

Le raisonnement est un enchaînement de propositions dans lequel la vérité ou l'acceptabilité de l'une des propositions appelée «conclusion» ou «thèse» résulte de sa relation logique avec une ou plusieurs autres propositions appelées «prémisses». Son but est de nous convaincre que la vérité ou l'acceptabilité des prémisses implique la vérité ou l'acceptabilité de la conclusion.

Les indicateurs de prémisses et de conclusions

Les indicateurs servent à repérer les prémisses et les conclusions d'un raisonnement et à indiquer les relations logiques des prémisses entre elles, et des prémisses avec leur conclusion. Un mauvais emploi des indicateurs peut rendre incompréhensibles et inacceptables les idées les plus excellentes.

Le raisonnement bien formé et le raisonnement mal formé

On ne dit jamais d'un raisonnement qu'il est vrai ou faux; un raisonnement est soit bien formé, soit mal formé. Un raisonnement est bien formé lorsque les liens entre les prémisses et la conclusion sont correctement établis et ce, indépendamment de la vérité ou de la fausseté des prémisses.

Les raisonnements déductif et inductif

La déduction est un raisonnement dans lequel la vérité des prémisses constitue une garantie absolue de la vérité de la conclusion. Une déduction est valide quand : le lien logique entre les prémisses et la conclusion est nécessaire; il est impossible d'affirmer que les prémisses sont vraies et que la conclusion est fausse sans se contredire. Une déduction se caractérise aussi par le fait qu'on ne peut augmenter la force de ses prémisses ou leur nombre pour la rendre plus convaincante. De plus, lorsque la conclusion d'une déduction valide est fausse, c'est qu'au moins une prémisse est fausse. Enfin, la déduction est un raisonnement non amplifiant. L'induction est un raisonnement dans lequel la vérité des prémisses rend probable la vérité de la conclusion. Une induction est probante quand les prémisses nous donnent de bonnes raisons de considérer que la conclusion est vraie. L'induction comporte toujours un risque d'erreur; il n'est donc pas contradictoire d'affirmer que les prémisses sont vraies mais que la conclusion est fausse. Il est toujours utile de renforcer les prémisses d'une induction ou d'en augmenter le nombre. Néanmoins, une induction bien formée peut être renversée, car il existe toujours une possibilité de découvrir une preuve qui nie la conclusion. Enfin, l'induction est un raisonnement amplifiant.

Lectures et film suggérés

Lectures

BAILLARGEON, Normand. *Petit cours d'autodéfense intellectuelle*, Montréal, Lux éditeur, 2005, 338 p.

BLACKBURN, Pierre. *Logique de l'argumentation*, 2e éd., Saint-Laurent (Québec), Éditions du Renouveau Pédagogique, 1994, p. 66 à 115.

GOVIER, Trudy. *A Practical Study of Argument*, 6e éd., Californie, Wadsworth Publishing, 2005, p. 92-131, p. 206-324.

KANT, Emmanuel et Moses MENDELSSOHN. *Qu'est-ce que les Lumières ?*, Paris, Mille et une nuits, 2006, 61 p.

LEPAGE, François. *Le dilemme du prisonnier*, Montréal, Boréal, 2008, 152 p. (Roman)

MEYER, Michel. *Qu'est-ce que l'argumentation ?*, Paris, Librairie philosophique J. Vrin, 2005, 122 p. (Coll. «Chemins philosophiques») (Un peu difficile)

Film

HIRSCHBIEGEL, Oliver. *L'expérience (Das Experiment)*, Allemagne, 2000, 114 min, coul., DVD.

Activités d'apprentissage

❶ L'extrait qui suit est tiré du dialogue de Platon intitulé *Lysis*. Ce dialogue porte sur la nature de l'amitié. L'amitié y est toutefois considérée sous une forme plus étendue que simplement les liens amicaux ; elle comprend également les relations amoureuses, l'affection des parents pour leurs enfants, celle des maîtres pour leurs élèves, le désir d'un bien, etc. Dans l'extrait présenté ici, Socrate discute avec Lysis, un jeune Athénien d'une douzaine d'années, dont la famille est célèbre par ses richesses, ses chevaux et ses victoires aux grands jeux de la Grèce. L'intention de Socrate est de faire prendre conscience à Lysis et à leurs auditeurs que, malgré les nombreuses choses qu'ils lui interdisent, les parents de Lysis l'aiment dans la mesure même où ces interdictions sont nécessaires afin qu'il acquière les connaissances qui lui permettront de gagner l'estime des autres et lui procureront une véritable liberté.

Lisez d'abord attentivement l'extrait et répondez ensuite à la question.

Lysis I

Socrate Je suppose, Lysis, que ton père et ta mère t'aiment beaucoup ?

Lysis Bien sûr.

Socrate Dans ce cas ils souhaitent que tu sois le plus heureux possible ?

Lysis Comment ne le souhaiteraient-ils pas ?

Socrate À ton avis, est-il heureux l'homme réduit en esclavage[14] auquel on ne permet de rien faire de ce qu'il désire ?

Lysis Par Zeus, à mon avis non.

Socrate Eh bien, si ton père et ta mère t'aiment et désirent te voir heureux, il est évident qu'ils s'appliquent de toutes les façons à te rendre heureux.

Lysis Cela va de soi.

Socrate Ils te laissent donc faire ce que tu veux, ils ne te punissent pas et ils ne t'empêchent pas non plus de faire ce dont tu as envie.

Lysis Si, par Zeus, ils m'en empêchent, Socrate, et même très souvent.

Socrate Qu'est-ce que tu racontes ? Ils veulent te voir parfaitement heureux et ils t'empêchent de faire ce que tu veux ? Par exemple, dis-moi, s'il te prenait envie, à l'occasion d'une course, de monter sur l'un des chars de ton père et d'en prendre les rênes, tes parents ne te le permettraient pas et ils t'en empêcheraient ?

Lysis Non, par Zeus, ils ne me le permettraient pas.

Socrate Mais à qui alors le permettraient-ils ?

Lysis Au cocher qui reçoit un salaire de mon père.

Socrate Que dis-tu ? Ils permettent à un salarié, plutôt qu'à toi, de faire ce qu'il veut avec les chevaux, et en plus ils lui versent de l'argent pour cela ?

Lysis Oui, et alors ?

Socrate Mais l'attelage de mulets, je suppose qu'ils te le donnent à conduire, et que si tu voulais prendre le fouet pour les frapper, ils te laisseraient faire.

---

14. Avec la réforme de Solon (-594), l'esclavage, à Athènes, fut limité aux personnes non grecques qui avaient été faites prisonnières à la suite de guerres ; cette pratique existait également à l'extérieur de la Grèce. En fait, l'esclavage a été répandu à travers le monde jusqu'à son abolition officielle au xixᵉ siècle. Depuis, sur le plan économique, d'autres formes d'exploitation se sont substituées à celle-là.

Lysis Pourquoi me laisseraient-ils faire?

Socrate Comment? Personne n'est autorisé à les frapper?

Lysis Mais si, le muletier est autorisé.

Socrate Est-ce un esclave ou un homme libre?

Lysis Un esclave.

Socrate Et ils ont pour cet esclave, semble-t-il, davantage de considération que pour toi, leur fils, et ils lui confient leurs biens plutôt qu'à toi, et ils le laissent faire ce qu'il veut, alors que toi ils t'en empêchent? Allons, réponds-moi encore sur ce point: est-ce qu'ils te laissent te gouverner toi-même, ou bien pas même pour cela ne te font-ils confiance?

Lysis Comment pourraient-ils me faire confiance?

Socrate Alors il y a quelqu'un qui te gouverne?

Lysis Celui-ci mon pédagogue[15].

Socrate Est-ce un esclave?

Lysis Oui, et après? C'est du moins notre esclave.

Socrate Il est plutôt étrange qu'un homme libre soit gouverné par un esclave. Et que fait ce pédagogue lorsqu'il te gouverne?

Lysis Il me conduit chez le maître d'école.

Socrate Ne te gouvernent-ils pas eux aussi, ces maîtres d'école?

Lysis Tout à fait.

Socrate Ils sont donc bien nombreux les maîtres et les précepteurs que ton père t'impose de son plein gré. Mais lorsque tu rentres à la maison, auprès de ta mère, est-ce que, lorsqu'elle tisse, elle te laisse faire ce que tu veux avec la laine ou le métier à tisser, pour que tu sois, grâce à elle, au comble du bonheur? Car elle ne t'empêche pas, j'imagine, de toucher à la spatule, à la navette ou à tout autre instrument qui sert au travail de la laine.

Lysis (qui éclate de rire) Par Zeus, Socrate, non seulement elle m'en empêche, mais je recevrais des coups si j'y touchais.

Socrate Par Héraclès, n'aurais-tu pas commis une faute à l'endroit de ton père ou de ta mère?

Lysis Par Zeus, bien sûr que non.

Socrate Mais pour quel motif t'empêchent-ils aussi farouchement d'être heureux et de faire ce que tu veux, et pourquoi, à longueur de journée, t'éduquent-ils comme si tu étais toujours l'esclave de quelqu'un et, pour le dire en un mot, à ne rien faire du peu que tu désires? Tous ces biens ne te sont donc d'aucune utilité, à ce qu'il semble, puisque tous les contrôlent plutôt que toi, et ce corps si noble ne t'est pas non plus utile, puisque là aussi c'est un autre qui l'entretient et le soigne, tandis que toi, Lysis, tu ne commandes à rien et tu ne fais rien non plus de ce que tu désires.

Lysis C'est que je n'en ai pas encore l'âge, Socrate.

Socrate Ce n'est pas cela, fils de Démocrate, qui est pour toi un empêchement, puisque ton père et ta mère, je crois, s'en remettent à toi et n'attendent pas que tu aies l'âge dans le cas suivant: lorsqu'ils veulent qu'on leur fasse la lecture ou qu'on écrive pour eux, tu es, m'est avis, la première personne de la maison à qui ils le demandent. N'est-ce pas?

Lysis Tout à fait.

Socrate Eh bien, il t'est permis, en ce domaine, d'écrire en premier lieu celle des lettres de ton choix, et pareillement pour la deuxième; et il t'est permis de lire de la même façon. Et lorsque tu prends la lyre, ni ton père ni ta mère, si je ne m'abuse, ne t'empêchent de pincer ou de relâcher la corde de ton choix, ni de la faire vibrer et résonner avec le plectre. Ou bien t'en empêchent-ils?

Lysis Bien sûr que non.

---

15. Le pédagogue avait pour fonction de conduire (*âgein*) les enfants (*paîdes*) chez le maître d'école, à la palestre, etc.

Socrate Quelle est donc la raison, Lysis, pour laquelle ils ne formulent aucune interdiction en ces matières, alors qu'ils en formulent dans les domaines dont nous avons parlé tout à l'heure ?

Lysis Je crois que c'est parce que je connais ces matières, mais non les autres.

Socrate Soit, excellent jeune homme. Ce n'est donc pas en raison de ton âge que ton père attend pour te faire confiance en tout ; mais le jour où il te considérera plus avisé que lui, ce jour-là il s'en remettra à toi et pour lui-même et pour ce qui lui appartient.

Lysis Oui, je le crois.

Socrate Allons. Eh bien ? La règle que ton père a suivie à ton endroit ne s'applique-t-elle pas, identique, à ton voisin ? Crois-tu qu'il te confiera sa maison à administrer lorsqu'il te considérera plus avisé que lui en matière d'administration domestique, ou qu'il verra lui-même à sa gestion ?

Lysis C'est à moi qu'il s'en remettra, j'imagine.

Socrate Eh bien ? Crois-tu que les Athéniens ne te confieront pas leurs affaires lorsqu'ils s'apercevront que tu es suffisamment avisé ?

Lysis Je le crois.

Socrate Par Zeus ! et que dire du Grand Roi ? Est-ce à son fils aîné, auquel revient le gouvernement de l'Asie, qu'il confierait le soin d'ajouter ce qui lui plaît à la sauce des viandes en train de mijoter, ou bien à nous, si, nous étant rendus auprès de lui, nous lui faisions la démonstration que nous sommes plus avisés que son fils en ce qui a trait à la préparation des mets ?

Lysis À nous, c'est évident.

Socrate Son fils, il ne lui permettrait même pas d'y ajouter un petit quelque chose, alors que nous, même si nous voulions y ajouter des poignées de sel, il nous laisserait faire.

Lysis Comment nous le refuserait-il ?

Socrate Et qu'en serait-il si son fils souffrait des yeux ? Est-ce qu'il le laisserait toucher à ses propres yeux, s'il considère qu'il n'est pas médecin, ou bien l'en empêcherait-il ?

Lysis Il l'en empêcherait.

Socrate Quant à nous, pour peu qu'il croie que nous sommes versés en médecine, et même si nous voulions lui ouvrir les yeux pour y saupoudrer de la cendre, je crois qu'il ne s'y opposerait pas, puisqu'il considérerait que notre avis est le bon.

Lysis Tu dis vrai.

Socrate Est-ce qu'il s'en remettrait aussi à nous, plutôt qu'à lui-même ou à son fils, dans tous les autres cas où nous lui donnerions l'impression d'être plus savant qu'eux ?

Lysis C'est obligé, Socrate.

Socrate Voici donc ce qu'il en est, mon cher Lysis. Dans les domaines où nous serons devenus avisés, tout le monde s'en remettra à nous, aussi bien les Grecs que les Barbares, les hommes que les femmes ; nous ferons dans ces domaines ce que nous voudrons et personne ne nous fera obstacle volontairement ; c'est plutôt nous qui serons libres et qui commanderons aux autres dans ces domaines qui nous seront propres – car nous pourrons en tirer profit –, tandis que dans les domaines dont nous n'aurons pas acquis l'intelligence, personne ne s'en remettra à nous pour nous y laisser faire ce que bon nous semble, mais tous nous en empêcheront autant qu'ils le pourront, non seulement les étrangers, mais aussi notre père, notre mère et ce qui nous est encore plus parent qu'eux, s'il en est ; nous serons nous-mêmes soumis aux autres en ces domaines qui nous seront étrangers, car nous n'en tirerons aucun profit. Conviens-tu qu'il en est ainsi ?

Lysis J'en conviens.

Source : PLATON. *Lysis*, 207d-210d, dans *Œuvres complètes*, sous la direction de Luc BRISSON, Paris, Flammarion, 2008, p. 1015-1018.

Question

L'extrait que vous venez de lire présente de nombreux exemples qui illustrent le fait qu'il est beaucoup plus utile (et parfois moins dangereux) de s'en remettre à celui dont l'opinion repose sur une connaissance plutôt qu'à celui qui prétend connaître ce qu'il ne sait pas. Donnez trois de ces exemples.

❷ Pour chacune des propositions suivantes, dites s'il s'agit d'une proposition analytique, d'une proposition empirique ou d'une proposition de valeur.

a) Dans l'Antiquité, il était fréquent qu'on aille au temple consulter les dieux.

b) Quel bonheur c'eût été pour les philosophes de l'Antiquité de pouvoir bénéficier des recherches actuelles en astrophysique!

c) Il faut placer son bonheur dans le travail et la justice.

d) La grande majorité des adolescents vivent dans la démesure et l'impudence.

e) Il n'y a pas d'effet sans cause.

f) Naître, vieillir, travailler et souffrir étaient étrangers aux premiers humains.

g) Dans l'ancien temps, les humains avaient des têtes de taureaux ou deux têtes sur un seul cou.

h) Il faut se méfier des discours qui s'adressent à nos émotions plutôt qu'à notre raison.

i) Il est impossible que le même attribut appartienne et n'appartienne pas en même temps, au même sujet et sous le même rapport.

j) Que deviendrons-nous quand le feu du soleil s'éteindra?

k) Il vaut mieux être pauvre qu'ignorant.

l) Platon avait beaucoup d'affection pour Aristote.

m) Les peuples occidentaux considéraient qu'il était légitime de tuer les insoumis à la religion de leur Empire.

n) Deux choses égales à une troisième sont égales entre elles.

o) L'arbre qui tombe fait du bruit.

p) Quand on poursuit de belles choses, il est beau d'affronter toutes les souffrances possibles.

q) Une vie sans examen ne vaut pas la peine d'être vécue.

r) Les animaux ne sont que matière qui fonctionne mécaniquement.

s) Aucun mal n'est plus grave que celui d'ignorer ce qu'est la justice.

t) Un lit de fer est un lit.

❸ Pour chacune de ces définitions, identifiez l'erreur qui fait qu'elle ne peut constituer une définition universelle et essentielle.

a) La vertu est la justice.

b) La violence est un acte inadmissible dans notre belle démocratie.

c) La science est la géométrie, l'astronomie, l'arithmétique, la musique, la cordonnerie, la menuiserie ainsi que toutes les autres disciplines et tous les autres métiers.

d) Le loup est un carnivore qui hurle de façon terrifiante la nuit.

e) La cohérence des propositions n'est pas la même chose que la structure ordonnée d'un discours.

f) La justice est une vertu.

g) La piété consiste à être pieux envers les dieux.

h) Le dogmatisme est l'attitude qu'avaient les inquisiteurs du Moyen Âge.

i) La guerre est le pire des fléaux.

j) L'âme est la partie de nous qui diffère du corps.

❹ Dans l'extrait suivant, tiré du dialogue de Platon intitulé *Lachès*, Socrate demande à Lachès, un militaire reconnu, de lui définir ce qu'est le courage. Dans la partie A, Lachès définit d'abord le courage comme «la disposition à repousser les ennemis tout en gardant son rang, et sans prendre la fuite». Socrate examine cette première définition, questionne Lachès et l'amène à reconnaître qu'elle n'est pas satisfaisante. Dans la partie B, Lachès donne alors une deuxième définition du courage: «Le courage est une certaine fermeté de l'âme». Mais Socrate lui démontre que les conséquences de cette définition sont contradictoires et qu'elle ne répond donc pas mieux que la première aux critères d'une bonne définition.

Lisez attentivement l'extrait et répondez ensuite aux questions.

Lachès

Partie A

Socrate Alors tentons en tout premier lieu, Lachès, de dire ce qu'est le courage. Après cela, nous examinerons aussi de quelle façon on peut en assurer la présence chez les jeunes gens, et dans quelle mesure cette présence peut se fonder sur les exercices et les apprentissages. Eh bien, essaie de formuler ce que je demande : qu'est-ce que le courage ?

Lachès Par Zeus, Socrate, ce n'est pas difficile à formuler. Si un homme est prêt à repousser les ennemis tout en gardant son rang, et sans prendre la fuite, sois assuré que cet homme est courageux.

Socrate Bien parlé, Lachès. Mais sans doute suis-je responsable, en raison de l'obscurité de mon langage, du fait que tu n'as pas répondu à la question que j'avais en tête en te la posant, mais à une autre.

Lachès Que veux-tu dire, Socrate ?

Socrate Je vais te l'expliquer, pour autant que j'en aie la capacité. Il est courageux, j'imagine, cet homme dont tu parles, celui qui combat les ennemis tout en restant à son poste.

Lachès C'est bien ce que j'affirme.

Socrate Et moi donc ! Mais qu'en est-il de celui qui combat les ennemis en fuyant, et qui ne reste pas à son poste ?

Lachès Qu'entends-tu par « en fuyant » ?

Socrate Je l'entends à la façon de ce que l'on rapporte des Scythes : ils ne combattent pas moins en fuyant qu'en pourchassant. Et Homère loue quelque part les chevaux d'Énée[16] « prompts à se déplacer ici et là » et il dit qu'ils savent « pourchasser et fuir ». Quant à Énée lui-même, Homère a aussi prononcé son éloge sous ce rapport, c'est-à-dire le savoir de la fuite, et il a affirmé qu'il est un « maître de la déroute ».

Lachès Et Homère avait raison, Socrate, car il parlait des chars de guerre. Et toi tu parles des cavaliers scythes ; leur cavalerie combat en effet de cette façon, mais les hoplites[17], en tout cas ceux des Grecs, se battent comme je le dis.

Socrate À l'exception peut-être des hoplites lacédémoniens[18], Lachès. On rapporte en effet qu'à Platées les Lacédémoniens, quand ils firent face aux soldats armés de boucliers d'osier, ne voulurent pas se battre contre eux en demeurant sur place, et ils prirent la fuite ; et quand les lignes perses furent brisées, ils se battirent à la façon des cavaliers, en faisant volte-face, et c'est ainsi qu'ils remportèrent la bataille livrée à cet endroit.

Lachès Tu dis vrai.

Socrate Eh bien, comme je le reconnaissais il y a un instant, je suis cause que tu ne m'aies pas répondu correctement, parce que je n'ai pas correctement formulé ma question. Je voulais en effet m'enquérir auprès de toi non seulement des hommes qui sont courageux dans l'infanterie, mais aussi de ceux qui le sont dans la cavalerie et dans toute forme de corps militaire. Et je m'intéressais non seulement à ceux qui sont courageux à la guerre, mais aussi à ceux qui font preuve de courage à l'égard des périls de la mer, et bien entendu à tous ceux qui sont courageux face aux maladies, à la pauvreté, à la politique ; et je pensais en outre non seulement à ceux qui sont courageux face aux douleurs et aux craintes, mais aussi à ceux qui excellent dans la lutte contre les désirs et les plaisirs, que ce soit en tenant ferme ou en faisant volte-face. Car enfin, Lachès, il y a bien, j'imagine, des hommes courageux dans ce genre de choses !

Lachès Ils sont même extrêmement courageux, Socrate.

---

16. Dans la mythologie grecque, Énée est le fils de la déesse Aphrodite et du mortel Anchise.

---

17. Les « hoplites » sont des militaires de l'infanterie grecque ; bien armés, ils combattent à pied.

18. Ils sont originaires de Lacédémone ou Sparte, en Grèce.

Socrate Ainsi, tous ces hommes sont courageux, mais, pour ceux-ci, c'est à l'égard des plaisirs qu'ils font preuve de courage ; pour ceux-là, c'est dans les souffrances ; pour d'aucuns, c'est contre les désirs ; pour certains, c'est par rapport aux craintes. Mais il y en a d'autres, je crois, qui manifestent de la lâcheté dans ces mêmes occasions.

Lachès Parfaitement.

Socrate Alors qu'est-ce que le courage et la lâcheté ? Voilà ce que je cherchais à savoir. Essaie donc à nouveau de dire, en commençant par le courage, en quoi il demeure identique dans tous ces cas. Ou bien ne saisis-tu pas encore ce que je veux dire ?

Lachès Non, pas très bien.

Socrate Eh bien, voici ce que je veux dire : c'est comme si je demandais ce qu'est la vitesse, elle qui se trouve aussi bien, pour nous, dans l'activité de courir, dans celle de jouer de la cithare, celle de parler, d'apprendre et dans plusieurs autres ; et nous la possédons presque en tout ce qui mérite qu'on en parle, qu'il s'agisse de l'exercice des mains, des jambes, de la bouche, de la voix ou de la pensée. N'est-ce pas ainsi que tu t'exprimerais toi aussi ?

Lachès Oui, tout à fait.

Socrate Si donc quelqu'un me demandait : « Dis Socrate, en quoi consiste ce que tu appelles "vitesse" dans tous ces cas ? », je lui répondrais qu'en ce qui me concerne, j'appelle vitesse la capacité de faire plusieurs choses en peu de temps, qu'il s'agisse de la voix, de la course, etc.

Lachès Et tu aurais raison de le dire.

Partie B
Socrate Essaie donc toi aussi, Lachès, de parler du courage de cette façon. Qu'est-ce que cette capacité qui demeure la même dans le plaisir, dans la souffrance et dans tous les cas où nous avons dit tout à l'heure qu'elle se manifeste, et qui a reçu le nom de « courage » ?

Lachès Eh bien, il me semble que c'est une certaine fermeté de l'âme, si vraiment il faut dire ce qu'est sa nature dans tous les cas.

Socrate Mais il le faut, si nous avons à cœur de répondre à ce qui nous est demandé. Voici en tout cas mon impression : je ne crois pas que tu regardes toute fermeté comme du courage. Et je me fonde sur ceci : je suis à peu près sûr, Lachès, que tu comptes le courage au nombre des très belles choses.

Lachès Sache bien que c'est l'une des plus belles choses.

Socrate N'est-ce pas la fermeté secondée par la réflexion qui est belle et bonne ?

Lachès Certainement.

Socrate Mais qu'en est-il de la fermeté secondée par l'irréflexion ? N'est-elle pas, au contraire de la première, nuisible et dommageable ?

Lachès Si.

Socrate Et qualifieras-tu de belle une chose de ce genre, qui est dommageable et nuisible ?

Lachès Je n'en ai pas le droit, Socrate !

Socrate Tu n'accorderas donc pas qu'une pareille fermeté soit du courage, étant donné qu'elle n'est pas belle, et que le courage est beau.

Lachès Tu dis vrai.

Socrate Selon ton point de vue, c'est donc la fermeté réfléchie qui serait le courage.

Lachès Apparemment.

Socrate Voyons alors à quel objet s'applique cette fermeté réfléchie. À moins qu'elle ne s'applique à tous les objets, les grands aussi bien que les petits ? Par exemple, si quelqu'un se montre ferme en dépensant son argent de façon réfléchie, sachant que cette dépense lui rapportera gros, appelleras-tu cet homme courageux ?

Lachès Par Zeus, je m'en garderais bien.

▶

Socrate Eh bien, suppose qu'un médecin, dont le fils ou quelque autre patient souffre d'une inflammation des poumons et réclame qu'on lui donne à boire ou à manger, ne se laisse pas fléchir et persévère dans le refus.

Lachès Cette fermeté ne serait pas non plus du courage, pas le moins du monde.

Socrate Et à la guerre, voici un homme dont la fermeté et la détermination à engager le combat résultent d'un calcul réfléchi : il sait que les autres lui prêteront main-forte, qu'il se bat contre des ennemis moins nombreux que ses camarades, et inférieurs à eux, et qu'il a en outre l'avantage du terrain. Dirais-tu que cet homme, dont la fermeté est secondée par une réflexion pareille et une telle préparation, est plus courageux que l'homme du camp adverse qui veut demeurer sur place et être ferme ?

Lachès Mon impression, Socrate, est que le plus courageux est l'homme du camp adverse.

Socrate Et pourtant sa fermeté est bien plus irréfléchie que celle de l'autre.

Lachès Tu dis vrai.

Socrate En conséquence, tu dirais aussi de celui dont la fermeté, dans un combat de cavalerie, repose sur une connaissance de l'équitation, qu'il est moins courageux que celui auquel cette connaissance fait défaut.

Lachès C'est bien mon impression.

Socrate Il en va de même pour celui dont la fermeté est secondée par la connaissance du lancer de la fronde, ou du tir à l'arc, ou d'un autre art.

Lachès Tout à fait.

Socrate De même, tous ceux qui, à l'occasion d'une descente ou d'un plongeon dans un puits, sont déterminés à faire preuve de fermeté dans cette action, ou dans toute autre de ce genre, alors qu'ils n'ont pas la compétence requise, tu les diras plus courageux que ceux qui sont compétents en la matière.

Lachès Que pourrait-on dire d'autre, Socrate ?

Socrate Rien, si précisément on croit qu'il en est ainsi.

Lachès Alors c'est bien ce que je crois !

Socrate Et pourtant, Lachès, en courant ces risques avec fermeté, ces hommes se montrent beaucoup plus irréfléchis, j'imagine, que ceux qui accomplissent la même chose avec le secours de l'art.

Lachès C'est manifeste.

Socrate La hardiesse et la persévérance irréfléchies ne nous avaient-elles pas semblé, précédemment, laides et nuisibles ?

Lachès Parfaitement.

Socrate Et il avait été convenu que le courage est une belle chose.

Lachès De fait, cela a été convenu.

Socrate Maintenant, au contraire, nous affirmons que cette laide chose, la persévérance irréfléchie, est du courage.

Lachès Apparemment.

Socrate As-tu l'impression que nous parlons de façon sensée ?

Lachès Par Zeus, j'ai l'impression que non.

Socrate Toi et moi n'avons donc pas produit, Lachès, cet accord dorien dont tu as parlé ; en effet, il n'y a pas accord entre nos actions et nos paroles. Pour ce qui est des actes, on reconnaîtrait vraisemblablement que nous avons eu part au courage, mais, en ce qui concerne le discours, je ne crois pas qu'on le reconnaîtrait si l'on prêtait l'oreille à notre conversation présente.

Lachès Ce que tu dis est la vérité même.

Source : PLATON. *Lachès*, 190d-193e, dans *Œuvres complètes*, sous la direction de Luc BRISSON, Paris, Flammarion, 2008, p. 609-612.

Questions

a) Résumez la réfutation qu'apporte Socrate à la première définition.

   Attention : Le résumé ne doit pas être rédigé sous forme de dialogue.

b) Quelle est l'erreur qui fait que cette définition n'est pas une définition universelle et essentielle?

c) Résumez la réfutation qu'apporte Socrate à la deuxième définition.

d) Trouvez l'erreur de cette définition.

5 Pour chacun des raisonnements suivants, dénombrez les indicateurs et repérez la conclusion.

a) Il y a d'abord beaucoup de gens qui croient que toutes les opinions sont bonnes. Ensuite, il y en a d'autres qui croient qu'elles sont toutes fausses. Enfin, il y a ceux qui croient détenir la vérité absolue. En définitive, il reste peu de gens pour discuter de façon rationnelle.

b) Si les parents de Lysis l'aiment, alors ils souhaitent qu'il soit le plus heureux possible. Or, les parents de Lysis l'empêchent souvent de faire ce dont il a envie parce qu'ils veulent que, plus tard, il soit fier de lui-même et qu'il soit apprécié par ses concitoyens. Mais il est impossible de recevoir l'estime des autres et, surtout, d'être fier de soi-même dans les domaines où nous n'avons pas acquis le savoir et où nous sommes inutiles. C'est pourquoi les parents de Lysis le poussent, à l'encontre parfois de ses désirs, à faire les efforts nécessaires pour qu'il s'instruise.

c) Il ne faut pas juger les gens à leur apparence. Dans les sabots crottés de la bergère, il y avait des pieds de reine; sous la couronne diamantée du roi, il n'y avait qu'élucubrations insensées et raisonnements mal formés.

d) Beaucoup d'accidents de la route sont dus à la vitesse à laquelle conduisent les automobilistes. Néanmoins, le gouvernement laisse à chacun le choix de respecter ou non la loi. Mais il est irresponsable de prioriser la liberté de certains au détriment de la vie des autres. C'est pourquoi nous devrions interdire la fabrication et l'importation d'automobiles qui performent au-delà des limites de vitesse prescrites.

e) L'humain est un animal qui recherche la compagnie des autres. Le langage en est une manifestation.

f) Bien que tous les humains soient mortels, certaines personnes illustres ont été immortalisées grâce à l'importance de leur œuvre ou de leurs actions. Par conséquent, certains humains ne sont pas mortels.

g) Toutes les opinions ne sont pas dignes de considération. En effet, seules celles qui viennent de personnes qui connaissent réellement ce dont elles parlent sont bonnes. Par exemple, ce n'est pas l'opinion du grand nombre que nous devons suivre pour garder notre corps en santé, mais c'est celle du médecin. De même, ce n'est pas l'opinion du grand nombre que nous devons suivre si nous ne voulons pas que notre âme se corrompe, mais c'est l'opinion de celui qui se soucie de son amélioration.

h) Il est inacceptable que les chefs des institutions civiles et religieuses s'engagent à maintenir des lois immuables. Une génération ne peut empêcher les suivantes de remettre en question les principes et les lois à la base des institutions, car la liberté de penser est un droit sacré de l'humanité.

i) On ne peut considérer que le début du cambrien est la période à laquelle la quantité d'oxygène est devenue pour la première fois suffisante pour permettre la respiration. D'une part, il n'est pas raisonnable de supposer que 2,5 milliards d'années ont été nécessaires pour accumuler assez d'oxygène pour permettre la respiration. D'autre part, la présence d'oxygène n'entraîne pas automatiquement le développement d'organismes capables de le respirer.

j) On est plus près du danger quand on croit n'avoir rien à craindre. Cela nous rend imprudents et négligents. Mais le jour où l'inquiétude nous surprend, elle n'est plus d'aucun secours. Par exemple, ceux qui ne font pas de réels efforts pour bien parler et bien écrire dans leur langue, se trouveront dépourvus lorsqu'ils voudront la défendre; ils seront comme des bourreaux qui tentent de sauver leur propre victime.

6 Pour chacun des raisonnements suivants, dites quelle est la conclusion et s'il est bien ou mal formé.

a) Seules les outardes passent l'hiver dans le sud.
Ma grand-mère passe l'hiver dans le sud.
Ma grand-mère est une outarde.

b) Tous ceux qui font du jogging ont les jambes musclées.
Guillaume a les jambes musclées.
Guillaume fait du jogging.

c) Tous ceux qui marchent lentement sont des tortues.
Mon vieux chien malade marche lentement.
Mon vieux chien malade est une tortue.

d) Tous les espions sont patients.
Donc, tous ceux qui sont patients sont des espions.

e) Le dauphin est un mammifère.
La tortue est un reptile.
Donc, l'orang-outan est un primate.

f) Presque tous les poètes sont mélancoliques.
Arthur est un poète.
Arthur est mélancolique.

g) Tous les chats aiment prendre un verre de bière.
Alexandre n'est pas un chat.
Donc, Alexandre n'aime pas prendre un verre de bière.

h) Si Julie prend son parapluie, c'est qu'il pleut.
Julie prend son parapluie.
Donc, il pleut.

i) Tous ceux qui préfèrent les fraises aux framboises aiment le thé à la vanille.
Simon n'aime pas le thé à la vanille.
Simon n'aime pas les fraises.

j) Tous ceux qui sont riches et heureux dépensent beaucoup.
Monique est économe.
Monique est pauvre et malheureuse.

7 Tous les raisonnements suivants sont bien formés. Pour chacun d'entre eux, vous devez trouver la conclusion et dire si c'est une déduction valide ou une induction probante.

a) Si Dieu le veut, nous irons au paradis.
Dieu le veut.
Donc, nous irons au paradis.

b) Tous les adolescents aiment s'amuser.
Tous ceux qui aiment s'amuser n'aiment pas étudier.
Aucun adolescent n'aime étudier.

c) Ma mère n'aime pas qu'on lui téléphone quand elle fait la lessive.
Depuis des décennies, ma mère fait la lessive le lundi après-midi.
Puisque nous sommes lundi après-midi, je ne prendrai pas le risque de la contrarier.

d) Sylvie a la même quantité de billes qu'Alexandre puisque celui-ci a la même quantité de billes que Myriam et que celle-ci a la même quantité de billes que Sylvie.

e) Si Pierre ne va pas danser, c'est qu'il est fatigué.
Pierre est fatigué.
Il y a peu de chances que Pierre aille danser.

f) L'histoire nous enseigne qu'il y a toujours eu des injustices et des guerres.
Mais cette triste réalité ne doit pas nous empêcher d'agir ; le futur n'est pas le jouet de la fatalité.
Il nous appartient de construire le monde tel que nous le voulons.

g) Les fantômes existent puisqu'ils aiment se promener la nuit.
Ce qui n'existe pas ne peut aimer quoi que ce soit.

h) Ou bien nous irons au paradis ou bien nous irons en enfer.
L'enfer a fermé définitivement ses portes.
Nous irons donc au paradis.

i) Tous ceux qui ne se contredisent jamais sont très forts en logique.
Peu de gens sont très forts en logique.
Beaucoup de gens se contredisent.

j) Que tout le monde ait le droit à son opinion ne veut pas dire que tout ce qu'on dit est vrai.
L'exercice présent en témoigne : puisqu'il existe des propositions qui sont fausses, il y en a forcément certaines qui ne sont pas vraies.

CHAPITRE 4

Les règles et la pratique de l'argumentation

> **《** *Ce n'est pas assez d'avoir l'esprit bon, mais le principal est de l'appliquer bien.* **》**
> René Descartes, *Discours de la méthode*

Le sens critique

Si nous voulons être autonomes et participer de façon responsable à des échanges rationnels sur des sujets controversés, nous devons discipliner notre sens critique. Pour ce faire, nous devons suivre les règles (c'est le premier principe de l'éthique de l'argumentation) et nous exercer aux opérations que nous enseigne la méthode de l'argumentation (voir le tableau 4.1).

Tableau 4.1	La méthode de l'argumentation	
Règle 1 Comprendre adéquatement les raisonnements	**Opérations** Analyse et synthèse
Règle 2 Évaluer rationnellement les raisonnements	**Opérations** Utilisation des critères de vérité (correspondance et cohérence) et des critères qui permettent de juger si un raisonnement est bien ou mal formé
Règle 3 Construire soi-même les raisonnements	

Règle 1

Comprendre adéquatement les raisonnements, c'est être capable d'en rendre compte le plus fidèlement possible ; il s'agit de reproduire le discours de l'autre, tout comme si nous pouvions visualiser ce qui se passe dans sa pensée au moment où il argumente. À cette fin, nous recourons à deux opérations : l'analyse et la synthèse.

Règle 2

L'habileté à évaluer de façon rationnelle exige que nous nous débarrassions de cette attitude trop courante qui consiste à accepter ou à rejeter les opinions des autres sans tenir compte des raisonnements qui les soutiennent. Autrement dit, **il ne faut jamais évaluer directement la conclusion ou la thèse d'un raisonnement**, comme on le fait pour les prémisses. Évaluer directement une conclusion correspond à ce que ferait un enseignant qui établirait les notes selon les opinions que les étudiants soutiennent, sans lire leurs raisonnements. Une fois que nous avons compris le discours de l'autre, **ce que nous cherchons à savoir, c'est si les raisonnements qui conduisent à sa thèse sont bien formés et si les prémisses qui les composent sont acceptables**. Cela exige que nous procédions par ordre, à l'aide des critères rationnels : la correspondance, la cohérence, la pertinence et la suffisance. Avoir le sens critique ne signifie donc pas désapprouver sans raison valable tout ce qui ne nous convient pas. L'éthique de l'argumentation nous contraint même à admettre toute conclusion qui nous paraît rationnellement justifiée, même lorsque celle-ci s'oppose, en premier lieu, à ce que nous défendons.

Règle 3

On ne peut prétendre posséder le sens critique et être autonome si l'on refuse de se remettre en question ou si l'on ne fait pas les efforts nécessaires pour justifier ses opinions. Il va d'ailleurs de soi que, dans nos propres raisonnements, il faille respecter les mêmes critères que ceux avec lesquels nous évaluons les raisonnements des autres. Dans nos raisonnements, il faut aussi tenir compte de ce que nous avons appris dans nos échanges avec les autres, puisque ce que l'on vise, c'est de nous rapprocher de la vérité.

L'analyse des raisonnements

En argumentation, l'analyse[1] est la première opération en vue de comprendre un raisonnement ou un ensemble de raisonnements menant à une même conclusion. Elle consiste à en extraire les propositions et à distinguer, parmi ces dernières, les prémisses de leur conclusion. À cette fin, nous construisons des légendes.

La légende des raisonnements

La légende est une liste numérotée des propositions (prémisses et conclusion) qui composent un raisonnement ou un ensemble de raisonnements. En premier lieu, il faut repérer la conclusion finale ou la thèse (C) ; en effet, il convient d'abord de connaître la proposition que l'auteur a voulu prouver. En second lieu, il faut repérer les prémisses, les propositions qui soutiennent la thèse, et les numéroter, de préférence, selon leur ordre d'apparition.

---

1. Pour une définition plus générale de ce terme, voir le chapitre 2, p. 31.

Raisonnement

Il ne faut pas se moquer d'un plus petit que soi <u>parce que</u> nous serions malheureux si de plus puissants que nous se moquaient de nous et <u>parce que</u> rien ne nous certifie que nous n'aurons jamais besoin d'un plus petit que nous. <u>De plus</u>, cela n'a rien de méritoire.

Légende

(C) : Il ne faut pas se moquer d'un plus petit que soi.

(1) : Nous serions malheureux si de plus puissants que nous se moquaient de nous.

(2) : Rien ne nous certifie que nous n'aurons jamais besoin d'un plus petit que nous.

(3) : Se moquer d'un plus petit que soi n'a rien de méritoire.

Pour construire correctement une légende, il faut suivre les règles suivantes.

1. *Faire plusieurs lectures attentives du discours à analyser.*

2. *Souligner les indicateurs de prémisses et de conclusions* (voir le tableau 3.2). Prendre garde toutefois que les prémisses et les conclusions ne sont pas toutes précédées d'un indicateur.

3. *Ne pas inclure les indicateurs dans la légende ou les mettre entre parenthèses.* Les indicateurs ne font pas partie comme tels des propositions.

4. *Ne pas intégrer dans la légende les propositions qui ne font que situer ou expliquer le contexte* (historique, théorique ou autres) des raisonnements, *et les exemples* qui ne font qu'illustrer, sans ajouter d'informations essentielles, des assertions plus générales. Il faut toutefois retenir les exemples lorsque ceux-ci sont des preuves qui nous permettent de consentir à une assertion générale.

5. *Éviter les redites* et ne s'en tenir qu'au sens. On ne formule pas deux fois la même proposition dans une légende. Par exemple, si l'auteur présente sa thèse au début d'un texte et qu'il la répète à la fin en la reformulant avec des mots différents, dans la légende, on ne l'inscrit qu'une seule fois sous la forme de son choix.

6. *Toujours remplacer les termes indéterminés* (par exemple : « celui-ci », « cela ») *par leurs référents.* Dans la légende, toute proposition doit pouvoir être comprise sans que l'on ait à se référer à d'autres propositions.

7. *Quand c'est nécessaire, reformuler les propositions et les simplifier.* Toutefois, il faut faire très attention à ne pas en modifier le sens ou à éliminer d'une proposition l'un de ses éléments essentiels.

À titre d'exemple, voici une lettre inspirée d'un passage du dialogue *Lysis* de Platon[2].

---

2. PLATON, *Lysis*, 213e-215c.

Cher Socrate,

Je ne saurais trop te remercier de m'avoir fait prendre conscience de mon ignorance quant à la nature de l'amour. Ayant assisté l'autre jour, à la palestre, à la discussion que tu as eue avec Lysis, j'ai réalisé que, prétendant être amoureux de ce dernier, je ne faisais, au fond, que lui prodiguer compliments et flatteries dans le but non avoué qu'il cède à mes attentes. Or, il m'apparaît maintenant qu'il ne peut y avoir d'amour là où on ne recherche pas le bien. Je veillerai donc, désormais, à accorder mon comportement à ce que, grâce à toi, la raison me rend évident.

Je profite de la même occasion pour vérifier auprès de toi ma compréhension d'un raisonnement qui m'a particulièrement étonné. Il s'agit de celui qui, renversant une opinion très répandue, <u>concluait que</u> le semblable ne peut être l'ami du semblable.

Considérant les rapports des méchants entre eux, <u>il apparaît qu'</u>ils ne peuvent être des amis <u>puisque</u> leur caractère les porte à se faire du mal mutuellement. <u>Or</u>, il est impossible que celui qui fait du mal soit l'ami de celui à qui il fait du mal.

<u>De plus</u>, parlant de ceux qui sont semblables, les méchants ne sont même pas semblables à eux-mêmes. Ils sont, <u>en effet</u>, toujours changeants et inconsistants <u>alors que</u> pour être semblable à un autre, il faudrait d'abord être semblable à soi-même.

Je dois dire que cela me déconcerte que ce qui saute si évidemment aux yeux a passé inaperçu aux poètes qui ont prétendu que c'est le dieu lui-même qui conduit le semblable auprès de son semblable. Mais continuons.

Le bon non plus ne peut être l'ami du bon, <u>car</u> il est dans sa nature de se suffire à lui-même <u>et</u> que celui qui se suffit à lui-même ne peut ressentir d'attrait pour autrui. Que l'on se tourne du côté des bons ou du côté des méchants, on est bien forcé de <u>conclure que</u> le semblable ne peut être l'ami du semblable.

Je voudrais terminer cette lettre en me permettant d'ajouter une raison de mon propre cru qui, je l'espère, Socrate, te rendra fier de moi. La <u>voici</u> : il n'existe pas deux personnes semblables.

Bien à toi,

Ton ami Hippothalès, fils de Hiéronyme

Établissons maintenant la légende des raisonnements que contient cette lettre : nous utilisons (C) pour identifier la conclusion finale (aussi appelée « thèse »), et nous numérotons entre parenthèses les différentes prémisses. Remarquons que les propositions servant à expliquer le contexte et celles servant à décrire le sentiment d'Hippothalès à l'égard des poètes ne figurent pas dans la légende.

Légende

(C) : Le semblable n'est pas l'ami du semblable.

(1) : Les méchants ne peuvent être amis entre eux.

(2) : Le caractère des méchants les porte à se faire du mal mutuellement.

(3) : Il est impossible que celui qui fait du mal soit l'ami de sa victime.

(4) : Les méchants ne sont même pas semblables à eux-mêmes.

(5) : Les méchants sont toujours changeants et inconsistants.

(6) : Pour être semblable à un autre, il faut d'abord être semblable à soi-même.

(7) : Le bon ne peut être l'ami du bon.

(8) : Il est dans la nature du bon de se suffire à lui-même.

(9) : Celui qui se suffit à lui-même ne peut ressentir d'attrait pour autrui.

(10) : Il n'existe pas deux personnes semblables.

La synthèse des raisonnements

Une fois réalisée l'analyse, il faut faire la synthèse, c'est-à-dire que nous devons ramener à l'unité le discours que nous avons divisé en propositions dans une légende. Pour ce faire, nous construisons des schémas.

Le schéma des raisonnements

Un schéma est une représentation graphique de la structure d'un raisonnement ou d'un ensemble de raisonnements menant à une même thèse. Il sert à montrer les liens logiques que l'auteur a établis entre les différentes propositions qu'il a énoncées.

Les symboles employés dans les schémas reflètent de la façon la plus simple les opérations de la pensée lorsqu'elle argumente. À la vue du schéma qui accompagne la légende de la lettre d'Hippothalès, nous pouvons d'abord remarquer que, dans tout schéma, les liens entre les prémisses et leur conclusion sont signalés par des flèches qui partent des prémisses et pointent vers leur conclusion, indiquant ainsi un rapport de cause à conséquence.

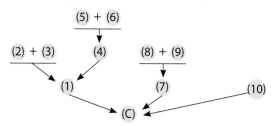

Ensuite, nous devons considérer la composition de ce qui s'y trouve. Ce schéma nous indique que l'**argumentation** d'Hippothalès contient trois **arguments** qui mènent à la thèse (la conclusion finale), sept raisonnements simples, deux raisonnements complexes et trois conclusions intermédiaires.

Argumentation

Le mot « argumentation » peut être employé en deux sens différents. Dans le premier sens, il concerne l'art d'argumenter et sa méthode. Dans le second sens, il désigne un ensemble de raisonnements menant à une même thèse. Dans le langage populaire, on tend de plus en plus à substituer le mot « argumentaire » au mot « argumentation » pris dans le second sens. Toutefois, un tel usage est inapproprié pour ceux et celles qui, comme nous, tendent à développer leur sens critique. Initialement, le mot « argumentaire » désigne des arguments de publicité et de vente (dans *Le Petit Robert* il n'est d'ailleurs défini que dans ce seul sens). Or, en argumentant, on ne cherche pas à obtenir un gain matériel. Et, comme le langage influence la pensée, il faut éviter la propagation d'un vocabulaire qui pousse à concevoir la recherche de la vérité sur le modèle d'un processus de marchandisation.

Argument

Un argument est une preuve qui justifie rationnellement ce que l'on avance. Il peut être formé d'une seule prémisse (par exemple, la prémisse (10) constitue à elle seule un argument) ou d'un nombre varié de prémisses (par exemple, les prémisses (7), (8) et (9) forment ensemble un argument conduisant à la thèse).

Les schémas des raisonnements simples

Un raisonnement simple est un raisonnement dont les prémisses ne forment qu'un seul argument qui mène directement à sa conclusion. Il y a un raisonnement simple toutes les fois qu'il y a inférence, ce qui, graphiquement, est indiqué par une flèche. Il existe trois types de raisonnements simples.

Le schéma à prémisse unique

Le schéma de raisonnement le plus élémentaire est celui à prémisse unique. Dans l'exemple qui suit, la prémisse (1) conduit seule à la conclusion.

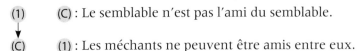

(1)   (C) : Le semblable n'est pas l'ami du semblable.

(C)   (1) : Les méchants ne peuvent être amis entre eux.

Le schéma à prémisses convergentes

Le deuxième schéma est composé de prémisses convergentes. Des prémisses convergentes sont des prémisses qui fournissent des preuves indépendantes ou des raisons supplémentaires de croire à la vérité ou à l'acceptabilité d'une même conclusion. Ainsi, si l'on ajoute la prémisse (7) au raisonnement ci-dessus, on obtient :

(1)   (7)   (C) : Le semblable n'est pas l'ami du semblable.

(C)   (1) : Les méchants ne peuvent être amis entre eux.

     (7) : Le bon ne peut être l'ami du bon.

Autrement dit, chacune des prémisses (1) et (7) constitue à elle seule un argument. Par conséquent, si l'une d'entre elles se révélait fausse, l'autre pourrait demeurer une preuve que la conclusion est vraie ou acceptable. Une argumentation peut avoir un très grand nombre de prémisses convergentes et, par conséquent, plus d'un raisonnement simple.

Le schéma à prémisses liées

Le dernier schéma de raisonnement simple est composé de prémisses liées. Un même argument est donc composé de plus d'une prémisse. Dans le schéma, il faut alors réunir les prémisses par le signe « + » et les souligner d'un trait. Une flèche conduit à la conclusion. Prenons comme exemple les prémisses (7), (8) et (9) de la lettre et considérons la prémisse (7) comme conclusion.

(C) : Le bon ne peut être l'ami du bon.

(8) : Il est dans la nature du bon de se suffire à lui-même.

(9) : Celui qui se suffit à lui-même ne peut ressentir d'attrait pour autrui.

Les prémisses liées forment, comme on le voit, une seule preuve ou un seul argument ; elles ont besoin l'une de l'autre pour justifier la conclusion. Par conséquent, si l'une d'entre elles était fausse, l'autre ne pourrait nous convaincre à elle seule de la conclusion. Un argument peut être composé d'un grand nombre de prémisses liées.

Les schémas des raisonnements complexes

Dans un raisonnement simple, les prémisses apportent une preuve directe de la vérité ou de l'acceptabilité de leur conclusion. Cependant, les prémisses ne sont pas toujours liées directement à la conclusion finale (la thèse) ; il arrive souvent que certaines d'entre elles servent à justifier d'autres prémisses, qu'on appelle « conclusions intermédiaires » pour les distinguer de la thèse. On a alors affaire à un raisonnement complexe, c'est-à-dire un enchaînement de raisonnements simples qui conduit progressivement à la thèse. Un raisonnement complexe contient donc plus qu'une conclusion, il contient une conclusion finale (la thèse) et une ou plusieurs conclusions intermédiaires. Prenons comme exemple la thèse et les prémisses (1), (2) et (3) de la lettre d'Hippothalès.

(C) : Le semblable n'est pas l'ami du semblable.

(1) : Les méchants ne peuvent être amis entre eux.

(2) : Le caractère des méchants les porte à se faire du mal mutuellement.

(3) : Il est impossible que celui qui fait du mal soit l'ami de sa victime.

Dans le raisonnement simple (2) + (3) mène à (1), la prémisse (1) joue le rôle de conclusion. Toutefois, comme elle n'est pas la conclusion finale (la thèse) du raisonnement considéré dans son ensemble, on lui donne l'appellation « conclusion intermédiaire » pour l'en distinguer. La prémisse (1) est donc, d'une part, une conclusion intermédiaire lorsqu'on l'envisage dans son rapport à (2) + (3) et, d'autre part, une simple prémisse si on la considère, avec (2) et (3), comme élément de l'argument qui mène à la thèse.

Remarque

Il peut arriver qu'une conclusion intermédiaire soit justifiée par deux arguments indépendants l'un de l'autre. C'est le cas dans la lettre pour la prémisse (1). Pour simplifier notre étude, nous les considérerons tout de même comme ne formant qu'un seul raisonnement complexe par rapport à la thèse (la conclusion finale).

Comment vérifier si nos schémas sont construits correctement

Pour vérifier si nos schémas sont conformes à la pensée de l'auteur d'une argumentation, il faut remonter de la conclusion finale aux étapes précédentes. À chaque étape, il faut poser la question « Pourquoi peut-on affirmer que… ? » ou « Sur quoi l'auteur se fonde-t-il pour affirmer que… ? » et nous assurer que nous avons bien reproduit ce qu'il dit. Par exemple : « Pourquoi Hippothalès dit-il que le semblable n'est pas l'ami du semblable ? Parce que les méchants ne peuvent être amis entre eux. Sur quoi Hippothalès se fonde-t-il pour dire que les méchants ne peuvent être amis entre eux ? Il dit que le caractère des méchants les porte à se faire du mal mutuellement et qu'il est impossible que celui qui fait du mal soit l'ami de sa victime ».

L'évaluation de la vérité ou de l'acceptabilité des prémisses

Une fois que nous sommes en mesure de comprendre un raisonnement (règle 1, du tableau 4.1), nous devons procéder à son évaluation (règle 2) puisque l'art de l'argumentation et de l'échange rationnel vise à ce que nous nous rapprochions ensemble de la vérité et que, pour ce faire, nous devons discriminer les opinions qui sont rationnellement justifiées de celles qui ne le sont pas.

Au sens strict, l'expression « l'évaluation d'un raisonnement » ne renvoie qu'à l'évaluation de sa forme logique, à savoir s'il est bien ou mal formé. Toutefois, en logique informelle (ou argumentation), nous devons aussi tenir compte de la vérité ou de la fausseté du contenu des prémisses puisque, ce qui nous intéresse, c'est d'arriver à des positions plus éclairées et à une meilleure entente sur des questions controversées.

Pour évaluer un raisonnement, il faut donc commencer par déterminer si le contenu de chacune des prémisses est acceptable ou non, car si les prémisses d'un raisonnement ne sont pas acceptables, nous ne sommes plus justifiés d'admettre la conclusion. Les critères de vérité ou d'acceptabilité des prémisses varient selon le type de propositions auquel elles appartiennent (voir le tableau 3.1).

Les critères d'évaluation des propositions empiriques

Nous connaissons déjà deux critères qui permettent d'établir la vérité ou l'acceptabilité d'une proposition empirique : ce sont la correspondance et la cohérence[3].

Phénomène

Ensemble de faits observés dont l'expérimentation a révélé qu'ils étaient liés entre eux.

Nous utilisons le critère de la correspondance lorsqu'il est possible de vérifier directement un fait ou un **phénomène** (ce qui, outre l'observation, peut nécessiter l'expérimentation ou une analyse quantitative). Dans ce cas, une prémisse est considérée comme vraie ou acceptable si son contenu représente fidèlement la réalité ; dans le cas contraire, elle est considérée comme fausse ou inacceptable.

Lorsqu'il est impossible de vérifier directement le contenu d'une prémisse, nous utilisons alors le critère de la cohérence. Nous évaluons si le contenu de la prémisse n'entre pas en contradiction avec le contenu des autres propositions (prémisses et conclusions) ; s'il y a cohérence, nous pouvons considérer que la prémisse est vraie ou, du moins, acceptable.

Outre les critères de la correspondance et de la cohérence, nous pouvons recourir à un avis d'expert lorsque le contenu des prémisses concerne des phénomènes complexes et qu'il ne peut être évalué sans connaissances scientifiques spécialisées. Contrairement à la correspondance, un avis d'expert ne nous donne cependant pas la certitude qu'une prémisse est vraie mais, pour admettre une prémisse, il suffit que nous soyons rationnellement justifiés de lui donner notre assentiment, jusqu'à preuve du contraire.

---

3. Voir la section « Les critères de vérité », au chapitre 3, p. 56 à 58.

Prenons l'exemple suivant. Hippolite Khondros se sent abattu et craint d'avoir une maladie grave. Il décide d'aller voir le médecin. Celui-ci lui fait passer une batterie de tests, à la lumière desquels il affirme que « Hippolite Khondros est en santé ». Hippolite Khondros ne dispose pas des connaissances nécessaires pour savoir si cette proposition est vraie ; en effet, seul son médecin est en mesure d'en donner les justifications appropriées. Pourtant, Hippolite Khondros juge qu'il est rationnel de penser que, si son médecin dit qu'il est en santé, il est donc en santé. Pourquoi est-ce rationnel d'accepter cette proposition ? Parce que son médecin est un expert.

Contrairement aux opinions personnelles, un avis d'expert est rationnellement acceptable parce que, par définition, il tend vers l'impartialité, l'objectivité et l'universalité ; c'est d'ailleurs pour cela qu'on peut le dire scientifique. Toutefois, il faut faire attention à ce que l'expert en soit véritablement un ; qu'il ne soit pas une simple vedette, un imposteur ou un charlatan. C'est pourquoi, avant d'admettre un avis d'expert, nous devons vérifier si les conditions suivantes ont été respectées.

1. Il faut que l'expert soit reconnu comme tel par d'autres experts et qu'il puisse fournir des preuves de ses compétences. Par exemple, si Hippolite Khondros apprenait que les diplômes affichés dans le cabinet de son médecin sont des faux ou encore que celui-ci a été suspendu par le Collège des médecins, il ne pourrait plus se fier à sa parole.

2. L'avis doit relever du champ de compétence de l'expert. Par exemple, si votre médecin vous affirme qu'il vaut mieux contracter une hypothèque que d'être locataire, son avis ne vaut guère plus que le vôtre, car cela ne fait pas partie de son champ d'expertise médicale.

3. Il faut que l'avis de l'expert soit impartial. Par exemple, si vous apprenez que votre médecin reçoit des sommes d'argent d'une compagnie pharmaceutique pour laquelle il fait des conférences, vous aurez probablement raison de douter de son objectivité s'il vous recommande d'acheter les produits coûteux de cette compagnie. Remarquez que ceux-ci peuvent être tout à fait corrects, mais comme le but d'une argumentation est de nous convaincre rationnellement, et que nous nous servons de l'avis de l'expert comme d'une preuve, il faut que cet avis soit à l'abri du doute, faute de quoi cette preuve manquera de crédibilité.

4. Il faut que l'avis fasse consensus parmi les experts d'un même domaine. Dans tous les domaines, il y a certains problèmes sur lesquels les avis des experts sont partagés : ce sont les problèmes que les experts n'ont pas encore résolus. Par conséquent, si l'on veut s'en servir comme preuve, il est impérieux que l'avis de l'expert sollicité n'aille pas à contre-courant de celui des autres.

5. Il importe de vérifier si ce que nous rapporte l'auteur d'une argumentation reprend adéquatement ce que l'expert pense.

6. Dans le cas précis d'un témoignage, celui-ci sera d'autant plus crédible si le témoin a vécu ou a vu directement l'événement. Un témoin n'est pas à proprement parler un expert, mais ce qu'il rapporte peut servir de preuve, particulièrement lorsqu'il s'agit d'établir des faits historiques ou juridiques. Toutefois, il faut voir à ce que le témoignage n'ait pas été fait sous la menace ou la violence, ou encore, dans des conditions qui altèrent le jugement du témoin (choc psychologique, état d'ébriété, etc.).

Les critères d'évaluation des propositions de valeur

Il est impossible de vérifier l'acceptabilité des propositions de valeur au moyen du critère de la correspondance, puisqu'elles ne portent pas sur l'existence ou l'inexistence d'un fait. Il faut donc faire d'autant plus attention à ce qu'elles ne relèvent pas de dogmes ou de croyances sans fondement rationnel, car même si elles étaient vraies, des croyances ne pourraient servir de preuves dans une argumentation rationnelle.

C'est au moyen du critère de la cohérence que nous évaluons l'acceptabilité des propositions de valeur. Il faut vérifier si les liens que les propositions de valeur ont avec d'autres propositions tenues pour vraies ou acceptables sont cohérents : nous ne pouvons accepter une proposition de valeur si elle est en contradiction avec d'autres propositions d'une même argumentation. Par exemple, si une proposition en implique logiquement une autre, on ne peut accepter la première et non la seconde. Non plus qu'on ne peut admettre deux propositions opposées pour deux situations similaires simplement pour favoriser les intérêts d'une personne ou d'un groupe.

Puisque la cohérence ne repose pas sur l'observation et l'expérimentation, il est très important que les concepts clés d'une argumentation dont le but est de convaincre d'une position d'ordre éthique soient bien définis. Une proposition de valeur peut facilement être rendue inacceptable si les concepts utilisés sont flous ou s'ils mènent à des conclusions contradictoires. Au contraire, si les concepts sont bien définis et qu'on ne trouve aucune contradiction dans l'argumentation qu'on évalue, on est tenu d'accepter la conclusion, jusqu'à preuve du contraire.

Notons qu'il est possible de recourir à un expert dans le domaine de l'éthique, mais il faut cette fois redoubler de vigilance quant à la nature de ses compétences. Le philosophe Socrate prenait plaisir à réfuter les faux experts dans le domaine de la vertu. Mais pourquoi est-ce précisément Socrate qu'on dit être le fondateur de la science morale ? Au fond, quand il discutait avec ses concitoyens, Socrate ne faisait pas autre chose que d'exiger qu'ils définissent correctement les concepts d'ordre éthique qu'ils utilisaient et, à partir des définitions qu'ils en donnaient, de leur montrer, le cas échéant, les contradictions auxquelles elles aboutissaient. Certes, l'éthicien est quelqu'un dont le travail consiste à réfléchir à des questions d'ordre moral, mais son expertise ne consiste pas à dicter des solutions. En fait, ce pour quoi on doit le consulter, c'est pour sa compétence à nous guider dans nos raisonnements et à rechercher les questions fondamentales auxquelles on doit répondre avant de prendre position de façon éclairée dans un débat.

Les critères d'évaluation des propositions analytiques

Les propositions analytiques sont des propositions que l'on tient nécessairement pour vraies en se basant uniquement sur le sens des termes qu'elles renferment, sans avoir à recourir ni à la réalité extérieure, ni à d'autres propositions. Quand on veut savoir si l'on est en présence d'une prémisse analytique, on peut lui appliquer le test de la négation du prédicat : si la forme négative de la proposition obtenue contient une contradiction interne, on a la preuve que la prémisse initiale est une proposition analytique et qu'elle est vraie[4].

---

4. Voir la sous-section « Les propositions analytiques », au chapitre 3, p. 59 et 60.

Dans une argumentation, il peut arriver que nous rencontrions une prémisse qui est présentée faussement comme une prémisse analytique, de sorte que nous lui accordions spontanément notre assentiment. Par exemple, quelqu'un pourrait déclarer que : « voler un pain quand on est sans le sou **est le même** que voler l'argent de personnes âgées par des manœuvres frauduleuses ». Mais si nous avons la présence d'esprit de passer le test de la négation du prédicat à cette prémisse (quelle que soit par ailleurs notre position sur le sujet), cela donne : « voler un pain quand on est sans le sou **n'est pas le même** que voler l'argent de personnes âgées par des manœuvres frauduleuses », et il appert que la proposition ainsi obtenue n'est pas contradictoire. Ce qui implique que la prémisse initiale n'est pas nécessairement vraie, qu'elle n'est donc pas une proposition analytique et que, donnée comme telle, elle n'est pas acceptable.

Il arrive aussi que, dans un raisonnement, on emploie une définition comme prémisse. Par exemple, dans les débats sur l'avortement ou sur l'euthanasie, les diverses parties donnent ce qu'elles considèrent comme une définition de la vie humaine pour appuyer leur position. Toutefois, nous ne pouvons accepter comme vraies que les définitions essentielles. Les caractéristiques de ces définitions ont déjà été étudiées au chapitre 3.

L'évaluation de la rigueur des liens entre les prémisses et leur conclusion

Une fois terminée l'évaluation de la vérité ou de l'acceptabilité des prémisses d'une argumentation, nous devons évaluer la forme logique des raisonnements qui la composent. À cette fin, nous utilisons deux critères : 1) la pertinence des prémisses par rapport à leur conclusion ; 2) la suffisance du lien établi entre les arguments et leur conclusion.

La pertinence des prémisses

Même si toutes les prémisses d'un raisonnement étaient acceptables, elles n'apporteraient pas nécessairement des éléments de preuve à l'appui de la conclusion. Il se peut en effet que des prémisses vraies n'aient rien à voir avec la conclusion. Par exemple, si quelqu'un essaie de vous démontrer que « la Lune tourne autour de la Terre » (C), à l'aide des prémisses suivantes : « Le dauphin est un mammifère » (1) et « Les femelles de la classe des mammifères allaitent leurs petits » (2), vous jugerez que, même si elles sont vraies, ces prémisses ne sont pas pertinentes, c'est-à-dire qu'elles n'ont aucun rapport avec la conclusion ; le raisonnement ne tient donc pas.

Pour bien saisir ce qu'on entend par « pertinence », imaginez que vous êtes un procureur de la Couronne et que vous constituez un dossier contenant les preuves de la culpabilité d'un accusé. Vous y incluez tous les éléments qui, selon vous, sont liés à votre affaire, en prenant bien soin de n'y mêler rien de distinct ou de superflu. Votre dossier est alors pertinent, car il ne contient que ce qui a rapport à votre cause ; tout ce qui ne la concerne pas est éliminé.

Il n'existe pas de critère aussi précis pour évaluer la pertinence d'une prémisse que pour évaluer son acceptabilité. Dans chaque cas, il faut examiner avec soin si elle a un lien logique avec la conclusion à laquelle elle mène et si elle peut compter comme élément de preuve de sa vérité ou de son acceptabilité.

Il convient de noter que, même si pour évaluer la pertinence des prémisses il faut les considérer une à une, lorsqu'on a affaire à des prémisses liées, il se peut qu'on ait à tenir compte du sens de l'argument dans sa totalité. Par exemple, si je dis que « ma mère fait actuellement sa lessive » (C), car « depuis des décennies, tous les lundis après-midi, elle fait sa lessive » (1) et que « nous sommes actuellement lundi après-midi » (2), la pertinence de la prémisse (2) n'est compréhensible que si on la situe dans le contexte de l'argument.

La suffisance du lien entre les arguments et la conclusion

Si les prémisses d'un raisonnement sont acceptables et si elles sont pertinentes, il se peut cependant qu'elles ne suffisent pas à établir la vérité ou l'acceptabilité de la conclusion. Prenons l'exemple suivant.

En route pour Saint-Bovin, vous arrêtez afin de faire le plein d'essence à Saint-Porphyre-sur-Ruisselet. Au moment de payer, le caissier de la station-service se montre désagréable à votre endroit. Vous concluez que les Porphyriens sont des gens déplaisants.

(1)   Un citoyen de Saint-Porphyre s'est montré désagréable.

(C)   Tous les citoyens de Saint-Porphyre sont déplaisants.

La prémisse (1) est acceptable puisque, dans le cas qui nous occupe, elle est vraie. Elle est également pertinente, puisqu'elle apporte un élément de preuve à l'appui de la conclusion. Toutefois, elle ne suffit pas à montrer que la conclusion est vraie, ni même qu'elle est acceptable : le lien entre la prémisse (1) et la conclusion est insuffisant.

Nous dirons donc que le lien entre un argument (qu'il soit formé d'une seule prémisse comme ci-dessus ou de plusieurs prémisses) et sa conclusion est suffisant si les prémisses qui le composent sont acceptables et pertinentes, et qu'elles offrent une preuve suffisante pour établir la vérité ou l'acceptabilité de la conclusion.

En ce qui concerne la grande majorité des questions pour lesquelles nous élaborons des argumentations, nous n'aboutissons pas à la certitude quant aux conclusions que nous défendons. Pour pouvoir affirmer qu'une conclusion est vraie de façon absolue, il faut, en plus de prémisses vraies et pertinentes, que le lien entre l'argument qu'elles forment et la conclusion soit nécessaire. Cela est possible seulement dans le cas de raisonnements déductifs valides. Toutefois, la plupart du temps, nous raisonnons par induction et, même si les prémisses d'un raisonnement inductif peuvent donner de très bonnes raisons de croire à la vérité de la conclusion, il y a toujours un risque d'erreur. C'est pourquoi, lorsque nous évaluons un raisonnement inductif, il faut préciser le degré d'acceptabilité ou de probabilité de la conclusion.

Il importe aussi de toujours procéder par ordre. Alors que pour l'acceptabilité et la pertinence, nous considérons les prémisses une à une, pour la suffisance, c'est le lien de chaque argument[5] avec sa conclusion que nous évaluons (dans un schéma, on suit les flèches). En ce qui concerne les raisonnements complexes, il faut les diviser en raisonnements simples et évaluer leurs arguments, en partant de ceux qui sont les plus éloignés de la conclusion finale. Dans l'exemple

---

5. Voir la définition plus haut, p. 93.

ci-contre, pour savoir si la prémisse (3) suffit à justifier la conclusion finale, il faut d'abord vérifier si elle-même est acceptable. Pour ce faire, on doit évaluer l'acceptabilité et la pertinence des prémisses (1) et (2), et voir si l'argument qu'elles forment entretient un lien suffisant pour établir l'acceptabilité de la prémisse (3). Une fois établie l'acceptabilité de cette dernière, il faut évaluer sa pertinence et, finalement, son lien de suffisance avec la conclusion finale.

$$\frac{(1) + (2)}{}$$
$$\downarrow$$
$$(3)$$
$$\downarrow$$
$$(C)$$

Particularité du domaine éthique

Il est important de mentionner que, dans le cas où l'on tente de démontrer une conclusion qui est une proposition de valeur, même si des prémisses empiriques peuvent constituer des éléments de preuve, elles ne suffisent jamais à établir la vérité ou la probabilité de cette conclusion. Autrement dit, si l'on veut défendre une opinion d'ordre éthique, il faut avoir le courage d'argumenter sur ce plan et non pas simplement s'en tenir à des données factuelles ou, encore, à des statistiques. Certes, au même titre qu'un avis d'expert, les statistiques peuvent augmenter la force d'un argument puisqu'elles fournissent une mesure quantitative concernant un fait ou un phénomène. Toutefois, si elles nous disent ce qui est, elles ne nous disent pas ce qui doit être. Par exemple, si des statistiques confirmaient l'efficacité du durcissement de la législation concernant les jeunes contrevenants, cela n'en ferait pas pour autant une chose éthiquement bonne. Cette dernière question mérite un examen qui dépasse l'élaboration et l'analyse de ce que fournissent comme information les statistiques. Le tableau 4.2 récapitule sommairement les étapes à suivre pour l'évaluation des raisonnements.

Tableau 4.2	La démarche pour l'évaluation des propositions	
(A) L'ACCEPTABILITÉ	1. Repérer le type de la prémisse à évaluer.
	2. Dire si elle est acceptable ou inacceptable.
	3. Si elle est acceptable, soit évaluer les autres prémisses du même argument, soit (si elle est seule) passer à la pertinence. Si elle n'est pas acceptable, il est très important de dire pourquoi.
	4. Si la conclusion qu'elle soutient est rendue inacceptable sur la base de cette prémisse, le préciser ; l'évaluation est peut-être alors terminée. Si elle ne l'est pas, continuer l'évaluation des prémisses des autres arguments.
(B) LA PERTINENCE	5. Dire si les prémisses sont pertinentes en les considérant une à une.
	6. Si elles sont pertinentes, passer à la suffisance. Si elles ne sont pas pertinentes, le préciser.
	7. Si la conclusion qu'elles soutiennent est rendue inacceptable, le préciser. L'évaluation est peut-être terminée. Si elle ne l'est pas, continuer l'évaluation des prémisses des autres arguments.
(C) LA SUFFISANCE	8. Évaluer la suffisance en se référant aux flèches du schéma. Lorsque la conclusion n'est que probable, il faut tenter d'en préciser le degré de probabilité.
	9. S'il y a plusieurs arguments qui mènent à la conclusion finale, dire par lesquels d'entre eux elle est rendue acceptable (si c'est le cas) et par lesquels d'entre eux elle est rendue inacceptable (si c'est le cas).

Les sophismes

Les sophismes sont des raisonnements qui ne sont pas conformes aux règles de la logique et qui sont sciemment employés dans le but de tromper autrui. Ce sont des ruses trompeuses qui n'ont que l'apparence de la rationalité et qui sont destinées à persuader et non à convaincre rationnellement. Ils visent l'acquiescement sans réflexion de l'auditoire plutôt que l'échange rationnel.

Tout sophisme a un défaut soit d'acceptabilité, soit de pertinence, soit de suffisance. Il vaut la peine de reconnaître ceux qui sont les plus couramment utilisés, d'une part, parce que cela nous évite d'avoir à en faire une évaluation minutieuse – la simple reconnaissance d'un sophisme suffit pour rejeter une conclusion ; d'autre part, parce que leur usage est si présent tout autour de nous (en politique, dans les médias, dans les publicités) que beaucoup de gens (dont peut-être nous-mêmes) en viennent à les utiliser sans savoir qu'ils sont inacceptables d'un point de vue rationnel. La liste de sophismes qui suivra est divisée en trois, selon le critère de la rationalité qui n'est pas respecté. Mais auparavant, un bref aperçu historique des raisons pour lesquelles de tels raisonnements ont été inventés ne sera pas sans intérêt philosophique puisque nous sommes en droit de nous demander ce qui motive des individus à tromper volontairement d'autres individus au moyen d'arguments fallacieux.

Aperçu historique

Les sophismes faisaient partie de l'enseignement de ceux que l'on a surnommés les sophistes. Nous avons déjà vu que les sophistes ont inventé la rhétorique[6]. Ils enseignaient cet art à de jeunes gens riches qui avaient des ambitions politiques et qui souhaitaient être en mesure de faire de beaux discours en vue de persuader la foule de leurs opinions. Bien que beaucoup de ces jeunes gens aient pu user consciemment de sophismes pour abuser leurs concitoyens – ils prétendaient défendre le bien commun alors qu'ils ne cherchaient qu'à faire profiter leurs intérêts personnels –, l'enseignement de leurs maîtres, en particulier l'enseignement de Protagoras (né à Abdère, vers -485, et décédé vers -410), visait un autre but.

Les sophistes étaient des relativistes[7]. Selon eux, il n'existe pas de réalité intelligible qui est supérieure à la réalité sensible. À l'encontre des philosophes rationalistes (par exemple, Socrate et Platon), ils ne croient donc pas à l'existence de principes, d'essences ou de normes universelles qui seraient causes de l'ordre de la nature et dont la connaissance nous dévoilerait l'être véritable de tout ce qui existe. Ainsi, selon le sophiste Gorgias (né à Léontini en Sicile, en -483, et décédé vers -380), même si l'être qui reste en permanence identique à lui-même existait, notre raison serait incapable de le distinguer du non-être et de le connaître. C'est pourquoi il vaut mieux, selon lui, limiter l'objet du savoir à ce qui est utile aux humains plutôt que de consacrer nos efforts à des considérations qui vont au-delà de notre entendement.

---

6. Voir la note explicative sur les sophistes, au chapitre 2, p. 35.

7. Voir la sous-section « Les attitudes qui vont à l'encontre d'un usage approprié de la raison », au chapitre 3, p. 53 et 54.

Les sophistes n'accordent donc d'importance qu'à la réalité sensible mais, à l'intérieur de celle-ci, il n'y a, selon eux, qu'apparences contradictoires. Les choses, telles qu'elles se présentent à nos sens, disparaissent aussitôt et sont remplacées par d'autres ; bien que les perceptions que nous en avons soient vraies, elles ne sont que des représentations éphémères de la réalité puisque la nature est en perpétuel changement. Par conséquent, croire qu'on peut tirer une connaissance objective de notre monde n'est qu'une illusion. La connaissance n'est qu'affaire d'opinion qui varie d'un individu à l'autre et chez le même individu au gré de ses perceptions sensibles. Par exemple, si le vent donne à l'un le frisson et à l'autre une sensation de chaleur, le vent n'est que ce que chacun en ressent, et il faut donc convenir qu'il est en même temps chaud et froid.

Toutefois, contrairement aux autres animaux, l'être humain n'est pas réduit à l'immédiateté de ses perceptions sensibles. Grâce au langage, il peut agir sur les choses. Si, d'une part, la nature n'offre rien de stable à la connaissance, d'autre part, l'humain a la possibilité d'ordonner, dans son discours, ses perceptions et de donner ainsi un sens à la réalité fuyante des apparences. En se consacrant au perfectionnement du langage, les sophistes souhaitaient offrir aux humains le moyen d'orienter de façon signifiante le monde à travers le chaos originel des sensations fluctuantes et contradictoires. Selon eux, la maîtrise du langage offre la possibilité de faire persister dans le temps ce qui en soi n'est qu'éphémère ; elle permet de créer du sens à partir de ce qui n'est d'abord que changement et non-sens. Dans la mesure où un discours est bien organisé et qu'il est persuasif, les perceptions sensibles, qui y sont retenues et qui y sont exprimées, acquièrent la permanence et constituent, pour nous, le réel. Cette conception est bien exprimée dans une formule célèbre de Protagoras : « L'humain est la mesure de toutes choses : pour celles qui sont, de leur existence, et pour celles qui ne sont pas, de leur non-existence[8] ». Le réel devient en quelque sorte l'œuvre de l'être humain ; œuvre qui peut être multiple comme on le constate, par exemple, à la vue de ce qui jouit du statut de vérité selon les différentes cultures existantes.

Il est clair que l'art des sophistes ne peut être confondu avec l'art de l'argumentation et de l'échange rationnel puisque si les opinions se fondent sur des perceptions qui sont toutes reconnues vraies, il ne vaut pas la peine de chercher à surmonter les contradictions pour progresser ensemble vers une position qui soit impartiale, objective et universelle. Pour les sophistes, tout débat est une joute dans laquelle c'est l'opinion qui est défendue de la façon la plus persuasive qui doit l'emporter. C'est pourquoi, dans le domaine des affaires humaines, les sophistes substituent à la recherche de la vérité la recherche de ce qui est avantageux. Pour Protagoras, le sage est celui qui, dans une situation donnée, est en mesure de persuader la foule de ce qui est, non le plus vrai, mais le plus utile, pour l'ensemble de la communauté politique.

Le problème, c'est que ceux qui ont été ses élèves et qui sont devenus d'habiles rhétoriciens n'étaient pas pour cela vertueux et ne visaient pas pour

---

8. Jean-Paul DUMONT (dir.), « Protagoras », dans *Les Présocratiques*, Paris, Gallimard, 1988, p. 998 (fragment B I).

autant des fins morales comme Protagoras l'aurait souhaité. Ils ne voyaient pas dans le bien commun ce qui, pour eux, semblait le plus utile et force est de constater que, selon l'enseignement même de Protagoras, puisque les opinions sont fondamentalement toutes aussi vraies les unes que les autres, rien ne les empêchait de se croire justifiés d'agir dans leur unique intérêt, à l'encontre du peuple.

La liste qui suit présente des sophismes qui sont, aujourd'hui, parmi les plus utilisés. Ils sont répertoriés selon leur défaut d'acceptabilité, de pertinence ou de suffisance. Pour chacun d'entre eux, une description est donnée, suivie d'un exemple.

Les sophismes qui enfreignent le critère de l'acceptabilité

1. La pétition de principe (ou cercle vicieux)

Nous commettons ce sophisme lorsque nos prémisses ne font que répéter notre thèse sous une forme différente.

« Il faut toujours dire la vérité parce qu'il ne faut jamais raconter des mensonges. »

2. L'appel à l'autorité

On invoque l'autorité d'une personne reconnue sur une question qui ne relève pas de sa compétence. On trompe nos interlocuteurs en leur faisant croire que nous détenons un avis d'expert ; ce qui n'est pas le cas. On pourrait aussi invoquer une œuvre célèbre.

« Les lames de rasoir Gillette sont les meilleures. Alexandre Despatie les recommande. »

3. Le faux dilemme

Un dilemme est un raisonnement contenant deux possibilités entre lesquelles on est tenu de choisir et dont le choix de l'une entraîne immédiatement et nécessairement le rejet de l'autre. Un faux dilemme est un raisonnement qui nous force à trancher entre deux possibilités (de préférence pour l'une plutôt que pour l'autre) qui ne s'opposent pas nécessairement.

« Il faut choisir entre le capitalisme ou l'anéantissement de la liberté. »

4. L'équivoque

On formule une proposition de telle sorte qu'elle est ambiguë et qu'elle peut prendre au moins deux sens différents, parfois contradictoires.

« Nous avons eu beaucoup de plaisir à vous lire. »

5. L'implicite

Une prémisse implicite est celle qui n'est pas énoncée explicitement parce qu'on suppose qu'elle est admise ou trop évidente, bien qu'elle demeure nécessaire au raisonnement pour établir la vérité de la conclusion. Par exemple, dans le raisonnement « Tous les hommes sont mortels ; donc, Socrate est mortel », la prémisse « Socrate est un homme » est une prémisse implicite.

On commet le sophisme de l'implicite lorsque, pour créer un faux effet de vérité, on dissimule volontairement une prémisse parce que l'on sait que, présentée explicitement, elle serait difficilement acceptable, et la conclusion serait rejetée.

« Puisque nous vous avons vu au cinéma, il était passé 10 heures lorsque vous avez tué votre père. »

Dans ce raisonnement, on tient déjà pour acquis, mais sans le dire explicitement, que vous avez tué votre père.

Les sophismes qui enfreignent le critère de la pertinence

6. L'attaque contre la personne

Ce sophisme consiste à s'attaquer à la réputation d'une personne ou d'une institution qui soutient une opinion avec laquelle on est en désaccord, plutôt que de réfuter l'opinion elle-même. En éveillant du mépris pour le caractère ou la situation de la personne, on souhaite susciter la désapprobation au sujet de ce qu'elle dit.

« Socrate prétendait enseigner la nature de ce qui est beau, mais il avait lui-même un nez camus et des yeux à fleur de tête ! »

Pour repérer un sophisme, il arrive qu'on doive reformuler ce dont l'auteur veut nous persuader. Ici, en disant que « Socrate *prétendait* enseigner la nature de ce qui est beau », l'auteur veut nous persuader que (C) « Socrate était incapable d'enseigner la nature de ce qui est beau ». Mais plutôt que de discuter des compétences en matière d'esthétique et d'éthique qui seraient nécessaires à cet enseignement, l'auteur s'en prend aux traits physiques de Socrate ; ce qui ne constitue pas une preuve rationnelle.

7. Le sophisme de la double faute

On cherche l'approbation à une opinion en faisant ressortir les similitudes entre la situation particulière dont on discute et la situation d'une ou d'autres personnes. Autrement dit, on justifie une opinion que l'on sait être erronée sur la base de fautes commises par d'autres.

« Tu n'as pas à te sentir coupable de profiter des fonds publics, car tous les fonctionnaires qui en ont la chance le font. »

8. Le procès d'intention

On rejette l'opinion ou l'attitude de quelqu'un en feignant d'y découvrir une intention cachée.

« Le professeur prétend que mon travail de session n'est pas bien documenté ; en fait, il n'accepte pas que mes opinions diffèrent des siennes. »

Pour que son raisonnement soit pertinent, si jamais l'auteur avait raison de dire que son professeur a tort, il faudrait qu'il démontre que son travail est bien documenté plutôt que de faire porter l'attention sur une intention qui, quelle que soit sa vérité ou sa fausseté, n'a pas valeur de preuve.

9. L'appel aux sentiments

Ce sophisme consiste à faire accepter une opinion ou une attitude en exploitant les émotions, les sentiments et les passions des interlocuteurs plutôt qu'en traitant directement le sujet dont il est question.

« Ce n'est pas ma faute, le destin a été si cruel avec moi. »

10. L'appel à la majorité

On fonde la crédibilité d'une opinion sur le fait que la plus grande partie de la population y croit.

« L'argent fait le bonheur ; peu de gens choisiraient d'être pauvres plutôt que riches. »

11. L'appel à la tradition

Ce sophisme consiste à s'appuyer sur les coutumes pour provoquer un sentiment de sécurité chez l'auditeur et le faire adhérer à un point de vue.

« La prostitution a toujours existé ; aussi bien la légaliser ! »

12. L'appel à la modernité ou à la nouveauté

On fonde la valeur d'une croyance ou d'un produit sur son originalité et son avant-gardisme.

« Il faut accepter les méfaits de la mondialisation ; nous ne sommes plus à l'ère du protectionnisme. »

13. La fausse cause

Ce sophisme consiste à déduire que, du seul fait qu'un événement survient avant un autre, il en est obligatoirement la cause. On prend « après cela » pour « à cause de cela ».

« Le sida est une conséquence de la perte des valeurs religieuses et morales. »

14. Le subjectivisme

La valeur d'une opinion se fonde uniquement sur le fait que l'orateur affirme que c'est vrai et sans qu'il en donne de justifications.

« Tu peux te fier à mon avis : il ne faut pas faire confiance à ces gens-là. »

15. La caricature

On donne une fausse interprétation de l'opinion de quelqu'un pour pouvoir la critiquer et amener les gens à la refuser.

« Socrate soutenait qu'il est pire de commettre l'injustice que de la subir. C'est tout comme s'il avait demandé qu'on lui intente un procès dans le but de se faire condamner à mort. »

16. Le sophisme par ignorance

On évite de trouver des justifications à une proposition en fondant sa vérité sur le fait que les gens ne peuvent prouver qu'elle est fausse ; ou encore on fonde sa fausseté sur le fait qu'ils ne peuvent prouver qu'elle est vraie.

« Dieu existe car personne n'a prouvé qu'il n'existe pas. »

« Dieu n'existe pas car personne n'a prouvé qu'il existe. »

Évidemment, le fait que nos opposants n'ont pas de preuve ne constitue en rien une preuve pour nous.

Les sophismes qui enfreignent le critère de la suffisance

17. La généralisation hâtive

La généralisation hâtive est une induction non probante ; elle consiste à ériger en règle générale ce qui ne vaut que pour certains cas particuliers.

« De plus en plus de cas de plagiat ont été relevés. De nos jours, personne n'y échappe. »

18. Le sophisme de l'accident

On fonde une affirmation sur une proposition universelle considérée comme vraie, mais qui ne tient pas compte de certaines particularités.

« Tous les hommes sont doués d'intelligence ; le légionnaire Brutus était un imbécile heureux ; donc, Brutus n'était pas un homme. »

19. La pente glissante

On affirme qu'une chose ou un événement entraînera un enchaînement d'effets (parfois sous-entendus) dont le dernier est catastrophique.

« Attention, Jean ! C'est incorrect d'offrir un verre de vin à ta fille. Elle y prendra goût et se laissera entraîner par de mauvais compagnons dans les bars. Bientôt, elle consommera de la marijuana jusqu'à ce qu'elle soit tentée par des drogues plus fortes. Elle deviendra alors héroïnomane et, comme cela coûte cher, elle se verra obligée de se prostituer. Alors, réfléchis bien, Jean : si tu sers un verre de vin à ta fille, tu la pousses à se prostituer. »

20. L'affirmation du conséquent

À partir de la vérité d'un énoncé hypothétique (si P , donc Q) et de la vérité du conséquent Q , on conclut à la vérité de l'antécédent.

« S'il pleut, il y a des nuages.
Il y a des nuages.
Donc, il pleut. »

Autrement dit, on prend une condition qui est nécessaire (ici, la présence de nuages) pour que se produise un événement (la pluie) comme si elle était une condition suffisante. Ce qu'elle n'est pas.

Il arrive parfois que l'énoncé hypothétique de départ ne soit qu'implicite.

« S'il y a des nuages, il pleut. »

« Si tu veux, tu peux. »

La rédaction d'un texte d'argumentation

Les compétences requises pour construire un bon texte d'argumentation

Le but d'un texte d'argumentation est de prendre part à un débat sur une question controversée, en défendant une position de façon à ce qu'elle soit rationnellement convaincante. Pour être rationnellement convaincante, notre position doit être soutenue par des arguments qui respectent les mêmes critères que ceux que nous utilisons pour évaluer les raisonnements des autres. Nous devons donc veiller à respecter les critères d'acceptabilité (correspondance et cohérence), de pertinence et de suffisance ; il faut aussi se garder d'employer des sophismes. Cela peut, au départ, sembler laborieux mais, lorsque nous nous y appliquons, nous acquérons rapidement l'habileté à ordonner nos idées de façon logique et à les communiquer avec clarté, en employant des indicateurs adéquats et en évitant de nous répéter.

Afin que notre argumentation ne soit pas un simple monologue et qu'elle participe réellement d'un échange rationnel avec les autres, une deuxième exigence consiste à ce que nous nous informions, au moins minimalement, des positions qui suscitent la controverse, et que, dans notre texte, nous en présentions une qui s'oppose à la nôtre. Évidemment, comme la fonction de notre argumentation est de défendre notre propre position, nous ne pouvons présenter la position qui lui est opposée comme si elle avait une valeur égale à la nôtre. Il faut, au contraire, s'en servir pour montrer que notre position est la meilleure, même si l'on doit accepter qu'elle fasse par la suite l'objet de critiques. Ainsi, **si chacun exploite à fond sa thèse et la défend de la façon la plus convaincante possible, l'évaluation des différentes positions sera, pour tous, plus fructueuse ; elle nous conduira à remettre en question les opinions qui n'étaient pas fondées rationnellement, et à nous rapprocher de positions impartiales, objectives et universelles**.

L'antithèse, l'objection et la réfutation

L'antithèse
On appelle « antithèse » une proposition qui s'oppose à notre thèse. C'est, autrement dit, la thèse de nos opposants, contre laquelle nous allons débattre pour mieux faire valoir notre propre thèse. Elle doit apparaître dans l'introduction de notre texte, après l'exposition du problème dont nous allons discuter.

L'objection
On appelle « objection » (ou « contre-argument ») un argument qui soutient l'antithèse et qui s'oppose, par le fait même, à l'une ou plusieurs de nos prémisses formant un même argument. Un texte d'argumentation peut contenir plusieurs objections. Nous les introduisons dans le développement de notre texte quand nous savons que, parmi nos interlocuteurs, il y en a qui ne pensent pas comme nous, et que l'une de nos prémisses ou l'un de nos arguments peut être contesté. En nous faisant ainsi l'avocat du diable à l'égard de nos propres arguments, nous déjouons en quelque sorte nos opposants. Il faut retenir que, comme les objections servent à soutenir l'antithèse, elles ne doivent pas être incluses dans la liste de nos prémisses (dans notre légende). Par conséquent, il peut toujours nous être utile, surtout si nous en utilisons plusieurs, de construire une seconde légende (celle de l'antithèse) qui met distinctement les objections à notre disposition.

La réfutation
La réfutation est composée de l'une ou de quelques-unes de nos prémisses ; elle doit donc être incluse dans notre légende. Elle consiste à mettre en évidence la non-acceptabilité, la non-pertinence ou la non-suffisance d'une objection, de telle sorte que notre argument, dont elle fait partie, demeure le plus convaincant et que nous puissions poursuivre notre raisonnement sans obstacle.

Chaque fois que nous apportons une objection à l'une ou à plusieurs de nos prémisses, celle-ci doit être suivie d'une réfutation afin que nous ne donnions pas raison à l'adversaire, alors que nous sommes censés défendre notre thèse.

Exemple d'un argument accompagné d'une objection et d'une réfutation

Supposons que, dans l'introduction de notre texte d'argumentation, nous nous proposons, à l'encontre des relativistes, de défendre la thèse suivante :

« La vérité est accessible à l'être humain grâce au pouvoir de la raison ».

Et, à l'appui de cette thèse, nous présentons, dans un paragraphe, un argument que nous accompagnons d'une objection et d'une réfutation :

« L'humain n'est pas réduit aux perceptions sensibles comme le sont les autres animaux. En effet, s'il se dote d'une méthode rationnelle qui lui assure d'avancer avec prudence, l'humain peut découvrir les principes et les lois qui gouvernent le changement. Or, cette connaissance, qui est impossible pour les animaux, ne serait pas non plus possible pour l'être humain s'il n'avait pas la raison. Les relativistes nous confrontent sur ce point. Ils disent que la vérité est aussi diverse et changeante que l'opinion. Selon eux, la raison ne peut connaître ce qui est permanent puisque le réel est lui-même toujours changeant. Mais pour peu qu'on y réfléchisse adéquatement, cette objection ne tient pas. Si l'être humain n'avait pas la raison pour juger de ses perceptions sensibles, il n'aurait pu faire progresser la science. Prenons, par exemple, le simple cas du soleil. Considérant que le soleil se présente sous de multiples facettes – il apparaît et il disparaît ; il est à tel endroit du ciel et à tel autre endroit ; sa lumière change d'intensité et sa chaleur varie de degré –, nos sens ne peuvent nous dire si c'est toujours le même soleil ou plusieurs soleils que nous percevons. Seule la raison peut concevoir l'unité à travers cette multiplicité ».

Début de l'argument

Introduction de l'objection

Introduction de la réfutation

Pour mieux comprendre la structure de ce paragraphe, examinons les légendes et les schémas de nos prémisses et de celles de nos opposants.

Notre légende

(C) : La vérité est accessible à l'être humain grâce au pouvoir de la raison.

(1) : L'humain n'est pas réduit aux perceptions sensibles comme le sont les autres animaux.

(2) : S'il se dote d'une méthode rationnelle qui lui assure d'avancer avec prudence, l'humain peut découvrir les principes et les lois qui gouvernent le changement.

(3) : La connaissance des principes et des lois qui gouvernent le changement et qui est impossible aux animaux, ne serait pas non plus possible pour l'être humain s'il n'avait pas la raison.

(4) : S'il n'avait pas la raison pour juger de ses perceptions sensibles, l'humain n'aurait pu faire progresser la science.

(5) : Considérant que le soleil se présente sous de multiples facettes, nos sens ne peuvent nous dire si c'est un même soleil ou plusieurs soleils que nous percevons.

(6) : Le soleil apparaît, puis disparaît.

(7) : Le soleil est à tel endroit du ciel, puis à tel autre endroit.

(8) : La lumière du soleil change d'intensité.

(9) : La chaleur du soleil varie de degré.

(10) : Seule la raison peut concevoir l'unité du soleil à travers la multiplicité de ses changements.

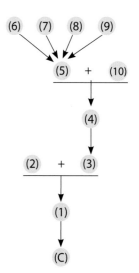

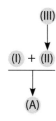

La légende de nos opposants

(A) : La connaissance repose entièrement sur nos perceptions sensibles.

(I) : La vérité est aussi diverse et changeante que l'opinion.

(II) : La raison ne peut connaître ce qui est permanent.

(III) : Le réel est lui-même toujours changeant.

Notre argument compte en tout 10 prémisses. Si nous ne lui avions pas opposé l'objection (prémisses (I) à (III)), il n'aurait été composé que des trois premières prémisses. Toutefois, on voit clairement qu'il était préférable pour nous d'insérer l'objection dans notre paragraphe[9] et de la faire suivre immédiatement d'une réfutation (prémisses (4) à (10)) pour renforcer notre argument ; si nous ne l'avions pas fait, tout étudiant ou étudiante qui a suivi le premier cours de philosophie aurait pu contre-argumenter à notre place, et affaiblir ainsi la force de notre preuve. Donc, il valait mieux prendre les devants.

Le développement du texte d'argumentation

L'introduction

À moins de directives contraires[10], l'introduction d'un texte d'argumentation se fait selon l'ordre qui suit. (1) L'auteur annonce le thème de son texte et (2) il précise un problème, sous forme de question, dont le texte traitera. (3) Il oppose ensuite à la position de possibles contradicteurs (l'antithèse) (4) la thèse qu'il se propose de défendre.

Voici un exemple d'introduction ; il faut porter très attention aux termes qui servent à ce que le lecteur distingue nettement la thèse de l'antithèse :

Dans ce texte, (1) nous traiterons du pouvoir de la raison. (2) Nous tenterons de répondre à la question « La raison humaine peut-elle nous faire accéder à la vérité ? ». (3) Nos opposants prétendent que la connaissance repose entièrement sur nos perceptions sensibles. (4) Toutefois, cette position n'est pas rationnellement défendable. Nous démontrerons, au contraire, que, grâce au pouvoir de la raison, la vérité est accessible à l'être humain.

La présentation des arguments

Une fois l'introduction terminée, on commence, dans un nouveau paragraphe, la présentation de nos arguments, en essayant d'explorer les principaux aspects du problème. Pour plus de clarté, on change de paragraphe chaque fois qu'on envisage un nouvel argument accompagné, s'il y a lieu, d'une objection et d'une réfutation ; ou, encore, d'une définition, d'une explication ou d'un exemple pour clarifier les idées ou les concepts qui sont plus difficiles à comprendre. Lorsqu'on apporte une objection, il faut veiller à la présenter de manière à ce que lecteur ne la confonde pas avec notre propre argument.

---

9. L'objection et la réfutation pourraient également être présentées dans des paragraphes différents, selon les directives données en classe.

10. Pour l'élaboration d'une problématique, on peut consulter Hélène LARAMÉE, *et al., L'art du dialogue et de l'argumentation*, Montréal, Chenelière Éducation, 2009, p. 94-95.

La conclusion

Enfin, quand la thèse a été bien appuyée et qu'il y a eu réfutation de toutes les objections soulevées, on conclut en rappelant la thèse et en résumant brièvement les principaux arguments. On peut également soulever une nouvelle question sur le même thème, qui pourra faire l'objet d'une prochaine argumentation. La longueur de la conclusion doit couvrir environ 10 % de la totalité du texte.

Pour éviter le plagiat

Selon la nature de la question sur laquelle nous argumentons, nous sommes appelés à consulter diverses sources d'informations : des textes d'auteurs, des journaux, des sites Web. Surtout quand le sujet est nouveau pour nous, il est normal que nous soyons portés à emprunter les idées de ceux que nous lisons ou à nous en inspirer. Cela est acceptable, mais à la condition de ne pas répéter tout ce qu'on trouve chez un même auteur et de ne jamais oublier de fournir les références.

Résumé

Le sens critique

Avoir le sens critique nécessite : 1) que nous soyons en mesure de comprendre adéquatement un discours, c'est-à-dire d'en faire l'analyse et la synthèse ; 2) que nous soyons aptes à évaluer la correspondance et la cohérence de son contenu ainsi que la rigueur de sa forme logique (la pertinence et la suffisance de ses arguments) ; 3) que nous sachions défendre nos opinions au moyen de discours rationnels.

L'analyse des raisonnements

L'analyse consiste à extraire la thèse et les prémisses d'une argumentation et d'en constituer une légende. À cette fin, il faut suivre certaines règles ; il faut notamment s'assurer que chacune des propositions puisse être comprise sans que nous ayons à nous référer à d'autres propositions.

La synthèse des raisonnements

La synthèse consiste à relier, dans un schéma, les propositions d'une argumentation qui ont été divisées dans la légende. Il existe différents types de schémas. Pour les raisonnements simples (lorsque les prémisses sont des preuves directes de la conclusion), on compte les schémas à prémisse unique, les schémas à prémisses convergentes (il y a alors plus qu'un raisonnement simple) et les schémas à prémisses liées. Pour les raisonnements complexes, les schémas reproduisent des enchaînements plus ou moins considérables de raisonnements simples, selon qu'il y a un plus ou moins grand nombre de conclusions intermédiaires.

L'évaluation de la vérité ou de l'acceptabilité des prémisses

L'évaluation des raisonnements vise à discerner les opinions qui sont rationnellement justifiées et à accéder à des positions plus éclairées sur des questions controversées. La première étape de l'évaluation porte sur l'acceptabilité des prémisses. Les critères permettant d'évaluer la vérité ou l'acceptabilité des propositions empiriques sont la correspondance et la cohérence. Le recours à un avis d'expert peut servir dans le cas d'un contenu scientifique spécialisé, mais cet avis doit respecter certaines conditions ; il faut notamment qu'il appartienne au champ de compétence de l'expert. Dans le cas des propositions de valeur, leur évaluation se base sur la cohérence des liens qu'elles ont avec les autres propositions d'une argumentation ; il faut veiller à ce que les concepts clés soient bien définis et que leurs définitions n'aboutissent pas à des contradictions. Enfin, la vérité des prémisses analytiques se vérifie soit au moyen du test de la négation du prédicat soit, lorsqu'il s'agit de définitions essentielles, au moyen des caractéristiques qui leur sont propres.

L'évaluation de la rigueur des liens entre les prémisses et leur conclusion

La deuxième étape de l'évaluation d'une argumentation porte sur la pertinence des prémisses. Une prémisse est pertinente seulement si elle a un lien logique avec sa conclusion et si elle peut compter comme un élément de preuve de sa vérité ou de son acceptabilité.

La troisième étape de l'évaluation porte sur la suffisance du lien entre les prémisses et leur conclusion. Ce lien est suffisant si les prémisses sont acceptables et pertinentes, et si elles offrent une preuve suffisante de la vérité ou de l'acceptabilité de leur conclusion. Dans le cas de raisonnements complexes, il est très important de procéder avec ordre, de raisonnement simple à raisonnement simple, jusqu'à la conclusion finale. Lorsqu'une conclusion est une proposition de valeur, des prémisses empiriques ne suffisent jamais à elles seules à en établir l'acceptabilité.

Les sophismes

Les sophismes sont des raisonnements fallacieux qui visent à persuader et non à convaincre rationnellement. Ils font partie de l'enseignement de la rhétorique qu'ont inventée les sophistes. L'art de la rhétorique repose sur une conception relativiste de l'être et de la vérité : la connaissance dépend des perceptions que tout un chacun a d'une nature toujours changeante. C'est pourquoi les sophistes substituent l'utilité à la vérité et la persuasion à l'argumentation rationnelle. Selon eux, il appartient à l'humain d'ordonner ses perceptions de façon à donner du sens à ce qui, fondamentalement, est contradictoire. Grâce au langage, l'humain est la mesure de toutes choses. À l'encontre des intentions de Protagoras, ses élèves se sont servis de la rhétorique pour défendre leur unique intérêt au détriment du peuple. Les sophismes peuvent se répartir selon le critère de rationalité qu'ils transgressent ; beaucoup ont un problème de pertinence et, alors même qu'ils n'apportent aucun élément de preuve à ce qu'ils soutiennent, ils restent ignorés de ceux qui ne sont pas instruits en argumentation.

La rédaction d'un texte d'argumentation

Un bon texte d'argumentation nécessite que nous respections les critères d'acceptabilité, de pertinence et de suffisance, et que nous montrions le bien-fondé de notre thèse en l'opposant à une position différente de la nôtre. L'antithèse est une proposition qui s'oppose à la thèse que l'on défend. Les objections sont constituées d'une ou de plusieurs propositions qui s'opposent à des prémisses de nos raisonnements. Les réfutations sont des prémisses qui servent à montrer la non-acceptabilité, la non-pertinence ou la non-suffisance des objections. Les éléments d'un texte d'argumentation se présentent selon l'ordre suivant : 1) l'introduction (le thème, le problème, l'antithèse et la thèse) ; 2) la présentation de chacun des arguments avec, s'il y a lieu, une objection et une réfutation, des définitions, des explications ou des exemples ; 3) la conclusion. Il faut toujours indiquer nos sources d'informations.

Lectures et film suggérés

Lectures

BLACKBURN, Pierre. *Logique de l'argumentation*, 2ᵉ éd., Saint-Laurent, Éditions du Renouveau Pédagogique, 1994, p. 117-272.

GOVIER, Trudy. *A Practical Study of Argument*, 6ᵉ éd., Belmont (CA), Wadsworth Publishing, 2005, p. 24-91, 133-205, 393-415.

MONTMINY, Martin. *Raisonnement et pensée critique. Introduction à la logique informelle*, Montréal, Presses de l'Université de Montréal, 2009, 180 p. (Coll. « Paramètres »)

RIOUX, Jocelyne. *Apprivoiser la philosophie. Guide méthodologique pour les cours de philosophie*, Montréal, CCDMD/Beauchemin, 2005, p. 89-131.

RUSS, Jacqueline. *La dissertation et le commentaire de textes philosophiques*, Paris, Armand Colin, 1998, 170 p.

Film

LUMET, Sidney. *12 hommes en colère*, États-Unis, 1957, 95 min, coul., DVD.

Activités d'apprentissage

Analyse et synthèse des raisonnements

❶ Établissez la légende et le schéma de chacune des argumentations suivantes.

a) Je vois ce que je mange ; donc, je mange ce que je vois.

b) Le stress est un problème de santé mentale de plus en plus répandu dans les pays industrialisés. En ce qui concerne ce genre de problème, l'État devrait intervenir pour imposer des mesures de prévention dans les milieux de travail. On ne devrait donc pas laisser les employeurs décider du sort des travailleurs sur cette question.

c) Celui qui avoue son crime est moins malhonnête que celui qui ne l'avoue pas. Il faut que la peine qu'il subisse soit moins grande.

d) Les études nous permettent de développer des facultés qui autrement resteraient inutilisées. C'est pourquoi elles nous sont précieuses. De plus, il y a vraiment peu de choses capables, comme elles le sont, d'ouvrir autant de perspectives nouvelles dans une vie.

e) Si les étudiants sont des clients, alors les enseignants sont des commerçants. Si les enseignants sont des commerçants, alors ils n'ont pas à se préoccuper de la qualité de ce qu'ils vendent au-delà du contentement de leurs clients. S'il est vrai que plus les cours sont faciles plus les étudiants sont contents, alors moins les enseignants travaillent, plus leur salaire devrait augmenter.

f) La nature est un faux prétexte pour excuser la violence des humains. Bien qu'il soit du genre animal, l'humain s'en distingue par sa faculté rationnelle. Et, puisque le pouvoir de la raison correspond précisément à sa capacité de transformer la nature, l'humain devrait tout d'abord s'en servir pour rendre meilleure la sienne.

g) Celui qui trompe involontairement est meilleur que celui qui trompe volontairement. S'il est capable des contraires, celui qui choisit délibérément de tromper souffre d'un mal très grand. On ne peut préférer le malheur au bonheur que si notre esprit est affaibli et perverti. Or, l'état de perversion s'éloigne davantage du bien que l'état d'ignorance.

h) Il ne faut pas réduire la valeur de la vie aux biens matériels. Celui qui place la valeur de sa vie dans la réalisation de ce qu'il y a de meilleur en lui ne craint point ce que lui réserve l'avenir. D'une part, il peut se contenter de peu et, lorsque l'occasion lui sourit, il en tire un plus grand bonheur. D'autre part, les malheurs de la vie l'affectent moins qu'ils le font non seulement pour le grand nombre mais aussi pour ceux qui ont l'habitude du luxe. Celui qui ne pense qu'à augmenter sa fortune personnelle aurait eu peu de talent pour sauver l'humanité du déluge.

i) Vers 431 avant notre ère, les Lacédémoniens ont convoqué les pays alliés afin de décider s'il fallait ou non entrer en guerre contre l'Empire athénien. Voici, en partie, quelle a été l'argumentation des Corinthiens. Si des gens sages restent tranquilles lorsqu'on ne leur fait aucun tort, des gens de cœur, à qui l'on en fait, abandonnent la paix pour entrer en guerre jusqu'à ce qu'ils puissent conclure un accord. C'est une honte pour nous, gens de cœur, de nous voir asservis et de perdre la liberté acquise par nos pères.

Notre succès est assuré. Nous avons l'avantage du nombre et de l'expérience et, bien qu'ils aient présentement l'avantage pour la marine, la mise en commun de nos ressources nous permettra de nous équiper et de nous entraîner. Et, quand les connaissances seront à égalité, notre courage nous donnera le dessus. En effet, l'avantage que nous donne notre nature ne peut être enseigné alors que la supériorité, qu'ils doivent à leurs connaissances, peut être éliminée.

Enfin, le dieu de Delphes, en rendant son oracle, a promis son aide aux Lacédémoniens. Pour toutes ces raisons, il faut voter en faveur de la guerre. (Inspiré de Thucydide. *La guerre du Péloponnèse*, I, CXX-CXXIV.)

j) Socrate ne pouvait, en toute bonne foi, s'évader de prison comme le lui suggérait son ami

Criton. D'abord, s'il s'était évadé, Socrate aurait répondu à l'injustice par l'injustice, au mal par le mal ; mais il considérait sacré le principe qu'il ne faut jamais commettre le mal. Et, puisque Socrate n'avait pas été condamné injustement par les lois mais par les hommes, il aurait été deux fois coupable de se venger contre les lois.

Ensuite, comme nul n'est au-dessus des lois, ou bien on doit faire ce qu'elles ordonnent ou bien on doit argumenter rationnellement pour que l'État les modifie. Or, si Socrate remettait tout en question, c'était dans le but d'obtenir plus de justice et non pour détruire l'État.

Enfin, si Socrate s'était évadé, il en aurait retiré plus de mal que de bien. En se cachant dans une autre Cité, il serait apparu comme un corrupteur et il aurait donné raison à ses juges. De plus, personne ne l'aurait pris au sérieux s'il avait continué à soutenir qu'il n'y a rien de plus précieux que la vertu et la justice. Il appert toutefois que Socrate n'aurait plus été Socrate s'il avait préféré une vie sans recherche de la vérité plutôt que la mort dans la dignité. Malgré son chagrin, Criton dut comprendre que Socrate ne pouvait s'évader de prison. (Inspiré du dialogue *Criton*, 50a-54e, de Platon.)

❷ Dans l'extrait suivant du dialogue *Lysis* de Platon, Socrate recherche, avec Lysis et Ménexène, la nature de l'amitié. Leur discussion n'aboutit pas à une définition, mais elle permet du moins de réfuter une opinion répandue.

Lisez attentivement l'extrait et répondez ensuite aux questions.

Lysis II

Socrate Examine donc, Lysis, le point où nous avons été induits en erreur. Nous sommes-nous trompés sur toute la ligne ?

Lysis Comment cela ?

Socrate J'ai déjà entendu quelqu'un dire, et je m'en rappelle à l'instant, que la plus grande hostilité règne entre les semblables et entre les bons ; il citait notamment Hésiode comme témoin, lui qui affirme que « le potier en veut au potier, l'aède à l'aède et le mendiant au mendiant » ; il affirmait qu'il en est nécessairement ainsi dans tous les autres cas et que ce sont surtout les choses les plus semblables qui sont remplies de jalousie, de rivalité et d'inimitié les unes envers les autres, alors que les choses les plus dissemblables débordent d'amitié réciproque ; il est forcé, disait-il, que le pauvre soit l'ami du riche, le faible du fort pour obtenir son aide, le malade du médecin, et qu'en toutes choses celui qui ne sait pas apprécie et aime celui qui sait. Il poursuivait son discours en termes encore plus magnifiques, en affirmant qu'il s'en faut de beaucoup que le semblable soit l'ami du semblable, et qu'il est plutôt le contraire d'un ami, car ce sont les termes les plus opposés qui sont le plus amis entre eux. En effet, c'est de ce qui lui est le plus opposé que chacun éprouve le désir, et non pas de son semblable : le sec désire l'humide, le froid le chaud, l'amer le doux, l'aigu le grave, le vide le plein, le plein le vide, et ainsi de suite pour les autres choses suivant le même raisonnement, car le contraire est un aliment pour le contraire, et le semblable ne tire aucun profit du semblable. En tout cas, mon ami, il passait pour très habile en tenant ce discours, car il parlait bien. Mais à votre avis, comment parlait-il ?

Ménexène Bien, à en juger du moins par ce que l'on vient d'entendre.

Socrate Affirmerons-nous donc que c'est le contraire qui est au plus haut degré l'ami du contraire ?

Ménexène Tout à fait.

Socrate Soit. Mais n'est-ce pas absurde, Ménexène ? Ne vont-ils pas aussitôt, tout joyeux, bondir sur nous, ces hommes au savoir universel, les spécialistes de la contradiction[11],

---

11. À l'époque, ces spécialistes sont des gens qui pratiquent une forme de discussion dans laquelle ils prennent plaisir à contredire toute proposition sans tenir compte de sa vérité ou de sa fausseté. Leur savoir universel n'est qu'une apparence.

qui nous demanderont si l'inimitié n'est pas ce qu'il y a de plus contraire à l'amitié. Et que leur répondrons-nous ? N'est-il pas nécessaire de reconnaître qu'ils disent vrai ?

Ménexène C'est nécessaire.

Socrate Dans ce cas, demanderont-ils, l'ennemi est-il ami de l'ami, et l'ami de l'ennemi ?

Ménexène Ni l'un ni l'autre.

Socrate Et le juste est-il l'ami de l'injuste, le modéré du débauché et le bon du mauvais ?

Ménexène À mon avis, il n'en va pas ainsi.

Socrate Mais pourtant, si c'est précisément en vertu de leur contrariété qu'une chose est amie d'une autre, il est nécessaire que ces contraires aussi soient amis.

Ménexène Nécessairement.

Socrate Par conséquent, ni le semblable n'est ami du semblable, ni le contraire du contraire.

Ménexène On dirait que non.

Source : PLATON. *Lysis*, 215c-216b, dans *Œuvres complètes*, sous la direction de Luc BRISSON, Paris, Flammarion, 2008, p. 1024-1025.

Questions

a) Socrate se remémore un argument à la défense de la thèse : « Le contraire est au plus haut degré l'ami du contraire ». Trouvez entre cinq et sept prémisses constitutives de cet argument et faites-en la légende.

b) Construisez le schéma.

c) Quelle est la thèse que Socrate fait finalement admettre à ses jeunes amis ?

d) En une ou deux propositions, reformulez l'argument à l'appui de cette thèse.

❸ Ce qui suit est la légende et le schéma d'un extrait du dialogue *Alcibiade* de Platon. À l'aide du tableau 3.2, p. 71, vous devez en faire un texte suivi. Toutes les prémisses doivent être incluses ; il n'est pas nécessaire de les reformuler. Le schéma doit être respecté.

Légende

(C) : Il faut s'efforcer de perfectionner notre âme et devenir véritablement une belle personne si on ne veut pas se laisser séduire et corrompre par ceux qui ne nous aiment pas pour de bonnes raisons.

(1) : C'est par un art que nous prenons soin convenablement d'un objet en lui-même et par un autre art de ce qui appartient à cet objet.

(2) : La gymnastique rend notre corps meilleur et c'est par elle que nous en prenons soin convenablement.

(3) : L'art du cordonnier et l'art du couturier prennent soin, chacun, de quelque chose qui appartient à notre corps.

(4) : Il est impossible de savoir par quel art on s'améliore soi-même si l'on ignore ce que l'on est soi-même.

(5) : Il serait impossible de savoir quel art améliore les chaussures si nous ne connaissions pas la chaussure.

(6) : L'humain n'est autre chose que son âme.

(7) : L'humain est autre chose que son corps.

(8) : Celui qui se sert d'une chose et la chose dont il se sert sont toujours différents.

(9) : Tout comme le cordonnier se sert d'outils mais aussi de ses mains et de ses yeux pour travailler, l'humain se sert de tout son corps.

(10) : C'est notre âme qu'il faut connaître si nous voulons nous connaître et prendre soin de nous-mêmes.

(11) : Celui qui connaît et prend soin de quelque partie de son corps connaît et prend soin de ce qui est à lui, mais ne connaît ni ne prend soin de lui-même.

(12) : Celui qui prend soin de ses biens matériels prend soin de choses qui lui sont encore plus étrangères que son corps.

(13) : Celui qui est amoureux du corps est épris non pas de celui à qui ce corps appartient mais d'une chose qui lui appartient.

(14) : Celui qui aime véritablement est celui qui aime l'âme de l'aimé.

(15) : Celui qui aime le corps s'éloigne et quitte celui à qui il appartient lorsque ce corps perd l'éclat de la jeunesse.

(16) : Celui qui aime l'âme ne s'en va pas tant qu'elle marche vers la perfection.

Schéma

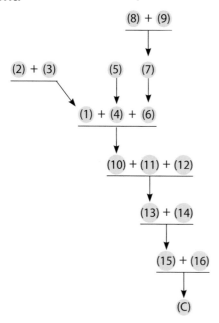

Source : Platon, *Alcibiade*, 127d-132b.

L'évaluation des raisonnements

❹ Pour chacun des raisonnements suivants, vous devez faire :

- la légende et le schéma ;
- l'évaluation de l'acceptabilité des prémisses, de leur pertinence (s'il y a lieu) et de la suffisance de leur lien avec leur conclusion (s'il y a lieu).

a) Un cercle est identique à un triangle, car un triangle est une figure géométrique plane et un cercle est également une figure géométrique plane.

b) Les garçons réussissent moins bien que les filles à l'école. D'abord, selon des études récentes, le système scolaire est moins bien adapté aux besoins des garçons qu'à ceux des filles. Ensuite, les garçons sont, par nature, moins intelligents que les filles.

c) Le printemps est arrivé. Les érables font des bourgeons et, de leur sève, on peut confectionner du sirop. De plus, je suis vraiment dégoûté de l'hiver.

d) Je respire quand je dors ; donc, je dors quand je respire.

e) Il est normal que le gouvernement donne des subventions aux grosses compagnies et qu'il réduise les prestations d'aide sociale des personnes qui sont sans emploi. Sans les grosses compagnies qui font rouler l'économie, l'État n'aurait pas suffisamment d'argent pour offrir de l'aide à ceux qui sont sans emploi.

f) Malgré le respect que nous devons à toute créature vivante, nous ne pouvons défendre raisonnablement une charte des droits des animaux. Si les animaux avaient des droits, nous devrions les convaincre qu'ils ont aussi des devoirs car, depuis que la démocratie existe, l'un est inconcevable sans l'autre. Ce serait vouloir convaincre un carnivore qu'il ne doit pas s'attaquer à un plus petit que lui.

g) Jour et nuit, il faut festoyer, danser, chanter, jouir de tous les plaisirs permis et interdits. Nous n'avons pas de temps à perdre. Nous avons la mort en partage. Si les dieux existent, ils ont gardé pour eux l'immortalité.

h) On ne peut à la fois soutenir que « tous ont des chances égales » et que « si l'on veut, on peut ». La première de ces affirmations implique une égale répartition de ce qui est matériellement nécessaire pour réussir ; la seconde laisse à l'individu l'entière responsabilité de ses échecs et réussites.

i) Celui qui trompe volontairement est moralement meilleur que celui qui trompe sans le vouloir. D'une part, celui qui trompe volontairement est capable de réaliser le bien et le mal. Le médecin peut produire la santé tout comme il peut, s'il le désire, causer la maladie. Le bon archer peut atteindre la cible tout comme il peut, s'il le désire, la manquer. Celui qui a une belle voix peut chanter juste tout comme il peut, s'il le désire, chanter faux. D'autre part, celui qui trompe involontairement le fait par ignorance.

j) Il vaut mieux accorder ses faveurs à celui qui est sans amour qu'à celui qui est amoureux. D'abord, celui qui est amoureux regrette le bien qu'il nous a fait et nous garde rancune quand son désir est éteint ; alors que celui qui n'aime pas ne regrette rien, car il ne nous donne toujours qu'en ménageant sagement ses intérêts, sans dépasser la limite de ses ressources. Ensuite, celui qui est amoureux cherche à nous empêcher d'avoir des relations avec d'autres, mais celui qui est sans amour n'est pas jaloux. Enfin, ceux qui sont amoureux de nous ne sont pas nombreux ; il y a donc beaucoup plus de chances de trouver quelqu'un à qui donner notre affection parmi ceux qui ne nous aiment pas. Pour toutes ces raisons et bien d'autres, il faut éviter celui qui est amoureux et lui préférer celui qui n'aime pas.

(Inspiré du discours de Lysias, selon le dialogue *Phèdre*, 230e-234c, de Platon.)

5 Identifiez les sophismes suivants.

a) L'âme est immortelle car personne ne peut percevoir qu'elle périt en même temps que le corps.

b) Les étudiantes et les étudiants québécois devraient se contenter de ce qu'ils ont. Les injustices faites aux jeunes, en Haïti, sont beaucoup plus grandes qu'ici.

c) Votez pour notre parti, c'est le parti du changement.

d) Ne faites surtout pas profession de rééduquer les délinquants, car ils sont plus persuasifs que vous et ils vous entraîneront à commettre des injustices. Un jour ou l'autre, vous serez arrêtés et on vous infligera un châtiment bien mérité : on vous coupera les mains, on vous brûlera les yeux et on vous soumettra à mille souffrances atroces.

e) Je ne suis pas d'accord avec ce que tu soutiens, car tes propos sont ignobles.

f) Polos a raison de ne pas se laisser convaincre par Socrate, car tous ceux qui assistent à leur discussion pensent comme lui.

g) Ou bien vous vous rangez du côté du gouvernement ou bien vous serez considérés comme des provocateurs.

h) Je réussis tout ce que j'entreprends parce que je prie tous les matins.

i) Le rire est le propre de l'être humain. Certains disent que Platon ne riait jamais. Platon n'était pas un être humain.

j) Le directeur a accepté le projet des étudiantes et des étudiants uniquement parce que sa fille va en bénéficier.

k) Il faut se battre contre l'invasion de l'Internet. Les innovations techniques bouleversent l'ordre établi.

l) Si je suis en compétition aux Jeux olympiques, alors je m'entraîne sérieusement.

Je m'entraîne sérieusement.
Je suis un athlète olympique.

m) Les femmes sont épuisantes. Elles tiennent toujours à ce que la maison soit bien propre. Elles voient de la poussière partout.

n) Il faut voter pour le Parti québécois. C'est le choix de nos artistes les plus célèbres.

o) Mon chat est plus intelligent que beaucoup d'humains. Si vous le connaissiez, vous diriez la même chose que moi.

6 Dans l'extrait suivant, du dialogue platonicien *Théétète*, Socrate expose la position de Protagoras sur le rôle éducatif des sophistes. D'après ce compte rendu, puisqu'il n'y a pas, selon Protagoras, de différence entre la sensation et la vérité, l'éducation doit rechercher non pas la vérité, mais l'utilité (C).

Lisez attentivement le texte et répondez ensuite aux questions.

Théétète

Socrate Car moi [Protagoras], j'affirme que la vérité, c'est ce que j'ai écrit : que mesure, en effet, est chacun de nous de ce qui est ou non, qu'à l'infini pourtant l'un [un humain] diffère de l'autre [d'un autre humain], en ceci précisément qu'autre [différent] est ce qui est – c'est-à-dire apparaît – à l'un, autre [différent] ce qui est – et apparaît – à l'autre. Et savoir, ou homme savant, il s'en faut de beaucoup que je nie qu'il y en ait. Au contraire, voici celui que j'appelle savant : celui qui, pour l'un quelconque d'entre nous, auquel apparaissent, c'est-à-dire pour lequel sont, des choses mauvaises, en fait, par le changement qu'il opère, apparaître et être de bonnes. Et ne va pas de nouveau faire, au mot près, la chasse à mes paroles. Fais plutôt encore un effort pour comprendre plus clairement ce que je dis, comme ceci – remémore-toi, en effet, l'exemple donné dans le débat précédent : à qui est en état de faiblesse, apparaissent – c'est-à-dire sont – amères les choses qu'il mange, tandis que pour celui qui est en bonne santé, ce qui est – c'est-à-dire ce qui apparaît –, c'est le contraire. Or, d'aucun des deux, on ne doit faire le plus savant – car on ne le peut même pas. On ne doit pas non plus s'exprimer en accusateur, déclarant le malade ignorant parce qu'il a des opinions de telle sorte, et l'homme en bonne santé savant parce qu'il en a de différentes. Mais on doit opérer un changement dans l'un des deux sens, car, de ces deux dispositions, l'une est meilleure. Et de la même façon, dans l'éducation aussi, on doit opérer un changement, d'une disposition donnée à celle qui est meilleure. Mais opérer un changement, le médecin le fait à l'aide de drogues, tandis que le sophiste, c'est par des paroles. Pourtant, ce n'est pas qu'à quelqu'un qui avait des opinions fausses, on en fait avoir ensuite des vraies : car il n'est pas possible d'avoir pour opinion, ni ce qui n'est pas, ni autre chose que ce qu'on éprouve, et ce qu'on éprouve, c'est toujours vrai. Mais, à mon avis, à quelqu'un qui, sous l'effet de la disposition pénible où était son âme, avait des opinions assorties à une telle disposition, on en a, sous l'effet d'une disposition bénéfique, fait avoir d'autres, elles-mêmes bénéfiques : représentations qu'alors certains, par inexpérience, appellent vraies ; moi, je les appelle meilleures les unes que les autres, mais plus vraies, nullement.

Source : PLATON. *Théétète*, 166d-167b, dans *Œuvres complètes*, sous la direction de Luc BRISSON, Paris, Flammarion, 2008, p. 1922-1923.

Questions

a) En prenant la proposition : « L'éducation doit rechercher non pas la vérité, mais l'utilité » comme thèse, trouvez, dans le texte, six prémisses ou plus (il y en a dix en tout) à son appui et faites-en la légende.

Attention : **Certaines prémisses devront être reformulées.**

b) Construisez le schéma.

c) D'après vous, Socrate serait-il d'accord avec cette thèse soutenue par Protagoras ? Dites pourquoi en quelques lignes.

❼ Dans l'extrait suivant du dialogue de Platon, intitulé *Gorgias*, le sophiste Gorgias explique à Socrate sa conception de la rhétorique. Elle est, selon lui, « l'art qui contient toutes les capacités humaines et les maintient sous son contrôle ».

Lisez le texte attentivement et, ensuite, répondez aux questions.

Gorgias II

Gorgias Certes, ce que je tenterai de faire, Socrate, c'est de te révéler, avec clarté, toute la puissance de la rhétorique. Car tu as, toi-même, fort bien ouvert la voie. Tu n'ignores sans doute pas que les arsenaux dont tu parles, les murs d'Athènes et l'aménagement de ses ports, on les doit, les uns, aux conseils de Thémistocle, les autres, à ceux de Périclès, et non pas aux conseils des hommes qui eurent à les construire.

Socrate On le dit de Thémistocle, Gorgias. Pour Périclès, je l'ai moi-même entendu parler de la construction du mur intérieur.

Gorgias Pour chacun des choix que tu évoquais tout à l'heure, Socrate, tu peux voir que les orateurs sont en fait les conseillers et qu'ils font triompher leur point de vue.

Socrate Justement, voilà ce qui m'étonne, Gorgias, et je me demande depuis longtemps de quoi peut bien être fait le pouvoir de la rhétorique. Elle a l'air d'être divine, quand on la voit comme cela, dans toute sa grandeur !

Gorgias Ah, si au moins tu savais tout, Socrate, et en particulier que la rhétorique, laquelle contient, pour ainsi dire, toutes les capacités humaines, les maintient toutes sous son contrôle ! Je vais t'en donner une preuve frappante. Voici. Je suis allé, souvent déjà, avec mon frère, avec d'autres médecins, visiter des malades qui ne consentaient ni à boire leur remède ni à se laisser saigner ou cautériser par le médecin. Et là où ce médecin était impuissant à les convaincre, moi, je parvenais, sans autre art que la rhétorique, à les convaincre. Venons-en à la cité, suppose qu'un orateur et qu'un médecin se rendent dans la cité que tu voudras, et qu'il faille organiser, à l'Assemblée ou dans le cadre d'une autre réunion, une confrontation entre le médecin et l'orateur pour savoir lequel des deux on doit choisir comme médecin. Eh bien, j'affirme que le médecin aurait l'air de n'être rien du tout, et que l'homme qui sait parler serait choisi s'il le voulait. Suppose encore que la confrontation se fasse avec n'importe quel autre spécialiste, c'est toujours l'orateur qui, mieux que personne, saurait convaincre qu'on le choisît. Car il n'y a rien dont l'orateur ne puisse parler, en public, avec une plus grande force de persuasion que celle de n'importe quel spécialiste. Ah, si grande est la puissance de cet art rhétorique !

Source : PLATON. *Gorgias*, 455d-456d, dans *Œuvres complètes*, sous la direction de Luc BRISSON, Paris, Flammarion, 2008, p. 426-427.

Questions

a) Sur quelle prémisse Gorgias fonde-t-il sa conception de la rhétorique ?

   ***Attention :* Ne répondez pas avec un exemple.**

b) Socrate avoue qu'en apparence la rhétorique semble quasi divine mais, en réalité, on sait qu'il en pense une tout autre chose. Mettez-vous à sa place et, dans un texte d'au moins 100 mots, faites l'évaluation du raisonnement de Gorgias, en vous servant des critères d'acceptabilité, de pertinence et de suffisance. Vous pouvez donner des exemples.

La rédaction d'un texte d'argumentation

8 a) Choisissez un problème parmi les suivants.

- Puis-je être libre si mon bonheur dépend de mon pouvoir de me procurer des biens matériels ?

- L'éducation devrait-elle être gratuite pour tous ?

- Est-il juste que des êtres humains soient dans une condition telle que, pour assurer leur survie, on doive leur faire la charité ?

- Puisque nous n'avons qu'une vie à vivre, devons-nous nous inquiéter pour les générations à venir ?

- Puis-je être libre si ma liberté dépend du pouvoir que j'exerce sur les autres ?

- La réalisation de tous mes désirs est-elle une garantie de bonheur ?

- Qui doit-on considérer comme les vrais coupables de la délinquance juvénile ? les jeunes délinquants ? les parents ? la société ? le gouvernement ? la nature ?

- Peut-on trouver du plaisir à faire des efforts intellectuels ?

- Les soins médicaux les plus spécialisés ne doivent-ils être disponibles que pour ceux qui sont capables de les payer ?

- La censure et la liberté sont-elles toujours deux choses contradictoires ?

- Est-il possible d'être objectif quand on parle de soi ?

- Est-il logique qu'un État autorise l'industrie à mettre sur le marché des produits dont l'usage encourt la désapprobation sociale ?

- La philosophie a-t-elle un rôle à jouer à notre époque ?

- L'art appartient-il à toutes les personnes qui le revendiquent ?

- Le bien commun nécessite-t-il que nous imposions certaines limites aux libertés individuelles ?

- Devons-nous accorder des droits aux animaux même si l'on ne peut leur imposer des devoirs ?

- Un État est-il moralement justifié d'interdire à un autre État de faire ce qu'il fait lui-même ?

- Le développement technologique entraîne-t-il le bonheur de l'humanité ?

- Le suicide est-il un acte moralement acceptable ?

- Les forces du mal sont-elles l'apanage de cultures particulières ?

- Puis-je vouloir la guerre dans d'autres pays quand c'est le prix à payer pour qu'il y ait la paix chez moi ?

- La politique est-elle uniquement l'affaire des politiciens ?

- Une guerre peut-elle être moralement acceptable ?

- Les animaux ont-ils une âme ?

b) Produisez la légende et le schéma de votre texte d'argumentation.

Votre légende doit commencer par l'énonciation de votre thèse et elle doit comporter de six à huit prémisses formant au moins deux arguments, au plus trois. L'un de vos arguments doit comprendre une conclusion intermédiaire.

c) Produisez la légende et le schéma de l'argumentation des opposants à votre thèse.

Débutez par l'énonciation de l'antithèse et formulez de une à trois prémisses formant une seule objection.

d) Donnez à votre argumentation la forme d'un texte suivi.

Portez une attention spéciale aux indicateurs de prémisses et de conclusions. Veillez également à ce que soient bien distinguées les idées qui vous appartiennent et celles qui appartiennent à vos opposants. La longueur de votre texte ne compte pas dans la mesure où tous les éléments y soient et que vous respectiez les critères d'évaluation.

- Commencez par une introduction : thème, problème, antithèse et thèse.

- Changez de paragraphe et présentez vos deux ou trois arguments ; chacun doit occuper un paragraphe différent.

Comme l'un de vos arguments se trouvera accompagné de l'objection, il faut nécessairement qu'au moins l'une des prémisses de votre légende serve de réfutation.

- Enfin, dans un dernier paragraphe, vous devez réaffirmer votre thèse et rappeler brièvement les arguments qui ont servi à la défendre.

Attention : **Si vous respectez ce qui est exigé, votre texte devrait comporter quatre ou cinq paragraphes, incluant l'introduction et la conclusion.**

❾ a) Choisissez une thèse socratique parmi les suivantes.

- L'amitié véritable implique la poursuite du bien.

- Le perfectionnement de soi nécessite que l'on se remette en question et que l'on accepte d'être réfuté.

- Ce qui est moralement mauvais ne peut nous être utile.

- L'action moralement bonne découle de la connaissance rationnelle du bien.

- Pour établir des lois justes, il faut connaître l'essence de la justice.

- La justice nous dicte de ne jamais commettre le mal, quelles que soient les circonstances dans lesquelles nous nous trouvons.

- Sans éducation à la rationalité, la démocratie est impossible.

- L'argumentation rationnelle est nécessaire pour s'approcher de la vérité sur des questions controversées.

- La vérité est plus importante que la flatterie.

- Une opinion rationnellement argumentée vaut mieux qu'une opinion mal justifiée.

- Connaître, c'est ne pas prendre les choses belles pour le beau ni le beau pour les choses belles.

- Il vaut mieux savoir qu'on ne sait rien que prétendre tout savoir.

b) Rédigez un texte d'argumentation d'environ 750 mots dans lequel vous devez défendre la thèse choisie.

Votre texte d'argumentation doit obligatoirement contenir les éléments suivants :

Partie A

- Une introduction avec un thème, une question, une antithèse et la thèse.

- Trois arguments empruntés obligatoirement aux théories de Socrate. Remarquez que Socrate peut très bien emprunter un argument à son disciple Platon.

- Deux objections empruntées obligatoirement aux théories des sophistes.

- Deux réfutations.

- Une explication des prémisses, des objections et des réfutations particulièrement lorsque celles-ci contiennent des concepts philosophiques qui ne sont pas à la portée de tous ; chaque explication doit être rattachée de façon claire et pertinente à ce qu'elle explique. Notez que, pour donner de bonnes explications, il est possible de vous référer à divers contenus (par exemple, les règles de l'argumentation rationnelle) qui ne sont pas exclusifs à la matière vue sur Socrate. Vous pouvez aussi fournir des exemples de votre propre cru ou tirés des extraits de textes.

- Une petite conclusion dont le but est de réaffirmer la thèse.

Partie B (environ 100 mots)

À la suite de votre texte d'argumentation, vous devez présenter votre propre position à l'égard de la thèse. Vous devez justifier votre position à l'aide de trois prémisses ou plus qui dénotent une réflexion personnelle concernant le thème débattu. Vous pouvez aussi en profiter pour peser le pour et le contre sur un aspect particulier du problème, qui vous tient plus à cœur.

L'ensemble des parties A et B doit se diviser en six paragraphes :

1. Introduction

2. Présentation du premier argument (avec objection et réfutation, s'il y a lieu)

3. Présentation du deuxième argument (avec objection et réfutation, s'il y a lieu)

4. Présentation du troisième argument (avec objection et réfutation, s'il y a lieu)

5. Conclusion

6. Partie B : votre position personnelle

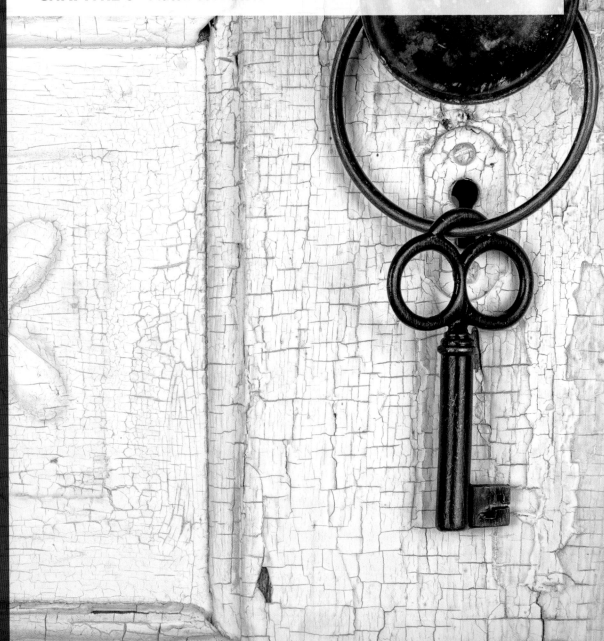

PARTIE 3

Les philosophes grecs et l'utilité de la rationalité

CHAPITRE 5 La philosophie au temps de la démocratie athénienne : Socrate et les sophistes

CHAPITRE 6 Platon et Aristote

La philosophie au temps de la démocratie athénienne : Socrate et les sophistes

« *Un art authentique de la parole, détaché de la vérité, il n'y en a pas.* »
Platon, *Phèdre*

La démocratie athénienne

Dans les chapitres qui précèdent, certains aspects de la pensée de Socrate[1] et de la pensée des sophistes[2] ont été mis en lumière, desquels il est possible de dégager d'importantes oppositions sur les plans de leurs théories de la connaissance et de leurs méthodes de discussion. Ces oppositions sont décrites au tableau 5.1.

Il reste maintenant à découvrir ce que ces positions opposées impliquent logiquement concernant le traitement donné, de part et d'autre, aux questions d'ordres éthique et politique. Mais auparavant, comme toute production humaine (philosophique, littéraire, artistique ou autre) ne pourrait voir le jour sans un milieu propice à son éclosion, un bref examen du contexte historique qui a donné lieu aux débats opposant les sophistes à Socrate nous permettra de mieux en apprécier le contenu et, par l'établissement de quelques ressemblances, de tirer une meilleure compréhension des enjeux actuels dans le domaine des affaires humaines.

---

1. Pour les aspects de la pensée de Socrate, voir le chapitre 2, p. 33 à 35 ; et « La définition universelle », au chapitre 3, p. 63 et 64.
2. Pour les aspects de la pensée des sophistes, voir le chapitre 2, p. 35 ; et « Aperçu historique », au chapitre 4, p. 102 à 104.

Tableau 5.1	Quelques oppositions théoriques entre Socrate et les sophistes	
	Socrate	**Les sophistes**
Théorie de la connaissance	Sur tout sujet, il existe une vérité universelle que nous devons nous appliquer à rechercher si nous voulons parler avec justesse de ce qui existe dans notre monde et si nous voulons agir en vue du bien. Le réel est indépendant de nos impressions subjectives.	La vérité est relative aux perceptions que tout un chacun a des réalités toujours changeantes de notre monde. Vérité et opinion sont identiques. L'humain est la mesure de toutes choses. C'est l'humain qui, au moyen du langage, décide de ce qui existe et de ce qui n'existe pas.
Méthode de discussion	L'unique méthode permettant de se rapprocher de la vérité est l'argumentation rationnelle (telle que nous l'avons étudiée aux chapitres précédents), qui implique un engagement de toute notre personne tant sur le plan moral que sur le plan intellectuel. Seuls la remise en question de nos opinions et l'exercice de la raison peuvent nous aider à nous défaire de nos contradictions. L'adhésion de la majorité à une opinion n'est pas une preuve de sa vérité.	La rhétorique, ou l'art de faire de beaux discours, est la méthode suprême. C'est pourquoi le sage est reconnu être celui qui peut user de tous les aspects du langage – grammaire, figures de style, éloquence, sophismes – dans le but d'éveiller les émotions et de persuader son auditoire non pas de ce qui est le plus vrai, mais de ce qui est le plus utile selon les circonstances.

Monarchie

Un régime politique est monarchique lorsque le gouvernement est régi par un seul (en grec : *mónos*) chef. Bien qu'il existe une certaine instabilité dans l'usage des termes, à l'époque de Platon, on a tendance à opposer la monarchie à la tyrannie. La monarchie est alors dite « tyrannique » lorsque le roi ne respecte pas le bien commun et qu'il gouverne (en grec : *árkhein*) dans son unique intérêt.

Aristocratie

Un régime est aristocratique lorsque le gouvernement est régi par quelques individus reconnus comme étant les meilleurs (en grec : *áristoi*). À l'époque de Platon, on a tendance à opposer l'aristocratie à l'oligarchie, que l'on considère comme le gouvernement d'un petit nombre de personnes (en grec : *olígos*) qui ne sont pas pour autant les meilleures. En ce sens, l'aristocratie n'est qu'une oligarchie, lorsque le gouvernement exerce son pouvoir (en grec : *krátos*) dans l'intérêt exclusif des riches.

Les événements qui ont conduit à la démocratie athénienne

Dans l'Antiquité, la Grèce, qui est un pays naturellement morcelé par sa structure montagneuse, était partagée en plusieurs petites cités-États[3] qui se liguaient pour combattre des ennemis extérieurs. Chacune de ces cités-États possédait sa propre administration et des cultes religieux distincts ; chacune avait également une agora (place où se tenaient les assemblées politiques), un marché et une acropole ou citadelle.

Jusqu'à la fin du viiie siècle avant Jésus-Christ, le régime politique des cités-États de la Grèce avait consisté généralement en un régime **monarchique**, telles les royautés décrites par Homère dans ses épopées. À cette époque, il n'y avait pas encore de lois écrites. Les récits mythiques, qui étaient transmis oralement, prédominaient sur la pensée rationnelle ; les rois fondaient leur pouvoir sur les rituels religieux auxquels ils présidaient.

Cette alliance entre pouvoir politique et pouvoir religieux servit longtemps au maintien de la cohésion sociale mais, progressivement, cette situation se modifia. Les communautés s'étant agrandies et enrichies, les riches propriétaires terriens qui formaient le Conseil du roi finirent par accaparer son pouvoir et instaurèrent un régime **aristocratique**. Beaucoup de gouvernants, qui étaient issus des classes sociales les plus riches, profitèrent de la tradition et se servirent d'une supposée justice divine, désormais modifiée à leur avantage, pour abuser le peuple.

Toutefois, au vie siècle avant Jésus-Christ, la classe commerçante, qui s'était elle-même enrichie grâce à ses échanges avec les pays étrangers, possédait désormais la capacité de remettre en question le pouvoir arbitraire des gouvernants. Elle se mit à la tête du peuple et revendiqua la formulation de lois écrites afin de protéger ses nouvelles acquisitions. On passa alors graduellement d'une justice divine (sans lois

---

3. Voir la carte, au chapitre 1, p. 3.

écrites) à une justice humaine ou **justice conventionnelle** (avec des lois écrites). On se souvient que, depuis le passage de la pensée mythique à la philosophie, la nature avait perdu son caractère religieux ; cette évolution s'appliquait maintenant aux affaires humaines. Désormais, les lois n'étaient plus considérées comme faisant partie de l'ordre immuable des choses ; on tendait plutôt à leur attribuer une origine historique. La Grèce connut alors la création de régimes plus modérés qui permirent aux moins nantis de se libérer peu à peu de la tyrannie des plus puissants. À Athènes, ces changements aboutirent à l'instauration de la **démocratie**.

Solon (vers -640 à vers -558) fut le premier haut fonctionnaire à répondre de façon significative aux revendications du peuple athénien ; c'est pourquoi on le surnomme « le père de la démocratie ». Parmi les principales modifications qu'il apporta à la Constitution d'Athènes, on compte l'abolition des dettes imposées par les riches propriétaires terriens aux paysans – ces derniers purent dès lors devenir possesseurs des terres sur lesquelles ils travaillaient –, la libération des **esclaves** d'origine grecque et la substitution de l'aristocratie de fortune (ou ploutocratie ; en grec, *ploûtos* veut dire « richesse ») à l'aristocratie de naissance. Cette dernière modification ouvrait la voie à la démocratie, car tout **citoyen** ayant désormais le droit de s'enrichir, une certaine flexibilité s'installa parmi les différentes couches sociales de la cité. Les charges publiques n'allaient plus être l'affaire exclusive des nobles de sang.

Malgré la réforme de Solon (-594), il faudra attendre jusqu'en -508, au moment de l'application du système décimal de Clisthène, pour qu'un véritable régime démocratique voie le jour. Dans le but de supprimer les privilèges des aristocrates, Clisthène divisa le territoire d'Athènes en 10 tribus où se trouvaient rassemblés pêle-mêle les citoyens de

Esclave

L'esclavage était répandu dans l'Antiquité. En Grèce, il existait deux catégories d'esclaves : la première, la plus importante, comprenait des esclaves non grecs qui avaient été faits prisonniers à la suite de guerres ; la seconde était constituée de Grecs nés de parents esclaves ou asservis à la suite de dettes non remboursées. La réforme de Solon touchait cette seconde catégorie. L'esclavage est évidemment une pratique inacceptable. Néanmoins, lorsqu'on compare nos sociétés modernes aux sociétés antiques, il faut considérer que le capitalisme lui a substitué d'autres formes d'exploitation qui, souvent, ne garantissent en rien une meilleure qualité de vie à celles ainsi qu'à ceux qui en sont les victimes. À ce sujet, on peut consulter, parmi beaucoup d'autres sources, le documentaire de Philippe Diaz, intitulé *La fin de la pauvreté ?* (2008).

Solon, réformateur athénien, d'après une représentation de l'école flamande.

Citoyen

Le statut de citoyen n'était pas accordé à tous. À l'apogée d'Athènes, qui comptait alors 300 000 habitants, les esclaves, qui ne faisaient pas partie du nombre des citoyens, étaient trois fois plus nombreux que les personnes libres. De plus, parmi ces dernières, les femmes, les enfants qui avaient moins de 18 ans et les métèques (étrangers domiciliés à Athènes) n'avaient ni le droit de vote, ni celui de participer à l'administration de la cité.

différentes couches socioéconomiques. Les membres du gouvernement de la cité furent dès lors choisis dans les tribus sans distinction de classe ou de profession. Le gouvernement était formé de 10 stratèges ou généraux (un par tribu), élus annuellement par voie de scrutin[4], et de 500 conseillers (50 par tribu) tirés au sort ; les conseillers de chaque tribu siégeaient au prytanée[5] pendant un dixième de l'année administrative. De plus, un tribunal populaire composé de 5000 juges (500 par tribu) tirés au sort rendait la justice ; le jury d'un unique procès pouvait compter jusqu'à 1001 personnes. La figure 5.1 indique, sous la forme d'une ligne du temps, les faits historiques marquants de la démocratie athénienne.

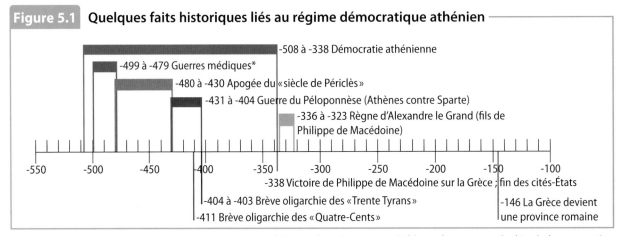

Figure 5.1 Quelques faits historiques liés au régime démocratique athénien

-508 à -338 Démocratie athénienne
-499 à -479 Guerres médiques*
-480 à -430 Apogée du «siècle de Périclès»
-431 à -404 Guerre du Péloponnèse (Athènes contre Sparte)
-336 à -323 Règne d'Alexandre le Grand (fils de Philippe de Macédoine)

-550 -500 -450 -400 -350 -300 -250 -200 -150 -100

-338 Victoire de Philippe de Macédoine sur la Grèce ; fin des cités-États
-404 à -403 Brève oligarchie des «Trente Tyrans»
-411 Brève oligarchie des «Quatre-Cents»
-146 La Grèce devient une province romaine

* La victoire finale des Grecs sur les Perses a pour conséquence la confédération des cités grecques qu'Athènes subjugue et entraîne bientôt dans son empire.

Une démocratie directe

La démocratie athénienne est un phénomène inusité dans l'ensemble de l'histoire occidentale. Après sa chute, il faudra attendre jusqu'au xviiie siècle de notre ère pour que des philosophes jettent les bases théoriques de nos démocraties modernes. Mais, contrairement à ces dernières, qui sont représentatives – ce sont des représentants élus qui exercent le pouvoir à la place du peuple –, à Athènes, il y avait une **démocratie directe** : c'est le peuple

Démocratie directe

On a souvent cherché à découvrir dans l'étude du fonctionnement de la démocratie athénienne les remèdes aux lacunes de nos démocraties modernes. En ce sens, on a beaucoup loué le fait qu'à Athènes, les libertés individuelles étaient liées de façon indissociable aux devoirs que chacun se sentait responsable d'accomplir vis-à-vis de ses concitoyens ; le bonheur de l'individu était lié en quelque sorte à celui de la cité. Au xviiie siècle de notre ère, Jean-Jacques Rousseau (philosophe de langue française né à Genève, en 1712, et décédé en 1778) rêvera d'un système de démocratie directe comme celui des Athéniens et, toute proportion gardée, on peut aussi retrouver une volonté semblable chez certains adeptes de l'idée plus récente de démocratie participative.

---

4. Périclès (homme politique qui a vécu de -495 à -429) a été réélu 15 fois « stratège » (de -443 à -429) par les citoyens d'Athènes. Grâce à lui, Athènes devint prestigieuse sur le plan des arts et des lettres.

5. Le « prytanée » est l'édifice public où logent et siègent à tour de rôle les 10 groupes de conseillers qui, pendant une dixième partie de l'année, forment un comité directeur. C'est là aussi que l'on rend un culte à l'État, auquel seuls les citoyens peuvent participer.

qui gouvernait directement. D'abord, le tirage au sort permettait à tout citoyen d'être tour à tour gouvernant et gouverné. Cela avait pour avantage de limiter à la fois les intrigues et le pouvoir des individus qui avaient une trop grande influence. Dans le même but, Clisthène avait institué l'ostracisme, qui consistait à expulser de la cité tout citoyen qui, devenu trop influent, risquait de faire basculer la démocratie du côté de la tyrannie.

Ensuite, l'**Assemblée du peuple** était souveraine dans toutes les affaires publiques. Elle nommait et surveillait les hauts magistrats, votait toutes les lois élaborées par le Conseil, administrait la justice. Seules les lois étaient désormais placées au-dessus des citoyens. Les Athéniens méprisaient le fait qu'on puisse se prosterner devant un maître autre que la loi ; plus que tout, ils valorisaient la suprématie du principe de liberté ; cela se faisait sentir dans l'importance qu'ils accordaient aux dialogues et aux discours tenus devant l'Assemblée du peuple. Qu'il soit riche ou pauvre, tout citoyen, même s'il ne faisait pas partie du Conseil, pouvait présenter des avis qu'il jugeait bons pour la cité. De plus, même si les classes sociales subsistaient, des mesures furent établies dans le but d'atténuer les trop grandes différences de richesse. Par exemple, seuls les riches avaient à payer les frais occasionnés par les rassemblements de citoyens, comme les fêtes populaires, les cérémonies religieuses et les repas en commun.

L'Acropole, forteresse et sanctuaire d'Athènes.

Assemblée du peuple

L'Assemblée du peuple ou *ecclésia* était constituée de tous les citoyens, bien qu'en temps de paix une grande partie d'entre eux n'y participaient que rarement. Elle tenait séance une trentaine de fois par année, ordinairement sur la colline appelée la Pnyx. Son rôle était de discuter et, si elle le désirait, de modifier les propositions que lui présentait le Conseil des Cinq-Cents. Elle devait donc être informée de tout et statuer sur tout.

Ce contexte était idéal pour les sophistes, qui étaient des maîtres dans l'art de bien parler. Les sophistes, qui avaient pour coutume de se déplacer de cité en cité, étaient en demande à Athènes plus que partout ailleurs. Les jeunes gens riches qui avaient des ambitions politiques s'intéressaient aux cours de rhétorique, car ils souhaitaient acquérir l'art de faire de beaux discours pour persuader la foule de leurs opinions et influencer le vote de la majorité.

Malheureusement, vers la fin du Ve siècle avant Jésus-Christ, la pratique de la démocratie se dégrada ; à l'époque qui suivit le siècle de Périclès, elle suscita de vives controverses qui ont pris leur plus nette expression dans les débats confrontant les sophistes à Socrate et à Platon. Certains hommes, cultivés et financièrement bien nantis, incitaient le peuple, en toute légalité, à prendre des décisions extravagantes[6] et faisaient valoir leurs intérêts sans se soucier du bien commun. Selon le témoignage de Platon, ils encourageaient le peuple à émettre des décrets qui allaient souvent à l'encontre des lois déjà existantes ; les lois se faisaient et se défaisaient au rythme des besoins immédiats. C'était devenu le désordre total.

---

6. Par exemple, en -406, lors de la victoire des Athéniens aux îles Arginuses, les généraux vainqueurs furent condamnés à mort pour ne pas, comme le voulait la coutume, avoir rapporté les dépouilles des morts, alors qu'il faisait tempête. Le lendemain, les Athéniens pleuraient sur le sort de ces mêmes généraux.

Les sophistes

Compte tenu de leur conception du réel et de la vérité, les sophistes ont placé l'humain et le langage au cœur de leurs théories et, concernant les affaires humaines, ils ont opposé à la recherche de normes universelles la recherche de normes **pragmatiques**. On peut dire d'eux qu'ils sont les premiers **humanistes**[7] de l'histoire de la pensée occidentale : ce sont les premiers à subordonner la science à l'expérience humaine et aux besoins des individus, et à soutenir l'impossibilité de parvenir à la connaissance de toute cause transcendante. Protagoras, par exemple, est **agnostique** ; il refuse de faire intervenir les dieux dans toute discussion portant sur la réalité humaine car, dit-il, « touchant les dieux, je ne suis pas en mesure de savoir ni s'ils existent, ni s'ils n'existent pas, pas plus que ce qu'ils sont quant à leur aspect. Trop de choses nous empêchent de le savoir : leur insensibilité [le fait qu'on ne peut les percevoir au moyen des sens] et la brièveté de la vie humaine[8]. »

Les sophistes ne s'entendent pas tous pour autant sur ce qu'ils considèrent le plus utile à la vie en société.

Protagoras, défenseur de la justice humaine

Les transformations sociales qui eurent lieu en Grèce au vi[e] siècle avant Jésus-Christ entraînèrent la substitution d'une justice humaine à une justice divine. Rappelons que l'application de lois non écrites, que les dieux nous auraient transmises et que les tyrans modifiaient au gré de leurs désirs, fut alors remplacée par l'établissement de lois écrites, plus égalitaires.

Pour encourager les Grecs à se conformer respectueusement à ces nouvelles lois, le sophiste Protagoras élabore une théorie historique, la **théorie de l'évolution des sociétés humaines**[9], dans laquelle il loue les mérites des lois, qui ont pour origine la convention. Protagoras veut ainsi leur faire comprendre que, sans un respect profond de la convention et de l'harmonie politique, la vie humaine régresserait vers un état de désordre et de guerre perpétuelle.

Pragmatisme

Dans le présent contexte, le terme « pragmatique » a le sens de ce qui ne considère les choses (le mot « chose » en grec se dit *prâgma*) que du point de vue de leur utilité pour la conduite humaine.

Humanisme

Courant de pensée qui accorde à l'humain une valeur suprême. La doctrine de l'humanisme subordonne la vérité à l'esprit humain et à l'expérience. Dans le domaine de l'action, les humanistes privilégient la croyance dans le salut de l'humain au moyen de ses seules forces.

Agnosticisme

Doctrine selon laquelle il est inutile de se préoccuper de métaphysique et de théologie, car leur objet est inconnaissable. L'agnosticisme diffère de l'athéisme, qui nie l'existence même de Dieu.

Théorie de l'évolution des sociétés humaines

La théorie de l'évolution des sociétés humaines de Protagoras contient en germe les théories du contrat social des xviie et xviiie siècles de notre ère au moyen desquelles les philosophes faisaient l'hypothèse d'une nature originelle de l'humain afin de résoudre le problème du gouvernement qui serait le meilleur pour l'établissement d'une société juste. Par exemple, Thomas Hobbes (1588-1679) était en faveur de la monarchie absolue car, selon lui, si les humains avaient conclu un accord pour vivre en société, c'est qu'ils visaient à protéger leurs droits et libertés contre un état de nature dans lequel, chacun agissant comme un loup à l'égard des autres humains, il régnait une guerre perpétuelle de tous contre tous. Toutefois, contrairement à Protagoras, Hobbes ne pensait pas que la convention suffisait, mais qu'il fallait également donner au gouvernement (le Loup central) tous les moyens pour châtier les contrevenants à la loi. Notons que d'autres philosophes, comme Jean-Jacques Rousseau, ne concevaient pas l'humain comme originellement méchant.

---

7. Il ne faut pas confondre les termes « humaniste » et « humanisme » avec les termes « humanitariste » et « humanitarisme », qui se rapportent à l'idée de philanthropie.

8. PROTAGORAS, fragment du traité *Sur les dieux*, dans Jean-Paul DUMONT, *Les écoles présocratiques*, Paris, Gallimard, 1991, p. 680.

9. Voir *La fable de Protagoras*, dans les « Activités d'apprentissage », à la fin de ce chapitre.

Selon cette théorie, ce n'est que par un lent apprentissage que les humains apprirent à se libérer de leurs instincts primitifs et égoïstes, et à se protéger contre une nature dangereuse dans laquelle ils étaient constamment livrés aux attaques des animaux. Comme ils souhaitaient quitter cet état brutal et désordonné, ils passèrent un contrat d'entraide mutuelle et s'empressèrent alors d'obéir à la loi, seule garantie de sécurité et d'égalité. Protagoras oppose donc à un état primitif et sauvage une sociabilité acquise par l'expérience. La société permet aux humains, malgré leur nature qui ne les porte pas à s'unir, de faire l'apprentissage des vertus et, grâce à cette éducation, ils obéissent à la convention et rejettent tout ce qui constitue un danger pour la société et leur propre survie.

Ce parti pris de Protagoras pour la convention à l'encontre de la tyrannie des puissants n'était pas une simple préférence politique, mais il était aussi une conséquence logique des théories du réel et de la vérité des sophistes. La brève argumentation qui suit reprend dans les grandes lignes ce qui a conduit Protagoras à soutenir que la convention est le bien le plus grand.

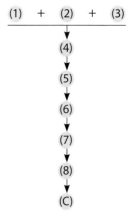

Puisque (1) la nature n'offre rien de stable à nos perceptions – les perpétuelles contradictions des apparences constituent le fond sur lequel l'humain élabore la réalité –, que (2) la science est la sensation – le réel et le vrai dépendent de la manière dont nous organisons dans le discours ce qui apparaît à nos sens – et que, finalement, (3) tout est subjectif – les choses ne sont que ce que nous disons qu'elles sont –, il s'ensuit que (4) la connaissance du bien et du juste ne peut être fondée sur celle de lois naturelles objectives. Par conséquent, (5) dans le domaine de l'action, la justice ne peut avoir de qualités objectives : elle dépend entièrement des décisions des humains. (6) Il n'y a donc pas de justice universelle, supérieure à la convention, et, par conséquent, (7) « justice » et « légalité » (les lois que nous nous donnons dans une convention) sont des termes synonymes. (8) Par définition, la loi établie par convention est donc parfaitement juste tant et aussi longtemps que la majorité la croit telle, et il s'ensuit (C) qu'il faut respecter la convention, qui est le bien le plus grand.

Le pragmatisme et la nécessité de la rhétorique

Puisque, pour les sophistes, nos opinions nous viennent de nos perceptions, qui sont toutes reconnues vraies, chacun pourrait s'inventer sa propre justice et, ce faisant, conduire la société à une guerre continuelle d'intérêts contradictoires. C'est pourquoi, selon Protagoras, la possession de l'art de la rhétorique est si nécessaire au sage, c'est-à-dire à celui qui sait reconnaître ce qui est le plus avantageux aux fins de la vie en commun. S'il veut empêcher le désordre politique et les luttes perpétuelles, l'homme d'État doit se référer à des normes pragmatiques et faire adopter, au moyen de discours persuasifs, les opinions les plus utiles à la vie en société, peu importe, par ailleurs, les croyances qu'il propage ou les fictions qu'il fabrique pour maintenir la cohésion. Pour Protagoras, la sagesse consiste en cette capacité d'influencer les foules et d'orienter la vie commune en ralliant la majorité autour des choix qui conviennent le mieux selon les circonstances et le moment donnés.

Par conséquent, l'enseignement de la rhétorique doit fournir tous les moyens qui permettent à l'opinion la plus utile de sortir gagnante. Par exemple, Protagoras enseignait la technique du discours double qui consiste à louer et à blâmer chacune des deux positions opposées d'un même problème. Par la maîtrise de cette technique, ses élèves acquéraient l'habileté nécessaire pour déjouer les arguments de tout contradicteur et faire en sorte que même la position qui semblait, en premier lieu, la plus faible puisse l'emporter sur la position qui paraissait la plus forte. C'est pourquoi on disait que Protagoras enseignait l'art de faire que l'argument le plus faible l'emporte sur le plus fort.

En conclusion, avec la rhétorique, la discussion rationnelle, au moyen de laquelle on cherche à se rapporter à des normes universelles pour juger de ce qui est bon, juste et utile, est remplacée par un combat d'opinions dans lequel le bien est subordonné à l'utile et la vérité à la vraisemblance.

La loi du plus fort

L'opposition établie entre la nature et la loi justifie, selon la pensée de Protagoras, l'obligation pour les humains de se conformer à la convention sociale. La loi substitue une justice égale pour tous à un état de nature sauvage et désordonné.

Toutefois, d'autres sophistes, qui s'appuient pourtant sur la même théorie du développement historique de la société, adoptent une conception qui privilégie la nature. Ils se disent que si la loi n'est qu'affaire de convention humaine, elle est artificielle comparativement à la nature et que, par conséquent, il faut lui désobéir chaque fois qu'on ne risque pas de se faire prendre. Le sophiste Antiphon, par exemple, défend un point de vue très radical : la loi n'est qu'une invention de la majorité, composée de faibles et de vauriens qui sont impuissants à réaliser leurs désirs et qui veulent empêcher les plus forts de dominer. Dans *La République* de Platon[10], on voit, dans le même sens, le sophiste Thrasymaque soutenir que la justice véritable est la loi du plus fort. Selon lui, la loi de la nature, opposée à la loi établie par convention humaine, est ainsi faite que c'est toujours le plus fort qui commande et qui établit des lois dans son propre intérêt, alors que le plus faible obéit, uniquement par crainte de représailles. Plus celui qui commande est cruel et injuste, plus la foule se soumet et loue son tyran, comme si c'était un bienfaiteur.

Dans le but de montrer que les humains sont à l'évidence plus enclins à suivre leur nature égoïste qu'à respecter la loi et qu'il est normal que chacun agisse dans son intérêt personnel sans tenir compte d'autrui, Glaucon, quant à lui, raconte ce qui un jour arriva à Gygès, un berger au service du roi de Lydie[11].

> Après un gros orage et un tremblement de terre, le sol s'était fissuré et une crevasse s'était formée à l'endroit où il faisait paître son troupeau. Cette vue l'émerveilla et il y descendit pour voir, entre autres merveilles qu'on rapporte, un cheval d'airain creux, percé de petites ouvertures à travers lesquelles, ayant glissé la tête, il aperçut un cadavre, qui était apparemment celui d'un géant. Ce mort n'avait rien sur lui, si ce n'est un anneau d'or à la main, qu'il prit avant de remonter. À l'occasion

---

10. Voir l'extrait intitulé *La République*, dans les « Activités d'apprentissage », à la fin de ce chapitre.

11. PLATON, *La République*, 359d-360b, dans *Œuvres complètes*, sous la direction de Luc BRISSON, Paris, Flammarion, 2008, p. 1518.

de la réunion coutumière des bergers, au cours de laquelle ils communiquaient au roi ce qui concernait le troupeau pour le mois courant, notre berger se présenta portant au doigt son anneau. Ayant pris place avec les autres, il tourna par hasard le chaton de l'anneau vers la paume de sa main. Cela s'était à peine produit qu'il devint invisible aux yeux de ceux qui étaient rassemblés autour de lui et qui se mirent à parler de lui, comme s'il avait quitté l'assemblée. Il en fut stupéfait et, manipulant l'anneau en sens inverse, il tourna le chaton vers l'extérieur: ce faisant, il redevint aussitôt visible. Prenant conscience de ce phénomène, il essaya de nouveau de manier l'anneau pour vérifier qu'il avait bien ce pouvoir, et la chose se répéta de la même manière: s'il tournait le chaton vers l'intérieur, il devenait invisible; s'il le tournait vers l'extérieur, il devenait visible. Fort de cette observation, il s'arrangea aussitôt pour faire partie des messagers délégués auprès du roi et parvenu au palais, il séduisit la reine. Avec sa complicité, il tua le roi et, ce faisant, s'empara du pouvoir.

Or, selon Glaucon, si chacun possédait cet anneau légendaire, il n'y aurait aucune distinction entre le juste et l'injuste, car personne ne résisterait à la tentation de commettre le mal. Le respect de la loi n'est jamais volontaire; la loi n'est qu'un obstacle à la réalisation de la nature humaine.

Les points de vue d'Antiphon, de Thrasymaque et de Glaucon nous montrent que, même si tous les sophistes étaient d'avis qu'il n'y a ni vérité absolue ni justice divine, en ce qui concerne la justice humaine, ils se divisaient en deux clans: ceux qui, comme Protagoras, soutenaient qu'il faut obéir à la loi, et ceux qui, à l'inverse, affirmaient qu'elle met injustement un frein à la nature humaine. Cependant, comme l'enseignement des uns et des autres visait beaucoup plus l'acquisition des moyens de réussite que la connaissance des fins morales pour lesquelles on doit gouverner, leurs auditeurs et élèves pouvaient, s'ils le désiraient, utiliser l'habileté qu'ils avaient acquise uniquement dans leur intérêt personnel. Par exemple, tout en tentant de persuader le peuple que telle ou telle option politique était la plus avantageuse, ils pouvaient garder secrètes des intentions tout autres. Au fond, laissée entre leurs mains, la loi devenait une affaire de stratégie et de calcul.

Calliclès, riche aristocrate et ami des sophistes, offre un exemple typique de l'immoralité dans laquelle la démocratie athénienne avait sombré à l'époque où Socrate et Platon s'opposèrent aux sophistes. Selon Calliclès, les plus forts ont le devoir de mépriser la loi érigée par convention et de suivre la loi de la nature, qui dicte d'user de tous les moyens pour dominer les autres. Comme la nature donne aux plus forts la possibilité de satisfaire tous leurs désirs et que le bien n'est autre chose que leur réalisation, il est juste de se comporter ainsi. L'homme véritablement juste est, pour Calliclès, le tyran le plus cruel; à côté de cela, la convention n'est que sottise.

En définitive, même si Protagoras visait de nobles buts, le relativisme qu'il soutenait a fait en sorte qu'au sein même de la sophistique, l'éloge de la démocratie est devenu, pour certains, un éloge de la tyrannie et de l'égoïsme.

Socrate

Socrate (de -470 à -399), le fondateur de la science morale, exhortait les gens à remettre en question leurs préjugés et leurs opinions.

L'activité philosophique de Socrate a lieu au moment même où la démocratie athénienne bat son plein. On assiste alors à une surabondance de débats privés et publics touchant à toutes les questions relatives aux affaires humaines. Les sophistes, qui sont devenus les maîtres à penser de la jeunesse athénienne, enseignent, pour leur part, toutes les subtilités de la rhétorique et de la persuasion. C'est principalement pour mettre un frein à ces pratiques, qui, selon lui, entraînent la désobéissance aux lois et la dégradation des mœurs, que Socrate se préoccupe de rechercher la vérité dans le domaine moral.

Socrate côtoie alors des gens de toutes les classes sociales. Il passe la plus grande partie de son temps sur la place publique où il discute avec tous ceux qu'il rencontre, et il dénonce la prétention et le conformisme irréfléchi. Contre ceux qui prônent la loi du plus fort, la recherche de plaisirs et l'accumulation de richesses matérielles, il exhorte les humains à prendre soin de leur vie intérieure et de leur âme. Socrate se vaut ainsi l'admiration d'un grand nombre de ses concitoyens. Toutefois, son sens critique et son combat acharné contre l'injustice lui attirent de graves ennuis ; en -399, le tribunal d'Athènes le condamne à boire la ciguë, un poison mortel, sous prétexte qu'il corrompt les jeunes gens et qu'il ne croit pas aux dieux que vénère la cité, mais leur substitue plutôt des divinités nouvelles[12].

Dans l'*Apologie de Socrate*, Platon relate les propos que tient Socrate au cours de son procès. Selon ce témoignage, les hommes puissants d'Athènes cherchent depuis longtemps à se débarrasser de lui parce qu'ils ne sont pas heureux qu'il démasque leur prétention et leur ignorance, et ils n'aiment pas que, souvent, leurs propres fils se soient mis à les réfuter à la manière socratique. Socrate fait alors reposer la force de persuasion qu'ont ses accusateurs actuels (Mélétos, Anytos et Lycon) sur le fait que leurs deux chefs d'accusation reproduisent des rumeurs et des calomnies beaucoup plus anciennes. Ainsi, les anciens le blâmaient, premièrement, de rechercher sans aucune réserve ce qui se passe sous la terre et dans le ciel. Mais Socrate ne s'intéressait pas à la philosophie de la nature ; pour lui, la philosophie doit d'abord porter sur la conduite morale de l'humain.

Deuxièmement, on disait qu'il faisait en sorte que l'argument le plus faible l'emporte sur le plus fort ; en d'autres mots, on confondait sa pratique avec la rhétorique de Protagoras et des autres sophistes.

Troisièmement, on l'accusait de se faire rémunérer pour enseigner à d'autres à faire comme lui. C'était ne pas savoir que, selon Socrate, la vertu ne peut être enseignée à la manière d'un objet exclusivement intellectuel puisqu'elle est également un savoir-être. Socrate ne troquait pas la vertu contre de l'argent ; sa mission était celle d'un guide dans la recherche de la vérité.

Enfin, on disait qu'en défendant indifféremment le bien et le mal, et qu'en étudiant la nature, Socrate rendait les jeunes athées. Socrate soutient pourtant qu'il n'est pas athée. D'abord, il affirme qu'un dieu personnel lui parle et l'arrête

---

12. Voir *Apologie de Socrate I*, dans les « Activités d'apprentissage », à la fin du chapitre.

chaque fois qu'il tend à ne pas faire le bien. C'est ce dieu personnel qui l'a incité à ne pas s'occuper activement de politique pour se consacrer entièrement à la philosophie, afin d'examiner son âme et celle de ses concitoyens. Quant aux dieux de la cité, Socrate ne les rejette pas. Cependant, il s'oppose aux croyances traditionnelles selon lesquelles les dieux ont accompli des actes immoraux : les dieux n'ont pu avoir les querelles, les différends ni les haines qui, selon la mythologie, les auraient dressés les uns contre les autres. Selon lui, si la connaissance du bien entraîne chez l'homme une conduite vertueuse, cette connaissance, qui est parfaite chez les dieux, s'accorde d'autant moins avec une mauvaise conduite. Les dieux auxquels croit Socrate sont des dieux bienfaisants qui incitent les hommes à faire usage de leur raison pour agir selon le bien et atteindre ainsi au bonheur.

Un procès politique

Sous le couvert d'accusations portant sur son activité philosophique, le procès de Socrate est, en fait, surtout un procès politique. Certains Athéniens qui ne l'aiment pas profitent d'une situation politique inhabituelle pour l'accuser, faussement, de torts qui font facilement scandale dans la population. Mais, au fond, on lui en veut d'avoir remis en question le fonctionnement de la démocratie. À ce sujet, l'historien Xénophon, dans les *Mémorables*, nous rapporte ce qui suit :

> Mais par Zeus, soutenait l'accusateur, il poussait ses compagnons à regarder de haut les lois établies lorsqu'il prétendait que c'est folie de désigner les dirigeants de la cité à l'aide d'une fève, alors que personne ne consentirait à employer un pilote désigné par la fève, ni un architecte ainsi désigné, ni un joueur de flûte, ni qui que ce soit pour d'autres emplois de ce genre, dont les erreurs causent pourtant beaucoup moins de tort que celles commises par les dirigeants de la cité[13].

Le procès se tient quelques années après la chute de l' **oligarchie des « Trente Tyrans »** et la restauration de la démocratie athénienne qui eurent lieu en l'an -403. Ce sont donc des citoyens athéniens, adeptes de la démocratie, qui poursuivent Socrate en justice. Entre autres choses, on lui reproche, sans le dire, d'avoir entretenu des relations avec Critias et Charmide, deux membres des « Trente Tyrans » et parents de Platon. Pourtant, même si Socrate avait toujours accepté de dialoguer avec quiconque en avait envie, sous le règne des « Trente Tyrans », il a été le seul à avoir le courage de désobéir à

Oligarchie des « Trente Tyrans »

L'oligarchie des « Trente Tyrans » renversa la démocratie athénienne à la fin de la guerre du Péloponnèse (voir la figure 5.1). Ce sont trente citoyens athéniens, soutenus par les Spartiates, qui prirent le pouvoir et l'exercèrent de façon aléatoire et sanguinaire. Près de quinze cents citoyens, qui s'opposaient à ce gouvernement constitué d'une minorité fortunée, furent mis à mort. La démocratie fut toutefois rétablie en -403, après le combat que menèrent, sous le commandement de Thrasybule, ceux qui s'étaient exilés pour échapper à la mort.

---

13. XÉNOPHON, *Mémorables*, I, 2, 9, trad. par Louis-André DORION, Paris, Les Belles Lettres, 2000, p. 11.

Critias, qui lui ordonnait d'aller chercher Léon de Salamine pour qu'il soit exécuté, sans quoi il était lui-même menacé de mort. Malgré tout, les démocrates, qui craignaient un nouveau renversement, voulaient faire taire celui qu'ils jugeaient comme l'intellectuel de l'opposition.

Socrate était-il vraiment contre la démocratie ? N'aurait-il pas critiqué de façon semblable tout autre régime politique ? En réalité, Socrate ne faisait que remettre en question ce qui, selon lui, empêchait la démocratie de bien fonctionner. Son raisonnement était simple : si tous les citoyens doivent gouverner, il faut que, selon les préceptes de l'art politique, chacun gouverne dans l'intérêt de tous les gouvernés ; si, au contraire, chacun ne veille qu'à son unique intérêt, la démocratie risque de dégénérer en tyrannie et en loi du plus fort. La démocratie qui était, à Athènes, administrée directement par tous les citoyens, exigeait donc, selon Socrate, qu'ils soient tous vertueux, qu'ils soient disposés à toujours être justes envers les autres. Or, pour cela, il fallait qu'ils sachent ce qu'est la justice. Malheureusement, Socrate constatait, devant les opinions toutes faites et les préjugés qui circulaient, que cette connaissance était en fait le cas de peu de gens ; et c'est pourquoi il ne pouvait s'empêcher de questionner les « beaux parleurs » qui avaient la prétention de dicter leur conduite aux autres alors qu'eux-mêmes ne se préoccupaient pas de la connaissance de la justice et du bien commun. Or, selon Socrate, il ne suffit pas de se croire moralement bon pour l'être réellement. La vertu nécessite des efforts ; elle exige un examen de soi et une recherche constante de la vérité que beaucoup d'hommes puissants méprisaient au profit de leurs intérêts personnels.

La vertu-science

L'originalité de la philosophie de Socrate réside dans sa conception du rapport entre l'action moralement bonne et la connaissance rationnelle. Cette conception a reçu l'appellation de vertu-science. Elle stipule que pour posséder la vertu (la disposition à toujours agir selon le bien quelles que soient les circonstances), il faut avoir une connaissance rationnelle du bien. L'action vertueuse est intimement liée à la connaissance et si nous connaissions rationnellement ce qu'est le bien, nous suivrions nécessairement les prescriptions de la raison et agirions toujours de façon moralement bonne.

Ainsi, tout comme l'art des médecins dépend d'un savoir intellectuel préalable, selon Socrate, la conduite vertueuse nécessite que nous possédions un savoir qui guide notre action vers le bien sans jamais faire de concession au mal. Et, tout comme le savoir des médecins est le même pour tous, le savoir sur le bien ne peut être relatif à chacun ni à l'opinion de la majorité. Socrate s'oppose, on le voit, au relativisme des sophistes ; pour lui, il n'y a qu'une seule vérité à partir de laquelle il est possible de juger de la valeur de nos actions. Toutefois, cette vérité universelle à propos des différentes vertus ne peut être transmise à l'aide simplement d'un enseignement théorique. Elle exige de chacun qu'il la découvre dans les profondeurs de son âme.

Selon Socrate, le bien est inné. Chacun de nous a naturellement en lui le sens du bien, mais il est enfoui sous une multitude d'opinions, de fausses connaissances et de préjugés que nous avons acquis par manque de réflexion et de sens critique. C'est pourquoi Socrate veut aider ses concitoyens à se défaire de leurs fausses idées et de leurs illusions, à désapprendre ce qu'ils croient savoir, à déconstruire leur pseudo-savoir. Dans une discussion réfutative, la personne qui répond aux questions prend conscience que son savoir n'était au fond qu'un faux savoir et que la recherche de la vérité implique plus que l'adhésion aux opinions de son entourage. Toujours selon Socrate, ce n'est que placée dans ce vide de connaissance, ce degré zéro du savoir, que l'âme peut chercher à combler le manque à l'aide d'un autre savoir plus profond et plus vrai. La vérité est, pour Socrate, en chacun de nous ; mais, pour y accéder, il faut avoir le courage de se mettre soi-même à l'épreuve, de se questionner sans cesse, de fuir la vanité d'un prétendu savoir. Il ne faut jamais croire que nous sommes en possession de certitudes inébranlables.

La conséquence de la théorie socratique de la vertu-science, c'est que ceux qui se conduisent à l'encontre du bien le font par ignorance. Selon Socrate, tous les humains désirent le bien puisqu'il est constitutif de leur nature. Mais la majorité d'entre eux se laisse séduire par ce qui apparaît bon sans l'être véritablement. Ils agissent à l'encontre du bien, car ils accordent plus d'importance à leurs inclinations sensibles et à leurs passions qu'à leur raison. Par conséquent, ils se trompent sur la nature du bien ; ils croient le reconnaître là où il n'est pas. Mais, selon Socrate, les humains ne sont pas méchants volontairement. Le désir d'un objet quelconque est toujours le désir de quelque chose qu'on croit susceptible de nous rendre heureux même si, en réalité, cet objet est mauvais. Si, donc, nous faisons le mal, c'est que notre raison éprouve de la difficulté à reconnaître le bien. Elle manque d'exercice dans la recherche ; elle tient pour acquis ce qui apparaît aux sens sans rien remettre en question. Mais si notre jugement était toujours sain et que nous concevions clairement ce qu'est le bien, aucune passion ni aucun désir irrationnel ne pourraient faire obstacle à notre volonté d'agir vertueusement puisque c'est la vertu qui apporte le bonheur. Or, ceux qui croient que, tout en ayant la connaissance du meilleur, on peut se laisser vaincre par le plaisir et faire le mal, confondent les choses agréables avec ce qui est nuisible. C'est l'ignorance de la mesure et la soumission aux apparences (voir dans ce qui nous apparaît comme un plaisir dans l'immédiat, un bien plus grand que celui de ne pas souffrir les mauvaises conséquences que la jouissance de ce plaisir peut entraîner par la suite) qui produisent une pareille opinion. C'est donc à l'encontre de soi-même qu'on fait le mal et c'est cette discorde intérieure qui nous rend malheureux.

Selon Socrate, la tâche du philosophe consiste à faire prendre conscience aux autres que le bien est en eux et qu'ils peuvent le découvrir s'ils attachent plus d'importance à leur âme qu'à leur corps. Dans le dialogue *Ménon* de Platon[14], dans lequel il est question de définir la vertu, Socrate démontre à Ménon que la vertu ne saurait être le pouvoir d'acquérir des richesses matérielles, car, sans la justice, la piété ou toute autre vertu particulière, cette acquisition ne peut être bonne. Une acquisition injuste, même si elle peut procurer de l'or, de l'argent et des honneurs est une mauvaise action.

Socrate exhortait donc ses concitoyens à n'accorder d'importance qu'à leur perfectionnement moral et à la recherche de la vertu, car sans cette dernière, les biens non moraux, comme la richesse, la beauté, l'intelligence, la santé et la bonne réputation, sont sans valeur et peuvent par surcroît conduire au mal.

---

14. PLATON, *Ménon*, 77b-79e.

Même la vie a, selon Socrate, une valeur moindre que la vertu ; à la fin du procès où il est condamné à la mort, il prévient ses accusateurs que « le difficile n'est pas d'éviter la mort, mais bien plutôt d'éviter de mal faire »[15].

Socrate avait fait sienne la maxime « Connais-toi toi-même », inscrite sur le fronton du temple de Delphes. Par cette formule, il invitait tous ceux qu'il rencontrait à perfectionner leur âme. La psychologie moderne a aussi adopté cette maxime, mais elle lui donne un autre sens. Socrate ne cherchait pas à faire connaître aux humains leur caractère individuel, leurs aptitudes et leurs tendances particulières, comme le fait la psychologie moderne ; il les invitait, au contraire, à rechercher une connaissance qui dépasse les individualités. Sa démarche avait pour but de leur faire prendre conscience de leur ignorance, de les amener à méditer sur les formes universelles des différentes vertus particulières et à trouver ce qui, en chacun de nous, fait que nous appartenons à une même humanité.

La justice et les lois

La Pythie de Delphes, sur son trépied.

À la différence des sophistes, Socrate établit une distinction entre ce qui est juste, conforme à la justice, et ce qui est légal, conforme aux lois. Selon lui, la justice en elle-même n'est pas la même chose que les lois ou les actions justes[16]. La justice en elle-même est l'essence, ou la raison, qui explique pourquoi telle loi ou telle action fait partie de l'ensemble des choses justes ; elle est la cause universelle qui rassemble en une même unité toutes les choses justes ; elle représente le sens moral de la justice par contraste avec son sens légal. Or, selon Socrate, un bon législateur doit se servir de cette justice supérieure aux lois comme du principe à partir duquel il établit la convention. Mais si le législateur est incapable de définir ce qu'elle est, il ne peut non plus prétendre que les lois qu'il élabore sont justes, puisqu'il n'a alors aucune norme lui permettant de faire la distinction entre ce qui est juste et ce qui est injuste.

La recherche de la vertu que Socrate souhaite établir au cœur de l'activité humaine prend ici tout son sens, car, selon lui, chacun est responsable soit d'user pleinement de son intelligence pour être à soi-même son propre législateur et se conduire, en toute connaissance de cause, selon le bien ; soit de se soumettre à des lois et des désirs dont il est incapable de justifier le bien-fondé. Et, c'est au moyen d'un examen constant de soi-même que nous sommes poussés à découvrir le sens du bien en nous, et à contribuer à ce que la convention soit faite à l'image de la justice elle-même, car cette dernière, que Socrate appelle aussi **justice divine**, ne peut nous être donnée ni par la tradition ni par la révélation.

Socrate a lui-même tenté de donner une définition universelle de la justice : la justice est, selon lui, la vertu qui nous dicte de ne jamais commettre le mal. Dans cette définition, le terme « jamais » a un sens absolu ; il implique que nous ne devons en aucun cas rendre le mal par le mal, quoi qu'on nous ait fait subir.

---

15. PLATON, *Apologie de Socrate*, 39a, dans *Œuvres complètes*, tome I, Paris, Les Belles Lettres, 1963, p. 169.

16. On peut comparer à ce qui est dit du beau et des belles choses, au chapitre 3, p. 64 à 67.

Nous pourrions croire que certaines personnes méritent que nous leur rendions un mal semblable à celui qu'elles ont commis à notre égard; mais, selon Socrate, nous ne démontrons alors que notre ressemblance avec ceux que nous jugeons méchants. De plus, la faute que nous commettons ne porte pas tant sur le mal que nous faisons à autrui, mais sur le mal que nous nous faisons à nous-mêmes car, en agissant par vengeance, nous faisons violence à notre propre raison. Il est, en effet, contradictoire que nous croyions nous distinguer des méchants par notre volonté à être toujours bons et que nous les imitions volontairement; d'autant plus que, de cette façon, nous courons le risque de rendre les méchants encore plus méchants.

La définition socratique de la justice implique également que nous ne devons jamais désobéir aux lois, car c'est la justice véritable qui est visée à travers elles. Par conséquent, même si ces copies de la justice que sont les lois ne sont pas aussi parfaites que la justice elle-même, leur désobéir, c'est conduire la cité à l'anarchie et au désordre, et faire obstacle au perfectionnement moral de chacun. C'est pourquoi Socrate n'a pas voulu suivre son ami Criton[17] lorsque ce dernier lui a dévoilé le plan qu'il avait conçu, avec d'autres amis, pour qu'il s'évade de prison. Si Socrate avait désobéi au principe qu'il s'était lui-même donné, il aurait agi à l'encontre de sa propre raison pour imiter ceux qui, par ignorance, commettaient une injustice à son égard. Il aurait ressemblé alors à ceux des sophistes qui, valorisant la loi du plus fort, disaient qu'il fallait contourner les lois toutes les fois qu'on pouvait ne pas se faire prendre. Socrate aurait ainsi détruit l'œuvre de toute sa vie; Socrate n'aurait plus été Socrate.

Il peut tout de même sembler étrange que Socrate, qui a passé toute sa vie à exhorter ses concitoyens à comprendre, au-delà des lois et des valeurs établies, le bien-fondé de leur conduite, se soit soumis à la décision du tribunal, qui le condamnait injustement à la mort, plutôt que de s'évader de prison. Mais l'injustice de cette décision apparaît d'autant plus clairement que Socrate lui-même a préféré mourir que de renoncer à la vertu et à la vérité. C'est ce que Socrate nous fait entendre lorsque, à son procès[18], il déclare qu'il ne cesserait de philosopher même si c'était la condition qu'on lui imposait afin de ne pas être condamné à mort. Si l'on ne doit jamais commettre le mal, mettre fin à la mission qu'il a reçue du dieu Apollon[19] pour obéir à une justice travestie par des hommes en loi du plus fort aurait été de façon évidente contradictoire avec la justice divine. Or, Socrate, puisqu'il ne veut tout de même pas se placer au-dessus des lois de la cité, accepte de subir les conséquences de sa désobéissance: il préfère mourir, tel que le tribunal l'ordonne, plutôt que de se plier à des ordres injustes[20]. Selon

Justice divine

Selon Socrate et Platon, si la justice en elle-même est appelée «divine», c'est non pas parce que ce sont les dieux qui décident de ce qui est bon et juste, mais parce que tout ce qui est éternel, parfait et ne souffre d'aucune contradiction est divin. Ainsi, dans le dialogue intitulé *Euthyphron*, dans lequel il est question de définir la piété, si les humains sont tenus de vénérer les dieux, ce n'est pas simplement parce que ce sont des dieux, mais parce que, puisqu'ils sont divins, leur conduite est conforme au bien et au juste. Or, cela implique que, sans la connaissance du bien et du juste qui les guident, nous ne pouvons connaître ni en quoi consiste leur conduite ni comment nous devrions, à notre tour, nous conduire pour être pieux. Par opposition à la pensée mythique et religieuse, la philosophie ne nous fournit pas de code moral auquel il faut obéir sans réflexion ni remise en question. La philosophie exige de nous un travail de la raison comme seule garantie de notre plein épanouissement en tant qu'être humain.

---

17. Voir le n° 1, j) dans les « Activités d'apprentissage » du chapitre 4, p. 113 et 114.
18. Voir l'extrait de texte: *Apologie de Socrate II*, dans les « Activités d'apprentissage », à la fin de ce chapitre.
19. Voir « Socrate », au chapitre 2, p. 33 à 35.
20. Cette désobéissance de Socrate peut être mise en parallèle avec l'exemple donné sur la désobéissance civile, au chapitre 3, p. 61 et 62.

lui, la mort de l'homme vertueux est de loin préférable à la vie misérable de celui qui admet l'injustice en son âme. Son refus de considérer la mort comme un mal est l'exemple ultime que Socrate donne à ceux qui usent de leur pouvoir pour le blesser et l'accuser à tort : Socrate ne s'est pas contredit, même quand cela engageait non seulement sa pensée, mais aussi toute sa personne, et même sa vie.

L'amour véritable

Dans la dernière partie du *Banquet* de Platon, le jeune et bel Alcibiade fait l'éloge de Socrate. Il le compare aux **silènes**, des personnages fort laids fabriqués par des sculpteurs. Quand on entrouvrait ces sculptures, comme on le ferait avec une poupée russe, on trouvait des figurines de dieux. La comparaison est frappante, car Socrate, semble-t-il, n'était pas beau. Le contraste entre sa laideur physique et sa beauté intérieure étonnait ses concitoyens. C'est que les Grecs, qui accordaient beaucoup d'importance à la beauté physique, croyaient qu'une belle âme s'accompagnait nécessairement d'une belle physionomie. Quant à Socrate, il disait de lui-même qu'il se serait naturellement adonné à un genre de vie conforme à son allure grotesque s'il n'était pas devenu, grâce à l'exercice de la philosophie, meilleur que sa nature. Or, selon Alcibiade, la sagesse des discours de Socrate est on ne peut plus divine, et la beauté de son âme, comparée à la beauté physique des jeunes gens, est comme l'or comparé au cuivre.

Érato, la muse qui inspire les poèmes d'amour. Socrate dit avoir reçu d'une femme, Diotime, son savoir sur la véritable nature de l'amour.

Silène

Silène est un personnage de la mythologie grecque qui passe pour avoir été le précepteur du dieu Dionysos. Silène était très laid ; on le représente souvent avec des oreilles de cheval et, parfois, avec des pattes et une queue de cheval. Toutefois, Silène est reconnu comme ayant une très grande sagesse qu'il ne dévoilait qu'à ceux qui le tenaient sous la contrainte.

Socrate, qui n'accordait par ailleurs que peu d'importance à la beauté physique, était loin d'être empêché par son apparence extérieure de parler d'amour. Selon ses propres dires, l'amour était même le seul savoir qu'il possédait, l'ayant reçu d'une prêtresse de Mantinée, nommée Diotime. C'est ainsi, par exemple, que dans son dialogue intitulé *Phèdre*, Platon met en scène Socrate qui tente de démontrer au jeune Phèdre que, malgré l'élégance de l'expression, le discours qu'a composé son maître Lysias sur l'amour ne tient aucunement compte de la vérité. La thèse qu'y soutient Lysias et qui a séduit Phèdre est qu'il est plus utile et qu'il vaut donc mieux accorder ses faveurs à un poursuivant sans amour qu'à un amant[21] passionné. Socrate commence d'abord par faire remarquer à Phèdre que Lysias n'a pas défini convenablement son sujet et que son discours réunit pêle-mêle des arguments pour le moins contestables. Ensuite, il oppose à cette prétendue forme d'amour deux autres formes. La première naît du délire de l'amant à la vue de la beauté de celui qu'il aime ; ce délire, qui ressemble à celui des poètes, est, selon Socrate, un don des dieux. Si l'amant, avec le consentement de l'aimé, se laisse entraîner par son désir, il n'y a donc là rien de répréhensible, et cela vaut mieux que le désir bestial de l'amant sans amour.

---

21. Le terme « amant » est utilisé dans le sens de « celui qui est épris d'amour » sans pour autant que cela implique nécessairement la réciprocité. Dans le but de respecter le texte original, les termes « amant » et « aimé » ont été laissés au masculin. À l'époque de la Grèce classique, l'homosexualité était encouragée dans les milieux aristocratiques et prenait souvent la forme d'une relation entre un homme plus âgé (l'amant) et un adolescent (l'aimé).

Toutefois, il existe une autre forme d'amour supérieure à celle-là ; c'est celle qui incite l'amant à communiquer à l'aimé son enthousiasme pour les belles connaissances. Selon Socrate, cette forme d'amour est celle que devraient pratiquer tout éducateur et tout parent[22] envers les jeunes, car elle est la seule qui leur soit vraiment utile : l'amour de l'amant pour l'aimé consiste à l'aider à grandir dans la connaissance du bien, ce qui, de plus, lui vaudra l'estime des autres.

L'utilité dans l'amour ou dans l'amitié ne peut vouloir dire pour Socrate : répondre aux caprices de l'autre, le flatter et lui cacher la vérité lorsqu'il a tort ou, encore, lui faire des cadeaux qui le rendent dépendant de nous et des biens matériels. La seule véritable utilité dans l'amour, tout comme la seule véritable beauté, ne peut jamais se trouver dans ce qui nous éloigne de notre perfectionnement comme personne, en vue du bien. Ainsi, bien que Socrate considère l'attrait ressenti entre l'amant et l'aimé comme l'effet du plus beau des délires divins, l'amour véritable ne consiste pas, selon lui, dans le regard que deux amoureux se portent l'un à l'autre, mais dans ce qui les guide vers l'idéal d'un réel accomplissement de celles de leurs facultés dont seuls jouissent les êtres humains.

Il serait difficile de trouver meilleur ami que Socrate auprès de ses concitoyens puisque si, selon lui, ceux qui se conduisent à l'encontre du bien, le font par ignorance, il ne saurait dès lors les condamner ; au contraire, il passe tout son temps à leur faire prendre conscience de leurs contradictions et à éduquer leur âme de telle sorte qu'ils redécouvrent le sens du bien qui est en chacun de nous.

Depuis sa mort, Socrate est devenu l'emblème des intellectuels persécutés pour leurs idées. Néanmoins, sa sagesse a traversé toute l'histoire de la pensée occidentale ; elle a été une source d'inspiration pour les différentes

La Mort de Socrate, peinture de Jacques-Louis David. Socrate fut condamné à mort pour ses idées.

écoles philosophiques qui lui ont succédé, et elle est encore un modèle pour nous. Bien qu'on ait qualifié d'« ironie socratique » le fait que, tout en disant

École philosophique

Le terme « école » a le sens d'un groupe de penseurs partageant des conceptions philosophiques semblables. Parmi les écoles philosophiques qui ont succédé à Socrate, on distingue les grands socratiques et les petits socratiques. Les grands socratiques se partagent en deux écoles : ce sont Platon et les académiciens d'une part, et Aristote et les péripatéticiens d'autre part[23]. Les petits socratiques, ce sont : Antisthène (de -445 à -365) et Diogène de Sinope (de -413 à -327) de l'école cynique, qui a influencé le stoïcisme[24] ; Aristippe (IVe siècle avant Jésus-Christ), le fondateur de l'école des cyrénaïques, qui s'est prolongée dans l'épicurisme ; Euclide dit le Socratique (de -450 à -380), le fondateur de l'école des mégariques, dont la logique a eu une certaine influence sur le scepticisme. Cette dernière école de pensée a été fondée par Pyrrhon d'Élis, qui a vécu de -365 à -275. Ses adeptes nient que la vérité puisse être atteinte par l'être humain. En conséquence, ils pratiquent la suspension de tout jugement.

---

22. On peut relire, en ce sens, l'extrait du *Lysis*, au n° 1 des « Activités d'apprentissage » du chapitre 3, p. 80.
23. Les philosophies de Platon et d'Aristote constituent l'objet du prochain chapitre.
24. Un bref aperçu du stoïcisme et de l'épicurisme est donné en supplément.

Diogène, le cynique, faisait consister le bonheur dans la satisfaction exclusive des nécessités vitales. Alexandre lui ayant offert de lui donner ce dont il avait besoin, Diogène lui demande de ne pas lui cacher le soleil.

ne pas transmettre de savoir, son art de l'argumentation conduisait Socrate aussi bien à réfuter les opinions non fondées rationnellement qu'à admettre celles qui, au contraire, étaient justifiées – ce qui donnait l'impression à ses interlocuteurs qu'il feignait seulement de ne rien savoir –, cela montre clairement que, pour lui, la philosophie doit être à l'opposé d'un dogme. Socrate, très certainement, avait des connaissances, mais la plus importante d'entre elles était sa conviction que tout humain devait aspirer par lui-même à la sagesse, c'est-à-dire se défaire de ses prétentions et découvrir combien nous ne savons toujours que peu de choses par rapport à tout ce que nous ne savons pas. Son combat a donc été de stimuler la réflexion dans le but que chacun acquière l'autonomie intellectuelle caractéristique d'une vie humaine pleinement réussie.

C'est ainsi que, par le seul moyen de la parole, Socrate a été un grand révolutionnaire dans le domaine moral.

Résumé

La démocratie athénienne

Dans l'Antiquité, la Grèce était divisée en cités-États. Jusqu'au VIIIe siècle avant Jésus-Christ, les cités-États étaient des monarchies qui furent progressivement remplacées par des aristocraties. Avec le temps, l'absence de lois écrites entraîna des abus ; mais, sous les pressions du peuple, on vit naître des régimes plus modérés, avec des lois écrites. En -594, Solon, « le père de la démocratie », apporta d'importantes modifications à la Constitution d'Athènes et, en -508, Clisthène institua une démocratie directe qui dura jusqu'en -338. Sous ce régime, l'Assemblée du peuple était souveraine. La démocratie athénienne dépérit à l'époque qui suivit le siècle de Périclès.

Les sophistes

Les sophistes sont les premiers humanistes occidentaux. Ils ont substitué la recherche de normes pragmatiques à la recherche de normes universelles. Protagoras a élaboré une théorie de l'évolution des sociétés humaines dans laquelle il oppose un état de nature sauvage à un état de société ayant ses fondements dans la justice conventionnelle. Il n'y a pas, pour lui, de bien plus grand que la convention, car si l'humain est la mesure de toutes choses, il ne peut y avoir de justice supérieure aux lois qu'il se donne. À l'encontre de Protagoras, qui souhaite que les sages utilisent la rhétorique pour faire adopter les lois les plus utiles au bien commun, d'autres sophistes s'en servent en vue du règne de la loi du plus fort.

Socrate

Socrate procédait à un examen des opinions de tous ceux qui voulaient discuter avec lui ; il les exhortait ainsi à vivre une vie digne de l'être humain plutôt qu'à être les esclaves de biens matériels. En -399, des Athéniens, qui lui en veulent de remettre le fonctionnement de la démocratie en question, le font condamner à mort sous prétexte qu'il corrompt les jeunes et qu'il ne croit pas aux mêmes dieux que ceux que vénère la cité ; en vérité, ce qui embêtait ses accusateurs, c'est qu'il dénonçait la vanité de ceux qui administraient la justice sans se soucier d'en connaître la véritable nature. Selon Socrate, la vertu est la conséquence d'une recherche rationnelle et le bonheur est impossible sans cet examen de nos opinions qui, seul, peut nous conduire à la découverte, dans notre âme, du sens universel du bien, du beau et du juste. Il existe une justice supérieure aux décisions humaines ; elle est la norme universelle qui nous permet de reconnaître ce qui, dans les pratiques humaines, est juste et ce qui ne l'est pas. Elle implique que nous suivions toujours les prescriptions de la raison, que nous n'agissions jamais par vengeance et que nous ne désobéissions jamais aux lois ; par contre, si nous devons désobéir à une application injuste des lois, nous devons subir les conséquences de notre choix pour ne pas sombrer soi-même dans l'injustice. L'amour, selon Socrate, consiste à aider l'autre à grandir dans la connaissance du bien.

Lectures et film suggérés

Lectures

DORION, Louis-André. *Socrate*, Paris, Presses universitaires de France, 2004, 127 p. (Coll. « Que sais-je ? », n° 899)

HADOT, Pierre. *Éloge de Socrate*, Paris, Éditions Allia, 2010, 79 p. (Coll. « Petite Collection »)

LES SOPHISTES. *Écrits complets I*, sous la direction de Jean-François PRADEAU, Paris, Flammarion, 2009, 562 p. (Coll. « GF »)

LES SOPHISTES. *Écrits complets II*, sous la direction de Jean-François PRADEAU, Paris, Flammarion, 2009, 308 p. (Coll. « GF »)

PLATON. *Œuvres complètes*, sous la direction de Luc BRISSON, Paris, Flammarion, 2008, 2204 p.

ROMEYER DHERBEY, Gilbert. *Les sophistes*, Paris, Presses universitaires de France, 1989, 127 p. (Coll. « Que sais-je ? », n° 2223)

ROMILLY, Jacqueline de. *La Grèce antique à la découverte de la liberté*, Paris, Éditions de Fallois, 1989, 206 p.

Film

ROSSELLINI, Roberto. *Socrate*, Italie, 1970, 120 min, coul., 35 mm.

Activités d'apprentissage

1 Dans le texte qui suit, le sophiste Critias, reconnu comme le plus cruel des « Trente Tyrans » d'Athènes (-404), raconte quelle fut, selon lui, l'origine des dieux.

Lisez d'abord attentivement le texte et répondez ensuite aux questions.

Sisyphe

En ce temps-là jadis, l'homme traînait sa vie
Sans ordre, bestiale et soumise à la force,
Et jamais aucun prix ne revenait aux bons,
Ni jamais aux méchants aucune punition.

Plus tard les hommes, je le crois, ont pour punir
Institué des lois, pour que régnât le droit,
Et que pareillement, (également pour tous),
La démesure soit maintenue asservie.
Alors on put châtier ceux qui avaient fauté.

▶

Mais, puisque par les lois ils étaient empêchés

Par la force, au grand jour, d'accomplir leurs forfaits,

Mais qu'ils les commettaient à l'abri de la nuit,

Alors, je le crois, (pour la première fois),

Un homme à la pensée astucieuse et sage

Inventa la crainte (des dieux) pour les mortels,

Afin que les méchants ne cessassent de craindre

D'avoir compte à rendre de ce qu'ils auraient fait,

Dit, ou encor pensé, même dans le secret :

Aussi introduit-il la pensée du divin.

« C'était, leur disait-il, comme un démon vivant

D'une vie éternelle. Son intellect entend

Et voit tout en tout lieu. Il dirige les choses

De par sa volonté. Sa nature est divine,

Par elle il entendra toute parole d'homme,

Et par elle il verra tout ce qui se commet.

Et si dans le secret encore tu médites

Quelque mauvaise action, cela n'échappe point

Aux dieux, car c'est en eux qu'est logée la pensée. »

Et c'est par ces discours qu'il donna son crédit

À cet enseignement paré du plus grand charme.

Quant à la vérité, ainsi enveloppée,

Elle se réduisait à un discours menteur.

Il racontait ainsi que les dieux habitaient

Un céleste séjour qui par tous ses aspects

Ne pouvait qu'effrayer les malheureux mortels.

Car il savait fort bien d'où vient pour les humains

La crainte, et ce qui peut secourir le malheur.

(Maux et biens) provenaient de la céleste sphère,

De cette voûte immense où brillent les éclairs,

Où éclatent les bruits effrayants du tonnerre ;

Mais où se trouve aussi la figure étoilée

De la voûte céleste, et la fresque sublime,

Le chef-d'œuvre du Temps, architecte savant,

Où l'astre de lumière, incandescent, s'avance.

Et d'où tombent les pluies sur la terre assoiffée.

Voilà les craintes dont il entoura les hommes,

Par lesquelles il sut, par l'art de la parole,

Fonder au mieux l'idée de la Divinité,

Dans le séjour voulu ; et ainsi abolir

Avec les lois le temps de l'illégalité.

C'est ainsi, je le crois, que quelqu'un, le premier,

Persuada les mortels de former la pensée

Qu'il existe des dieux.

Source : CRITIAS. « Sisyphe », dans Jean-Paul DUMONT (dir.), *Les Présocratiques*, Paris, Gallimard, 1988, p. 1145-1146 (fragment B XXV). (Coll. « Bibliothèque de la Pléiade »)

Questions

a) Dans ce poème, Critias soutient qu'un « homme à la pensée astucieuse » a inventé les dieux pour renforcer les lois. Comment explique-t-il que cette invention a donné plus de force aux lois ? Répondez, dans vos mots, en une ou deux phrases.

b) Quel rapprochement peut-on faire entre le discours de l'« homme à la pensée astucieuse et sage », qui est, selon Critias, à l'origine de l'idée du divin, et la méthode de discussion des sophistes ? Répondez, dans vos mots, en une ou deux phrases.

❷ Dans *La fable de Protagoras*, Protagoras raconte l'origine des humains et comment ils apprirent progressivement à survivre.

Lisez d'abord attentivement le texte et répondez ensuite aux questions.

La fable de Protagoras

C'était le temps où les dieux existaient déjà, mais où les races mortelles n'existaient pas encore. Quand vint le moment marqué par le destin pour la naissance de celles-ci, voici que les dieux les façonnent à l'intérieur de la terre avec un mélange de terre et de feu et de toutes les substances qui se peuvent combiner avec le feu et la terre. Au moment de les produire à la lumière, les dieux ordonnèrent à Prométhée et à Épiméthée[25] de distribuer convenablement entre elles toutes les qualités dont elles avaient à être pourvues. Épiméthée demanda à Prométhée de lui laisser le soin de faire lui-même la distribution : « Quand elle sera faite, dit-il, tu inspecteras mon œuvre. » La permission accordée, il se met au travail.

Dans cette distribution, il donne aux uns la force sans la vitesse ; aux plus faibles, il attribue le privilège de la rapidité ; à certains, il accorde des armes ; pour ceux dont la nature est désarmée, il invente quelque autre qualité qui puisse assurer leur salut. À ceux qu'il revêt de petitesse, il attribue la fuite ailée ou l'habitation souterraine. Ceux qu'il grandit en taille, il les sauve par là même. Bref, entre toutes les qualités, il maintient un équilibre. En ces diverses inventions, il se préoccupait d'empêcher aucune race de disparaître.

Après qu'il les eut prémunis suffisamment contre les destructions réciproques, il s'occupa de les défendre contre les intempéries qui viennent de Zeus, les revêtant de poils touffus et de peaux épaisses, abris contre le froid, abris aussi contre la chaleur, et en outre, quand ils iraient dormir, couvertures naturelles et propres à chacun. Il chaussa les uns de sabots, les autres de cuirs massifs et vides de sang. Ensuite, il s'occupa de procurer à chacun une nourriture distincte, aux uns les herbes de la terre, aux autres les fruits des arbres, aux autres leurs racines ; à quelques-uns il attribua pour aliment la chair des autres. À ceux-là, il donna une postérité peu nombreuse ; leurs victimes eurent en partage la fécondité, salut de leur espèce.

Or, Épiméthée, dont la sagesse était imparfaite, avait déjà dépensé, sans y prendre garde, toutes les facultés en faveur des animaux, et il lui restait encore à pourvoir l'espèce humaine, pour laquelle, faute d'équipement, il ne savait que faire. Dans cet embarras, survient Prométhée pour inspecter le travail. Celui-ci voit toutes les autres races harmonieusement équipées, et l'homme nu, sans chaussures, sans couvertures, sans armes. Et le jour marqué par le destin était venu, où il fallait que l'homme sortît de la terre pour paraître à la lumière.

Prométhée, devant cette difficulté, ne sachant quel moyen de salut trouver pour l'homme, se décide à dérober l'habileté artiste d'Héphaestos[26] et d'Athéna[27], et en même temps le feu, – car, sans le feu, il était impossible que cette habileté fût acquise par personne ou rendît aucun service –, puis, cela fait, il en fit présent à l'homme.

C'est ainsi que l'homme fut mis en possession des arts utiles à la vie, mais la politique lui échappa : celle-ci, en effet, était auprès de Zeus ; or Prométhée n'avait plus le temps de pénétrer dans l'acropole qui est la demeure de Zeus : en outre il y avait aux portes de Zeus des sentinelles redoutables. Mais il put pénétrer sans être vu dans l'atelier où Héphaestos et Athéna pratiquaient ensemble les arts qu'ils aiment, si bien qu'ayant volé à la fois les arts du feu qui

---

25. Prométhée et Épiméthée sont deux frères de la génération des Titans. Prométhée veut dire « prévoyant », alors qu'Épiméthée veut dire « celui qui pense après coup ».

26. Héphaestos (ou Héphaïstos) est le dieu du feu, des métaux (dont le fer) et de la métallurgie.

27. Athéna, la déesse qui veille sur la justice et l'ingéniosité des humains, est la protectrice des tisserands, des fileuses et des brodeuses.

►

appartiennent à Héphaestos et les autres qui appartiennent à Athéna, il put les donner à l'homme. C'est ainsi que l'homme se trouve avoir en sa possession toutes les ressources nécessaires à la vie, et que Prométhée, par la suite, fut, dit-on, accusé de vol.

Parce que l'homme participait au lot divin, d'abord il fut le seul des animaux à honorer les dieux, et il se mit à construire les autels et des images divines; ensuite, il eut l'art d'émettre des sons et des mots articulés, il inventa les habitations, les vêtements, les chaussures, les couvertures, les aliments qui naissent de la terre. Mais les humains, ainsi pourvus, vécurent d'abord dispersés et aucune ville n'existait. Aussi étaient-ils détruits par les animaux, toujours et partout plus forts qu'eux, et leur industrie, suffisante pour les nourrir, demeurait impuissante pour la guerre contre les animaux; car ils ne possédaient pas encore l'art politique, dont l'art de la guerre est une partie. Ils cherchaient donc à se rassembler et à fonder des villes pour se défendre. Mais, une fois rassemblés, ils se lésaient réciproquement, faute de posséder l'art politique; de telle sorte qu'ils recommençaient à se disperser et à périr.

Zeus alors, inquiet pour notre espèce, menacée de disparaître, envoie Hermès porter aux hommes la pudeur et la justice, afin qu'il y eût dans les villes de l'harmonie et des liens créateurs d'amitié.

Hermès donc demande à Zeus de quelle manière il doit donner aux hommes la pudeur et la justice : « Dois-je les répartir comme les autres arts ? Ceux-ci sont répartis de la manière suivante : un seul médecin suffit à beaucoup de profanes, et il en est de même des autres artisans; dois-je établir ainsi la justice et la pudeur dans la race humaine, ou les répartir entre tous ? – Entre tous, dit Zeus, et que chacun en ait sa part : car les villes ne pourraient subsister si quelques-uns seulement en étaient pourvus, comme il arrive pour les autres arts; en outre, tu établiras cette loi en mon nom, que tout homme incapable de participer à la pudeur et à la justice doit être mis à mort, comme un fléau de la cité. »

Source : PLATON. *Protagoras*, 320c-322d, dans *Œuvres complètes*, tome III, 1re partie, texte établi et traduit par Alfred CROISET, Paris, Les Belles Lettres, 1984, p. 35-37.

Questions

a) Pourquoi Prométhée dut-il intervenir en faveur des humains alors qu'Épiméthée avait distribué les qualités dont devaient être pourvues les différentes espèces ?

b) Pourquoi Zeus dut-il intervenir en faveur des humains alors que Prométhée les avait déjà dotés des arts d'Héphaestos et d'Athéna ?

c) Nommez trois différences entre les humains et les animaux présentées dans cette fable.

d) Selon la pensée de Protagoras, pourquoi est-il si important que tous les humains possèdent les qualités propres à l'art politique ?

e) Pensez-vous que la stricte obéissance aux lois est suffisante pour faire de chacun de nous un bon citoyen ? Justifiez votre réponse à l'aide d'un argument d'au moins deux prémisses.

❸ L'extrait qui suit est tiré du livre I de *La République* de Platon, dans lequel il est question de définir la justice. Socrate réfute le sophiste et orateur Thrasymaque, selon lequel la justice est la loi du plus fort.

Lisez attentivement l'extrait et répondez ensuite aux questions.

La République

Thrasymaque Eh bien! ne sais-tu pas que, parmi les cités, les unes sont tyranniques, les autres démocratiques, les autres aristocratiques ?

Socrate Comment ne le saurais-je pas ?

Thrasymaque Or l'élément le plus fort, dans chaque cité, est le gouvernement ?

Socrate Sans doute.

Thrasymaque Et chaque gouvernement établit les lois pour son propre avantage : la démocratie des lois démocratiques, la tyrannie des lois tyranniques et les autres de même ; ces lois établies, ils déclarent juste, pour les gouvernés, leur propre avantage, et punissent celui qui le transgresse comme violateur de la loi et coupable d'injustice. Voici donc, homme excellent, ce que j'affirme : dans toutes les cités le juste est une même chose : l'avantageux au gouvernement constitué ; or celui-ci est le plus fort, d'où il suit, pour tout homme qui raisonne bien, que partout le juste est une même chose : l'avantageux au plus fort.

[...]

Socrate Mais dis-moi : le médecin au sens précis du terme, dont tu parlais tout à l'heure, a-t-il pour objet de gagner de l'argent ou de soigner les malades ? Et parle-moi du vrai médecin.

Thrasymaque Il a pour objet de soigner les malades.

Socrate Et le pilote ? le vrai pilote, est-il chef des matelots ou matelot ?

Thrasymaque Chef des matelots.

Socrate Je ne pense pas qu'on doive tenir compte du fait qu'il navigue sur une nef pour l'appeler matelot ; car ce n'est point parce qu'il navigue qu'on l'appelle pilote, mais à cause de son art et du commandement qu'il exerce sur les matelots.

Thrasymaque C'est vrai.

Socrate Donc, pour le malade et le matelot il existe quelque chose d'avantageux ?

Thrasymaque Sans doute.

Socrate Et l'art n'a-t-il pas pour but de chercher et de procurer à chacun ce qui lui est avantageux ?

Thrasymaque C'est cela.

Socrate Mais pour chaque art est-il un autre avantage que d'être aussi parfait que possible ?

Thrasymaque Quel est le sens de ta question ?

Socrate Celui-ci. Si tu me demandais s'il suffit au corps d'être corps, ou s'il a besoin d'autre chose, je te répondrais : « Certainement il a besoin d'autre chose. C'est pourquoi l'art médical a été inventé : parce que le corps est défectueux et qu'il ne lui suffit pas d'être ce qu'il est. Aussi, pour lui procurer l'avantageux, l'art s'est organisé. » Te semblé-je en ces paroles, avoir raison ou non ?

Thrasymaque Tu as raison.

Socrate Mais quoi ! la médecine même est-elle défectueuse ? En général un art réclame-t-il une certaine vertu – comme les yeux la vue, ou les oreilles l'ouïe, à cause de quoi ces organes ont besoin d'un art qui examine et leur procure l'avantageux pour voir et pour entendre ? Et dans cet art même y a-t-il quelque défaut ? Chaque art réclame-t-il un autre art qui examine ce qui lui est avantageux, celui-ci à son tour un autre semblable, et ainsi à l'infini ? Ou bien examine-t-il lui-même ce qui lui est avantageux ? Ou bien n'a-t-il besoin ni de lui-même ni d'un autre pour remédier à son imperfection ? Car aucun art n'a trace de défaut ni d'imperfection, et ne doit chercher d'autre avantage que celui du sujet auquel il s'applique : lui-même, lorsque véritable, étant exempt de mal et pur, aussi longtemps qu'il reste rigoureusement et entièrement conforme à sa nature. Examine en prenant les mots dans ce sens précis dont tu parlais. Est-ce ainsi ou autrement ?

Thrasymaque Ce me semble ainsi.

Socrate Donc la médecine n'a pas en vue son propre avantage, mais celui du corps.

Thrasymaque Oui.

Socrate Ni l'art hippique son propre avantage, mais celui des chevaux ; ni, en général, tout art son propre avantage – car il n'a besoin de rien – mais celui du sujet auquel il s'applique.

Thrasymaque Ce me semble ainsi.

Socrate Mais, Thrasymaque, les arts gouvernent et dominent le sujet sur lequel ils s'exercent.

Il eut bien de la peine à m'accorder ce point.

Socrate Donc, aucune science n'a en vue ni ne prescrit l'avantage du plus fort, mais celui du plus faible, du sujet gouverné par elle.

▶

Il m'accorda aussi ce point à la fin, mais après avoir tenté de le contester ; quand il eut cédé :

Socrate Ainsi le médecin, dans la mesure où il est médecin, n'a en vue ni n'ordonne son propre avantage, mais celui du malade ? Nous avons en effet reconnu que le médecin, au sens précis du mot, gouverne les corps et n'est point homme d'affaires. Ne l'avons-nous pas reconnu ?

Il en convint.

Socrate Et le pilote, au sens précis, gouverne les matelots, mais n'est pas matelot ?

Thrasymaque Nous l'avons reconnu.

Socrate Par conséquent, un tel pilote, un tel chef, n'aura point en vue et ne prescrira point son propre avantage, mais celui du matelot, du sujet qu'il gouverne.

Il en convint avec peine.

Socrate Ainsi donc, Thrasymaque, aucun chef, quelle que soit la nature de son autorité, dans la mesure où il est chef, ne se propose et n'ordonne son propre avantage, mais celui du sujet qu'il gouverne et pour qui il exerce son art ; c'est en vue de ce qui est avantageux et convenable à ce sujet qu'il dit tout ce qu'il dit et fait tout ce qu'il fait.

Source : PLATON. *La République*, livre I, 338d-339a et 341c-342e, introduction, traduction et notes de Robert BACCOU, Paris, Flammarion, 1966, p. 87 et 90-91. (Coll. «GF»)

Questions

a) Quelles sont les deux prémisses de l'argument que fournit Thrasymaque en faveur de sa thèse : «Le juste est l'avantageux au plus fort»?

b) Donnez, en une phrase, l'essentiel de la réfutation présentée par Socrate.

c) Quelle position vous semble la meilleure ? Justifiez votre réponse à l'aide d'un argument formé d'au moins deux prémisses.

❹ Le texte qui suit est un extrait de l'*Apologie de Socrate* de Platon dans lequel, ayant précédemment présenté les accusations des Anciens, Socrate exécute sa défense contre les accusations de Mélétos, Anytos et Lycon.

Lisez attentivement le texte et répondez ensuite aux questions.

Apologie de Socrate I

Partie I
Socrate C'est maintenant contre Mélétos, ce bon citoyen et ce patriote, comme il se qualifie, et contre mes récents accusateurs que je vais tenter de me défendre. En effet il nous faut, voyez-vous, revenir en arrière et, faisant comme si ces accusations étaient distinctes des précédentes, formuler une nouvelle fois la plainte déposée sous serment réciproque. Elle se présente à peu près ainsi : « Socrate, dit-elle, est coupable de corrompre la jeunesse et de reconnaître non pas les dieux que la cité reconnaît, mais, au lieu de ceux-là, des divinités nouvelles. » Ainsi se présente la plainte, et cette plainte, nous allons l'examiner à fond, point par point.

Mélétos prétend, vous le voyez bien, que je suis coupable de corrompre la jeunesse. Eh bien, moi, Athéniens, je prétends que Mélétos est coupable de plaisanter avec des sujets sérieux, en intentant ainsi à des gens un procès à la légère et en faisant semblant de prendre au sérieux des affaires dont il ne s'est jamais soucié et de s'en inquiéter. Qu'il en aille bien ainsi, c'est ce que je vais tenter de vous faire voir.

Viens ici Mélétos, et réponds-moi. N'attaches-tu pas la plus grande importance à ce que les jeunes gens soient les meilleurs possible ?

Mélétos Assurément.

Socrate Allons, dis maintenant aux jeunes gens qui sont là quel est celui qui peut les rendre meilleurs. Évidemment, tu dois le savoir, puisque tu t'en soucies. Tu as, dis-tu, découvert celui qui les corrompt : c'est moi, que tu assignes devant ce tribunal et que tu accuses. Quant à celui qui les rend meilleurs, allons, dis-leur qui il est et indique-le-leur. Tu vois, Mélétos, tu n'ouvres pas la bouche et tu ne sais que répondre. Tu ne te rends pas compte que cela est déshonorant et que cela suffit à prouver ce que moi je prétends, à savoir que tu n'as nul souci de la chose ? Allons, mon cher, réponds : qui rend les jeunes gens meilleurs ?

Mélétos Les lois.

Socrate Mais ce n'est pas là ce que je cherche à savoir, mon cher. Je demande plutôt pour commencer quel est l'homme qui connaît au mieux les lois dont tu parles ?

Mélétos Les gens que voici, Socrate, les juges.

Socrate Que veux-tu dire par là, Mélétos ? Les gens que voici sont capables d'instruire les jeunes et de les rendre meilleurs ?

Mélétos Ils le sont au plus haut point.

Socrate Tous sans exception ou certains d'entre eux oui, et d'autres non ?

Mélétos Tous.

Socrate Voilà, par Héra, une bien bonne nouvelle que d'apprendre qu'il y a une telle abondance de gens qui œuvrent pour notre bien ! Et alors, les gens qui nous écoutent rendent-ils les jeunes gens meilleurs, oui ou non ?

Mélétos Oui, eux aussi.

Socrate Et qu'en est-il des membres du Conseil ?

Mélétos Les membres du Conseil aussi.

Socrate Mais, s'il en est bien ainsi, Mélétos, faut-il craindre que ceux qui constituent l'Assemblée du peuple, les membres de l'Assemblée, corrompent les jeunes gens ? ou bien eux aussi, dans leur ensemble, les rendent-ils meilleurs ?

Mélétos Eux aussi, ils les rendent meilleurs.

Socrate Par conséquent, tous les Athéniens, à ce qu'il paraît, rendent les jeunes gens excellents, excepté moi, qui suis le seul à les corrompre. Est-ce bien là ce que tu veux dire ?

Mélétos C'est tout à fait ce que je veux dire.

Socrate Eh bien, si je t'en crois, je me trouve dans une fort mauvaise passe. Encore une question. À ton avis, en va-t-il de même en ce qui concerne les chevaux ? Tout le monde serait en mesure de les rendre meilleurs, et il n'y aurait qu'un seul individu pour les rendre pires ? Ou bien est-ce tout le contraire ? Un seul individu, tout au plus quelques-uns, à savoir les éleveurs de chevaux, seraient en mesure de les rendre meilleurs, tandis que la plupart des gens, chaque fois qu'ils s'en occupent ou qu'ils les montent, les rendraient pires ? N'en est-il pas ainsi, Mélétos, à la fois pour les chevaux et pour l'ensemble des autres vivants sans exception ? Oui, c'est bien le cas, que vous répondiez par oui ou par non, toi et Anytos. Certes, ce serait un grand bonheur pour les jeunes gens s'il était vrai qu'un seul homme les corrompt, tandis que les autres œuvrent pour leur bien. Mais il n'est pas besoin d'aller plus loin, Mélétos, car tu fais assez voir que jamais tu ne t'es préoccupé de la jeunesse ; tu montres clairement l'insouciance qui est la tienne, ton absence totale de souci concernant les accusations qui t'amènent à me traduire devant ce tribunal.

Autre question. Au nom de Zeus, dis-moi, Mélétos, s'il vaut mieux vivre dans une cité de gens de bien ou dans une cité de méchantes gens ? Mon bon, réponds-moi. Ma question n'a rien de difficile. N'est-il pas vrai que les méchantes gens font toujours du tort à ceux qui leur sont les plus proches, tandis que les gens de bien leur font du bien ?

Mélétos Hé oui, absolument.

Socrate Cela dit, y a-t-il un homme qui souhaite être mal traité plutôt que bien traité par les gens avec lesquels il se trouve en relation ? Réponds, mon cher. La loi t'enjoint, en effet, de répondre. Existe-t-il quelqu'un qui souhaite être mal traité ?

Mélétos Non, bien sûr.

Socrate Poursuivons. Me traduis-tu devant ce tribunal en m'accusant de corrompre les jeunes gens et de les rendre méchants à dessein, ou sans m'en rendre compte ?

▶

Mélétos C'est à dessein, j'en suis convaincu.

Socrate Qu'est-ce à dire, Mélétos ? À l'âge que tu as, ton savoir dépasse tellement mon savoir à moi, qui ai l'âge que j'ai, que, alors que toi tu es conscient du fait que les méchantes gens font toujours du tort à ceux qui leur sont les plus proches, et que les gens de bien leur font du bien, j'en suis arrivé, moi, à un tel degré de confusion que je ne sais ni que, si je rends méchant quelqu'un qui fait partie de mes relations, je cours le risque qu'il me fasse du tort ; ni qu'un tort aussi grand c'est à dessein que je le fais, suivant ce que tu prétends toi ? Non, Mélétos, de cela tu ne me convaincras pas, pas plus, j'imagine, que tu ne convaincras quelqu'un d'autre. Alors, ou bien je ne suis pas un corrupteur ou bien, si j'en suis un, ce n'est pas à dessein que je le suis, de sorte que, dans un cas comme dans l'autre, tu dis quelque chose de faux. Si ce n'est pas à dessein que je suis un corrupteur, la faute en question ressortit à ce genre de fautes qui, d'après la loi, impliquent non pas qu'on traduise le coupable devant un tribunal, mais qu'on le prenne en privé pour l'avertir et le réprimander. Il va de soi, en effet, que, si je reçois un avertissement, je cesserai de faire ce que je fais. Mais toi, tu t'es bien gardé de venir me trouver pour me donner un avertissement ; et comme tu n'avais pas l'intention de le faire, tu m'as traduit devant ce tribunal, auquel la loi défère ceux qui doivent recevoir une punition, non un avertissement.

En voilà assez, Athéniens, pour faire apparaître clairement que, comme je le disais à l'instant, Mélétos n'a jamais eu ni peu ni prou le souci de la chose.

Partie II

Mais, quoi qu'il en soit, explique-nous, Mélétos : comment prétends-tu que je m'y prends pour corrompre les jeunes gens ? D'après le texte de l'action judiciaire, c'est clair : « en leur enseignant à reconnaître non pas les dieux que la cité reconnaît, mais, à leur place, des divinités nouvelles ». C'est bien en enseignant cela que, prétends-tu, je les corromps, n'est-ce pas ?

Mélétos Oui absolument, voilà bien ce que je prétends.

Socrate En ce cas, Mélétos, au nom de ces dieux mêmes dont il est question, exprime-toi avec plus de clarté encore pour nous éclairer moi et les gens qui sont ici. Pour ma part, en effet, je ne puis débrouiller ceci. Que prétends-tu ? Que j'enseigne à ne pas reconnaître que certains dieux existent ? Dans ce cas, je reconnais qu'il y a des dieux, je ne suis en aucune façon un athée et je ne suis pas non plus coupable à cet égard. Ou seulement que je reconnais l'existence de dieux qui sont non pas ceux que reconnaît la cité, mais d'autres ? Et, dans ce cas, tu portes plainte contre moi, parce que ce ne sont pas les mêmes dieux ? Ou bien est-ce que tu soutiens que, personnellement, je ne reconnais absolument aucun dieu et que j'enseigne aux autres à prendre le même parti ?

Mélétos Oui, voilà ce que je soutiens, que tu ne reconnais absolument aucun dieu.

Socrate Qu'est-ce qui te fait dire cela, étonnant Mélétos ? Est-ce que je ne reconnais même pas, comme le font les autres gens, que le soleil et la lune sont des dieux ?

Mélétos Par Zeus, juges, il ne les reconnaît pas pour tels, puisqu'il dit que le soleil est une pierre et la lune une terre.

Socrate Tu t'imagines accuser Anaxagore, cher Mélétos ? Et ce faisant tu méprises les juges, en les prenant pour des gens si incultes qu'ils ne savent pas que ce sont les livres écrits par Anaxagore de Clazomène qui sont pleins de ce genre de théories. Et, bien entendu, ces théories, dont à l'occasion ils peuvent avoir lecture à l'orchestre[28] pour le prix d'une drachme tout au plus, c'est moi qui les mettrais dans la tête de jeunes gens qui ne manqueraient certainement pas de se moquer d'un Socrate qui prétendrait qu'elles sont de lui ces théories qui, par-dessus le marché, sont si étranges ? Mais, par Zeus, est-ce bien là l'impression que je te

---

28. Partie de la place publique.

donne? Que je ne reconnais l'existence d'aucun dieu?

Mélétos Oui, par Zeus, tu ne reconnais l'existence d'aucun dieu, en aucune manière.

Socrate Ce que tu dis est incroyable, Mélétos, et tu ne crois même pas toi-même à ce que tu dis, j'en ai bien l'impression. Le fait est, Athéniens, que j'ai l'impression que mon adversaire a perdu toute mesure et toute retenue et que, tout compte fait, l'action judiciaire qu'il a intentée est due à un manque de mesure, à un manque de retenue et à la jeunesse. J'en viens, en effet, à me dire qu'il a voulu me mettre à l'épreuve en me soumettant une énigme : « Voyons. Est-ce que Socrate qui est un savant se rendra compte que je plaisante et que je me contredis moi-même ou est-ce que je réussirai à l'abuser lui en même temps que le reste de ceux qui nous écoutent? » Car il est clair que celui qui m'accuse se contredit lui-même dans l'action qu'il a intentée. C'est comme s'il avait dit : « Socrate est coupable de ne pas reconnaître les dieux, alors qu'il reconnaît les dieux. » Tout cela n'est que plaisanterie.

Je vous prie d'examiner avec moi, citoyens, de quelle façon j'interprète ce qu'il dit. Toi, Mélétos, réponds-nous. Et vous autres, rappelez-vous que je vous ai, en commençant, recommandé de ne pas m'interrompre en faisant du tapage, si je parle chaque fois comme j'ai l'habitude de le faire.

Y a-t-il parmi les hommes quelqu'un, Mélétos, pour reconnaître qu'il existe des affaires humaines, mais qu'il n'existe pas d'hommes? Qu'il réponde, citoyens, et qu'il ne m'interrompe pas tout le temps en faisant du tapage. Y a-t-il quelqu'un qui reconnaît que les chevaux n'existent pas, mais qu'il y a des activités hippiques, qui reconnaît qu'il n'y a pas de flûtistes, mais qu'il y a un art de la flûte? Non, mon cher, un tel individu n'existe pas. Puisque tu ne veux pas répondre, c'est moi qui vais répondre à cette question et qui répondrai aux autres. Mais réponds au moins à la question suivante. Existe-t-il quelqu'un qui reconnaît qu'il y a des

puissances démoniques, mais qu'il n'y a pas de démons[29] ?

Mélétos Non, personne.

Socrate Quel service tu me rends en me répondant cette fois, même si c'est à contrecœur, parce que les juges t'y forcent! Ainsi donc, tu déclares que je reconnais et que j'enseigne qu'il existe des puissances démoniques ; qu'elles soient nouvelles ou anciennes qu'importe, toujours est-il que j'estime qu'elles existent. C'est toi qui le dis, et cela tu l'as attesté par serment en déposant ta plainte. Mais, si je crois qu'il y a des puissances démoniques, il faut bien que je croie qu'il y a aussi des démons? N'en est-il pas ainsi?

Oui, il en est ainsi. Je suppose, en effet, que tu es d'accord, puisque tu ne réponds pas.

Mais les démons, ne considérons-nous pas sinon que ce sont des dieux, du moins que ce sont des enfants de dieux?

Mélétos Oui, absolument.

Socrate Dans ces conditions, si, comme tu l'affirmes, je considère qu'il y a des démons, et si les démons sont des dieux, n'ai-je pas raison de dire que tu parles par énigmes et que tu plaisantes, quand tu prétends que je considère que les dieux n'existent pas, alors que je crois aux démons. Si, par ailleurs, les démons sont des enfants de dieux, des bâtards nés de Nymphes ou d'autres personnages comme le rapporte la tradition, quel être humain estimerait qu'il existe des enfants des dieux, mais pas de dieux? En effet, ce serait aussi absurde que de soutenir cette opinion : les mulets sont des rejetons de chevaux et d'ânes, mais il n'y a pas de chevaux et il n'y a pas d'ânes. Non, Mélétos, il n'est pas possible que tu n'aies pas eu l'intention de nous mettre à l'épreuve en rédigeant l'action que tu as intentée, à moins que tu ne te sois trouvé dans l'embarras lorsqu'il s'est agi de

---

29. Dans l'Antiquité grecque, ce terme (qui se dit *daimôn* en grec) n'a pas un sens péjoratif. Un démon est ou bien une divinité personnelle (par exemple le démon dont Socrate se dit être inspiré), ou bien un être intermédiaire entre les dieux et les humains.

►

▶ trouver un chef d'accusation véritable à lancer contre moi. Mais tu n'arriveras jamais à persuader quelqu'un, même s'il a l'esprit borné, qu'il est impossible que ce soit le même homme qui croit qu'il y a des puissances démoniques et divines, et qui croit à l'inverse qu'il n'y a ni démons, ni dieux, ni héros.

Cela établi, Athéniens, il n'est pas besoin d'une défense plus longue pour prouver que je ne suis pas coupable de ce dont m'accuse Mélétos dans sa plainte ; ce que je viens de dire suffit.

Source : PLATON. *Apologie de Socrate*, 24b-28a, dans *Œuvres complètes*, sous la direction de Luc BRISSON, Paris, Flammarion, 2008, p. 73-78.

Questions

Note : Pour chacune des questions, à l'exception du numéro d), votre réponse doit être d'une longueur d'environ 50 mots.

La première partie du texte (Partie I) présente la défense de Socrate concernant l'accusation qui lui est faite de « corrompre les jeunes gens ». Son plaidoyer consiste en un interrogatoire dans lequel on distingue deux arguments soutenus par Mélétos et que réfute Socrate.

a) Dans son premier argument, Mélétos soutient que, à l'exception de Socrate qui corrompt la jeunesse, tous les Athéniens sont capables de faire l'éducation de la jeunesse et de la rendre meilleure.

Expliquez en quoi consiste principalement la réfutation présentée par Socrate.

b) Dans son second argument, Mélétos soutient que les méchants font du mal à leurs proches, tandis que les bons leur font du bien ; que nul homme souhaite éprouver du dommage de la part de ceux avec qui il vit ; que c'est volontairement que Socrate corrompt la jeunesse.

Expliquez en quoi consiste principalement la réfutation présentée par Socrate.

Dans la seconde partie du texte (Partie II), Socrate se défend contre l'accusation suivante : « Ne pas croire aux dieux auxquels croit la cité et leur substituer des divinités nouvelles. » Étant invité à répondre aux questions de Socrate, Mélétos affirme que Socrate est athée et que, par exemple, il ne croit pas que le soleil et la lune sont des dieux (alors que c'était une croyance chez les Grecs de l'époque).

c) Expliquez en quoi consiste principalement la réfutation présentée par Socrate.

d) Quel est le principe logique sur lequel s'appuie la réfutation de Socrate ?

e) Si vous aviez été juge au procès de Socrate, quel aurait été votre verdict ? Justifiez votre réponse au moyen d'un argument rationnel.

❺ Accusé par le tribunal d'Athènes, Socrate déclare qu'il ne pourrait cesser de philosopher même si c'était la condition qu'on lui imposait afin de ne pas être condamné à mort.

Lisez attentivement le texte et répondez ensuite aux questions.

Apologie de Socrate II

Socrate [...] À supposer même que vous soyez aujourd'hui prêts à m'acquitter, en refusant de faire ce que vous demandait de faire Anytos[30] en vous disant : « Ou bien il ne fallait absolument pas pour commencer que Socrate fût traduit devant ce tribunal, ou bien il est nécessaire, puisqu'il y est traduit, de prononcer contre lui une sentence de mort, étant donné que, prétendait-il en s'adressant à vous, si Socrate arrive à échapper à ce châtiment, désormais vos fils, mettant en pratique ce qu'il enseigne, ne manqueront pas d'être tous totalement corrompus. » ; supposons, donc, que, en réponse à ces propos, vous me

_____
30. Anytos, Mélétos et Lycon sont les trois accusateurs de Socrate qui doit se défendre contre la plainte qu'ils ont déposée.

disiez : « Socrate, nous ne suivrons pas aujourd'hui l'avis d'Anytos. Nous allons au contraire t'acquitter, mais à cette condition que tu cesses de passer ton temps à soumettre les gens à cet examen auquel tu les soumets, c'est-à-dire que tu acceptes de ne plus philosopher. Et, si on t'y reprend, tu mourras. » Si c'était aux conditions que je viens de formuler que vous étiez disposés à m'acquitter, je vous répondrais : « Citoyens, j'ai pour vous la considération et l'affection les plus grandes, mais j'obéirai au dieu[31] plutôt qu'à vous ; jusqu'à mon dernier souffle et tant que j'en serai capable, je continuerai de philosopher, c'est-à-dire de vous adresser des recommandations et de faire la leçon à celui d'entre vous que, en toute occasion, je rencontrerai, en lui tenant les propos que j'ai coutume de tenir : "Ô le meilleur des hommes, toi qui es Athénien, un citoyen de la cité la plus importante et la plus renommée dans les domaines de la sagesse et de la puissance, n'as-tu pas honte de te soucier de la façon d'augmenter le plus possible richesses, réputation et honneurs, alors que tu n'as aucun souci de la pensée, de la vérité et de l'amélioration de ton âme, et que tu n'y songes même pas ?" » Et si, parmi vous, il en est un pour contester cette affirmation et pour prétendre qu'il se soucie de l'amélioration de son âme, je ne vais ni partir ni le laisser partir ; bien au contraire je vais lui poser des questions, je vais le soumettre à examen et je vais chercher à montrer qu'il a tort et, s'il ne me semble pas posséder la vertu, alors qu'il le prétend, je lui dirai qu'il devrait avoir honte d'attribuer la valeur la plus haute à ce qui en a le moins et de donner moins d'importance à ce qui en a plus. Avec un jeune homme ou avec un plus vieux, quel que soit celui sur lequel je tomberai, avec quelqu'un d'ailleurs ou avec un habitant d'Athènes, mais surtout avec vous, mes concitoyens, étant donné que par le sang vous m'êtes plus proches, voilà comment je me comporterai. C'est cela, sachez-le bien, que m'ordonne de faire le dieu, et, de mon côté, je pense que jamais dans cette cité vous n'avez connu rien de plus avantageux que ma soumission au service du dieu.

Ma seule affaire est d'aller et de venir pour vous persuader, jeunes et vieux, de n'avoir point pour votre corps et pour votre fortune de souci supérieur ou égal à celui que vous devez avoir concernant la façon de rendre votre âme la meilleure possible, et de vous dire : « Ce n'est pas des richesses que vient la vertu, mais c'est de la vertu que viennent les richesses et tous les autres biens, pour les particuliers comme pour l'État. » Si donc c'est en tenant ce discours que je corromps les jeunes gens, il faut bien admettre que ce discours est nuisible. Mais prétendre que je tiens un autre discours que celui-là, c'est ne rien dire qui vaille. Au regard de cela, si je puis me permettre, Athéniens, suivez ou non l'avis d'Anytos, acquittez-moi ou non, mais tenez pour certain que je ne me comporterai pas autrement, dussé-je subir mille morts.

[…]

Sachez-le bien en effet, si vous me condamnez à mort, ce n'est pas à moi, si je suis bien l'homme que je dis être, que vous ferez le plus de tort, mais à vous-mêmes. Ni Mélétos ni Anytos ne sauraient me faire de tort à moi. Comment le pourraient-ils d'ailleurs, puisqu'il n'est pas permis, j'imagine, que celui qui vaut le mieux éprouve un dommage de la part de celui qui vaut moins ? Oh ! sans doute est-il possible à un accusateur de me faire condamner à mort, à l'exil ou à la privation de mes droits civiques. Sans doute, cet accusateur, ou un autre, s'imagine-t-il, je suppose, que ce sont là de terribles épreuves, mais je ne partage pas cet avis. Je considère au contraire qu'il est plus grave de faire ce qu'il fait maintenant, quand

---

31. Plus haut dans le texte, on apprend que l'ami Chéréphon de Socrate a reçu un oracle du dieu Apollon, au temple de Delphes, lui disant que nul n'est plus sage que Socrate. Socrate qui en a conclu qu'il vaut mieux, comme lui, savoir qu'on ne sait rien plutôt que de prétendre erronément tout savoir, s'est donné comme mission de remettre en question le prétendu savoir de ses concitoyens.

▶

il tente d'obtenir injustement la condamnation à mort d'un homme. À présent, Athéniens, ce n'est pas, comme on pourrait se l'imaginer, ma défense à moi que je présente, tant s'en faut, mais c'est la vôtre ; je crains que, si vous me condamnez, vous ne commettiez une faute grave en vous en prenant au cadeau que le dieu vous a fait. Si, en effet, vous me condamnez à mort par votre vote, vous ne trouverez pas facilement un autre homme comme moi, un homme somme toute – et je le dis au risque de paraître ridicule – attaché à la cité par le dieu, comme le serait un taon au flanc d'un cheval de grande taille et de bonne race, mais qui se montrerait un peu mou en raison même de sa taille et qui aurait besoin d'être réveillé par l'insecte. C'est justement en m'assignant pareille tâche, me semble-t-il, que le dieu m'a attaché à votre cité, moi qui suis cet homme qui ne cesse de vous réveiller, de vous persuader et de vous faire honte, en m'adressant à chacun de vous en particulier, en m'asseyant près de lui n'importe où, du matin au soir.

Source : PLATON. *Apologie de Socrate*, 29b-31a, dans *Œuvres complètes*, sous la direction de Luc BRISSON, Paris, Flammarion, 2008, p. 79-81.

Questions

Note : Vous pouvez vous inspirer de votre connaissance des théories socratiques pour vous aider à préciser votre compréhension du texte. Chacune de vos réponses devrait compter de 60 à 100 mots.

a) Expliquez pourquoi l'activité philosophique de Socrate est une preuve de son amitié envers ses concitoyens.

b) Pourquoi sa propre mort apparaît-elle à Socrate comme un mal moins grand pour lui-même que pour ses concitoyens ?

c) Que signifie cet énoncé de Socrate qu'il est impossible « que celui qui vaut le mieux éprouve un dommage de la part de celui qui vaut le moins » ?

❻ L'extrait qui suit est tiré du dialogue *Le Banquet* de Platon ; six convives, dont Socrate, y exposent à tour de rôle leur conception de l'amour. Socrate, disant avoir été instruit des choses concernant l'amour d'une prêtresse de Mantinée dénommée Diotime, rapporte un entretien qu'il a eu avec elle. Le début de cet entretien, que nous lirons ici, présente la thèse selon laquelle l'Amour (Éros) est un intermédiaire (un démon) entre le mortel et l'immortel.

Lisez attentivement le texte et répondez ensuite aux questions.

Le Banquet II

Socrate Le plus facile est, je crois, de vous rapporter l'entretien dans l'ordre où l'étrangère l'a conduit en me posant des questions. Moi aussi, je lui disais à peu près les mêmes choses qu'Agathon vient de me dire, que l'Amour était un grand dieu et qu'il était l'amour du beau ; elle me démontra alors, par les mêmes raisons que je l'ai fait à Agathon, que l'Amour n'est ni beau, comme je le croyais, ni bon.

Que dis-tu, Diotime, répliquai-je ; alors l'Amour est laid et mauvais ?

Diotime Parle mieux ; penses-tu que ce qui n'est pas beau soit nécessairement laid ?

Socrate Certes.

Diotime Crois-tu aussi que ce qui n'est pas savant soit ignorant, et ne sais-tu pas qu'il y a un milieu entre la science et l'ignorance ?

Socrate Quel est-il ?

Diotime Ne sais-tu pas que c'est l'opinion vraie, mais dont on ne peut rendre raison, et qu'elle n'est ni science – car comment une chose dont on ne peut rendre raison serait-elle science ? – ni ignorance, car ce qui par hasard possède le vrai ne saurait être ignorance ; l'opinion vraie est quelque chose comme un milieu entre la science et l'ignorance.

Socrate C'est juste.

Diotime Ne conclus donc pas forcément que ce qui n'est pas beau est laid, et que ce qui n'est pas bon est mauvais ; ainsi en est-il de l'amour : ne crois pas, parce que tu reconnais toi-même qu'il n'est ni bon ni beau [l'Amour est amour, ou désir, de ce qui est beau et bon], qu'il soit nécessairement laid et mauvais, mais qu'il est quelque chose d'intermédiaire entre ces deux extrêmes.

Socrate Pourtant, tout le monde reconnaît qu'il est un grand dieu.

Diotime En disant tout le monde, est-ce des ignorants que tu entends parler, ou des savants aussi ?

Socrate De tous à la fois.

Diotime (en riant) Et comment, Socrate, serait-il reconnu comme un grand dieu par ceux qui prétendent qu'il n'est même pas un dieu ?

Socrate Qui sont ceux-là ?

Diotime Toi le premier, moi ensuite.

Socrate Que dis-tu là ?

Diotime Rien que je ne prouve facilement. Dis-moi, n'est-ce pas ton opinion que tous les dieux sont heureux et beaux ? et oserais-tu soutenir que parmi les dieux il y en ait un qui ne soit pas heureux ni beau ?

Socrate Non, par Zeus.

Diotime Or les heureux, ne sont-ce pas, selon toi, ceux qui possèdent les bonnes et belles choses ?

Socrate Assurément si.

Diotime Mais tu as reconnu que l'Amour, parce qu'il manque des bonnes et des belles choses, désire ces choses mêmes dont il manque.

Socrate Je l'ai reconnu en effet.

Diotime Comment donc serait-il dieu, lui qui n'a part ni aux belles, ni aux bonnes choses ?

Socrate Il ne saurait l'être, ce semble.

Diotime Tu vois donc que toi non plus tu ne tiens pas l'Amour pour un dieu.

Socrate Que serait donc l'Amour ? mortel ?

Diotime Pas du tout.

Socrate Alors quoi ?

Diotime Comme les choses dont je viens de parler, un milieu entre le mortel et l'immortel.

Socrate Qu'entends-tu par-là, Diotime ?

Diotime Un grand démon, Socrate ; et en effet tout ce qui est démon tient le milieu entre les dieux et les mortels.

Socrate Et quelles sont les propriétés d'un démon ?

Diotime Il interprète et porte aux dieux ce qui vient des hommes et aux hommes ce qui vient des dieux, les prières et les sacrifices des uns, les ordres des autres et la rémunération des sacrifices ; placé entre les uns et les autres, il remplit l'intervalle, de manière à lier ensemble les parties du grand tout. […] Ces démons sont nombreux ; il y en a de toutes sortes ; l'un d'eux est l'Amour.

Socrate De quel père et de quelle mère est-il né ?

Diotime C'est un peu long à raconter ; je vais pourtant te le dire.

Quand Aphrodite naquit, les dieux célébrèrent un festin, tous les dieux, y compris Poros [Expédient ; Ressource], fils de Mètis. Le dîner fini, Pénia [Pauvreté], voulant profiter de la bonne chère, se présenta pour mendier et se tint près de la porte. Or Poros, enivré de nectar, car il n'y avait pas encore de vin, sortit dans le jardin de Zeus, et, alourdi par l'ivresse, il s'endormit. Alors Pénia, poussée par l'indigence, eut l'idée de mettre à profit l'occasion, pour avoir un enfant de Poros : elle se coucha près de lui, et conçut l'Amour [Éros]. Aussi l'Amour devint-il le compagnon et le serviteur d'Aphrodite, parce qu'il fut engendré au jour de naissance de la déesse, et parce qu'il est naturellement amoureux du beau, et qu'Aphrodite est belle.

Étant fils de Poros et de Pénia, l'Amour en a reçu certains caractères en partage. D'abord il est toujours pauvre, et loin d'être délicat et

►

beau comme on se l'imagine généralement, il est dur, sec, sans souliers, sans domicile ; sans avoir jamais d'autre lit que la terre, sans couverture, il dort en plein air, près des portes et dans les rues ; il tient de sa mère, et l'indigence est son éternelle compagne. D'un autre côté, suivant le naturel de son père, il est toujours à la piste de ce qui est beau et bon ; il est brave, résolu, ardent, excellent chasseur, artisan de ruses toujours nouvelles, amateur de science, plein de ressources, passant sa vie à philosopher, habile sorcier, magicien et [expert]. Il n'est par nature ni immortel ni mortel ; mais dans la même journée, tantôt il est florissant et plein de vie, tant qu'il est dans l'abondance, tantôt il meurt, puis renaît, grâce au naturel qu'il tient de son père. Ce qu'il acquiert lui échappe sans cesse, de sorte qu'il n'est jamais ni dans l'indigence, ni dans l'opulence et qu'il tient de même le milieu entre la science et l'ignorance, et voici pourquoi. Aucun des dieux ne philosophe et ne désire devenir savant, car il l'est ; et, en général, si l'on est savant, on ne philosophe pas ; les ignorants non plus ne philosophent pas et ne désirent pas devenir savants ; car l'ignorance a précisément ceci de fâcheux que, n'ayant ni beauté, ni bonté, ni science, on s'en croit suffisamment pourvu. Or, quand on ne croit pas manquer d'une chose, on ne la désire pas.

Socrate Quels sont donc, Diotime, ceux qui philosophent, si ce ne sont ni les savants ni les ignorants ?

Diotime Un enfant même comprendrait tout de suite que ce sont ceux qui sont entre les deux, et l'Amour est de ceux-là. En effet, la science compte parmi les plus belles choses ; or l'Amour est l'amour des belles choses ; il est donc nécessaire que l'Amour soit philosophe, et, s'il est philosophe, qu'il tienne le milieu entre le savant et l'ignorant ; et la cause en est dans son origine, car il est fils d'un père savant et plein de ressources, mais d'une mère sans science ni ressources. Voilà, mon cher Socrate, quelle est la nature du démon. Quant à la façon dont tu te représentais l'Amour, ton cas n'a rien d'étonnant ; tu t'imaginais, si je puis le conjecturer de tes paroles, que l'Amour est l'objet aimé et non le sujet aimant : voilà pourquoi, je pense, tu te le figurais si beau ; et, en effet, ce qui est aimable, c'est ce qui est réellement beau, délicat, parfait et bienheureux ; mais ce qui aime a un tout autre caractère, celui que je viens d'exposer.

Source : PLATON. *Le Banquet*, 201e-204c, dans *Le Banquet : Phèdre*, trad. du grec par Émile CHAMBRY, Paris, Flammarion, 1964, p. 62-65. (Coll. « GF »)

Questions

Note : Si vous citez le texte, vous devez expliquer en quoi la citation choisie répond à la question. Chacune de vos réponses devrait compter entre 60 et 100 mots.

a) Diotime enseigne à Socrate que l'amour (Éros) n'est pas un dieu, parce qu'il n'a pas le même rapport au beau et au bon qu'un dieu. Expliquez dans vos propres termes, en demeurant fidèle au propos de Diotime, comment Éros se distingue des dieux.

b) Pourquoi, selon Diotime, l'amour (Éros) ressent-il de l'attrait pour la philosophie ?

c) Vous êtes convoqué à une entrevue pour un emploi d'éducateur auprès de jeunes adolescents.

Sachant que les jeunes auprès desquels vous serez appelé à travailler posent souvent des questions sur l'amour, le comité de sélection vous demande, dans la première étape de l'entrevue, de composer un texte décrivant votre conception personnelle de l'amour, en la comparant 1) à celles qui circulent le plus souvent dans les médias, ainsi que 2) à celle que Diotime enseigne à Socrate. (Le comité de sélection estime important de vérifier les connaissances philosophiques que vous avez acquises au collège.) On vous demande de terminer ce texte en disant pourquoi vous enseigneriez ou non votre conception de l'amour aux jeunes dont vous aurez la responsabilité, si vous êtes embauché.

CHAPITRE 6

Platon et Aristote

> **«** *Si nous avons été engendrés, il est clair que nous existons aussi en vue d'exercer la sagesse et de nous instruire.* **»**
> **Aristote, *Invitation à la philosophie (Protreptique)***

Deux sources de réflexion inépuisables

Ce chapitre est consacré à Platon et à Aristote, qui comptent parmi les plus grands philosophes de toute l'histoire de la pensée occidentale.

Platon fait partie de ceux qui ont considéré comme un privilège leur rencontre avec Socrate. Lui qui, dans sa jeunesse, avait des visées politiques, a réalisé, sous l'influence de Socrate, combien il pouvait être imprudent de s'occuper des affaires de la cité sans une connaissance préalable des fondements d'un régime politique juste. Il lui est donc apparu que la philosophie, qui est proprement la science des questions fondamentales, était indispensable. Bien que Platon ait toujours gardé un attachement particulier aux questions d'ordre politique, son œuvre couvre toutes les disciplines de son époque.

Aristote a étudié et a donné des cours à la célèbre Académie fondée en -387 par Platon. Plus tard, vers -335, il a ouvert sa propre école, le Lycée. Ses premiers penchants intellectuels ont porté sur les questions naturelles, mais, tout comme Platon, son œuvre s'étend à tous les domaines du savoir. La philosophie d'Aristote est, en quelque sorte, complémentaire à celle de Platon ; selon les points de discussion, elle la prolonge ou, parfois, s'y oppose.

Le tableau 6.1 reprend les éléments essentiels des théories de ces deux grands philosophes, qui ont été abordées au chapitre 2[1]. Suivra un exposé de leurs conceptions de l'être

Aristote (-384 à -322). À l'époque où il fréquentait l'Académie, Platon le surnommait « le liseur » et « le cerveau de l'École ».

---

1. Pour plus de détails concernant les biographies de Platon et d'Aristote ainsi que pour une brève introduction à leur philosophie, on peut se référer au chapitre 2, p. 35 à 41.

Tableau 6.1	Quelques éléments théoriques des philosophies platonicienne et aristotélicienne	
	Platon	**Aristote**
Théorie de la connaissance	Il existe un rapport de participation entre l'être intelligible (l'être parfait) et l'être sensible. En plus d'une nature corporelle, tout être sensible est constitué d'une essence. L'essence est ce qui procure une existence réelle, une identité permanente, aux différents êtres changeants de la réalité sensible. Elle est ce qui rattache les êtres singuliers (*cet* homme, *ce* cheval, *cet* arbre, *cette* table) à une réalité universelle (l'ensemble des humains, l'ensemble des chevaux) qui demeure en permanence identique à elle-même. C'est grâce à cette stabilité que leur procure l'universel en eux que nous pouvons avoir la science des êtres de la nature et de tout ce qui concerne les affaires humaines.	Contrairement à Platon, Aristote accorde beaucoup d'importance aux sens dans l'acte de connaître. Toutefois, tout comme Platon, il voit dans l'essence, la cause de l'existence réelle des êtres sensibles et changeants. Le principe de non-contradiction, tel qu'il l'a formulé – *Il est impossible que le même attribut appartienne et n'appartienne pas en même temps, au même sujet et sous le même rapport* –, permet de comprendre que, malgré les changements qu'ils subissent au cours du temps, les êtres de la nature restent fondamentalement identiques à eux-mêmes.
Méthode	En continuité avec la démarche socratique, la dialectique platonicienne consiste en deux opérations. La première est la synthèse : elle permet à l'intelligence de saisir les essences qui regroupent, en des unités distinctes, la multiplicité des êtres sensibles auxquels on fait correspondre un même nom. La seconde, l'analyse, consiste à rediviser chaque unité en ayant une vision claire de ce qui en fait partie ; elle permet d'accéder à la vérité concernant aussi bien le domaine de la nature que celui des affaires humaines.	Aristote répartit les différents domaines du savoir (la cosmologie, la botanique, la politique, etc.) selon des principes propres et exclusifs à chaque genre d'êtres (les êtres célestes, les plantes, les lois, etc.). La science nécessite également que, pour chaque être, on puisse en reconnaître les causes : sa matière, son mouvement, son essence et sa finalité. La logique aristotélicienne a structuré de façon plus rigoureuse la démarche rationnelle en vue de la constitution des différents types de savoir.

Platon (-427 à -347). Platon a été surnommé « le Divin » par les Anciens.

et de la vérité qui éclairera davantage notre compréhension des données du tableau. Enfin, nous examinerons leurs contributions respectives aux questions d'ordre éthique et politique qui, encore actuellement, sont une source d'inspiration incontournable.

L'être et la vérité selon Platon

Platon superpose les deux mondes que Parménide[2] avait radicalement opposés (voir la figure 6.1). En plaçant la réalité intelligible au-dessus de la réalité sensible et en établissant un lien entre elles, de deux réalités distinctes il fait un seul monde.

La réalité sensible

La réalité sensible, celle qui est au rang inférieur, est composée de la multitude des êtres que nous pouvons percevoir au moyen de nos sens : les phénomènes naturels, les êtres vivants, les objets fabriqués et toutes les affaires humaines, par exemple, les lois et les actions. Puisqu'ils sont vus, entendus, touchés, ces êtres sont forcément sensibles (perceptibles au moyen des sens),

2. Voir le tableau 2.1, p. 29.

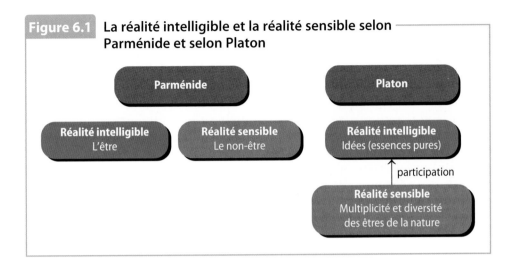

Figure 6.1 La réalité intelligible et la réalité sensible selon Parménide et selon Platon

corporels et en mouvement. C'est pourquoi aucun d'eux n'a la perfection de l'être au sens absolu : tous se caractérisent par une naissance et une mort, par un commencement et une fin. Bien que, contrairement à Parménide, Platon accorde une existence réelle aux êtres en devenir (les êtres sensibles), selon lui, la réalité sensible comporte tout de même une grande part de non-être et d'imperfection. Elle est à la fois être et non-être.

La réalité intelligible

Au-dessus de la réalité sensible se situe la réalité intelligible que seule la raison (l'intelligence) est en mesure de connaître. Elle est composée d'essences éternelles que Platon appelle « Idées ». Les Idées correspondent à l'être au sens absolu, qui reste éternellement identique à lui-même puisque, étant parfait, il ne peut ni s'améliorer ni se détériorer. Au contraire des êtres sensibles, qui sont corporels et changeants, les Idées sont donc immuables, elles sont absolument exemptes de changement.

Les Idées ressemblent en quelque sorte à des concepts universels qui nous permettent de classifier les choses en genres et en espèces. Tout comme il existe un concept pour chaque type d'êtres (le concept d'animal, le concept d'humain, le concept de végétal, le concept de plante), selon Platon, à chaque groupe d'êtres auxquels nous attribuons un même prédicat correspond une Idée. À ceux que nous disons être des humains (Pierre, Marie, Philippe, etc.) correspond l'Idée d'humain ; aux animaux, l'Idée d'animal ; aux chats, l'Idée de chat ; aux plantes, l'Idée de plante ; aux choses grandes, l'Idée de grandeur ; aux choses justes, l'Idée de justice ; aux choses belles, l'Idée de beauté. Toutes les choses sensibles, sans exception, se rattachent ainsi à une Idée.

Cependant, les Idées ne sont pas, selon Platon, de simples produits de la raison humaine comme le sont les concepts. Elles ont une existence antérieure à celle des êtres de la réalité sensible, qui ne dépend ni de cette dernière ni de nous. Lorsqu'elle s'y applique, notre raison peut découvrir les Idées et leur sens respectif, mais elle ne les invente pas. Toute proportion gardée[3], les Idées

---

3. Le but de la comparaison qui suit n'est que pédagogique ; nous ne visons nullement à établir le statut ontologique des lois de la nature.

ressemblent aux lois de la nature (par exemple, la loi de la gravité) qu'ont découvertes les scientifiques modernes. Chacune de ces lois est unique par opposition à la multiplicité des phénomènes qu'elle détermine. Elle est inaltérable et reste toujours la même quelle que soit la diversité de ces phénomènes. Enfin, elle préexiste en tant que loi aux phénomènes qu'elle détermine. Il en est donc de même des Idées. Par exemple, pour tous les humains de notre monde, il n'y a qu'une seule Idée d'humain qui est toujours la même bien que les humains diffèrent entre eux et qu'ils changent ; elle vaut pour tous les humains qui ont été, qui sont et qui seront. Elle est également la cause du fait que tout humain reste un humain malgré les changements qui l'affectent au cours de son existence.

Le lien entre réalité sensible et réalité intelligible

Si, comparée à la réalité intelligible, la réalité sensible est imparfaite, selon Platon, elle n'est tout de même pas constituée que de vaines apparences. Les êtres sensibles ne sont pas que non-être ; leur composition implique aussi une essence. Celle-ci leur assure une permanence à travers les changements qui sont dus à ce qui appartient au corps. Grâce à l'essence, ils acquièrent la stabilité nécessaire à toute existence réelle. Ainsi, bien qu'elles soient invisibles à nos yeux, les essences agissent au sein de la réalité sensible, de telle sorte que c'est grâce à elles si le changement des êtres sensibles n'est pas livré au pur hasard. Les essences créent des régularités, de la permanence, de l'ordre au sein de notre monde.

Platon explique ce lien entre réalité sensible et réalité intelligible en disant que les êtres sensibles existent véritablement dans la mesure où ils participent des Idées ; que, par leur nature profonde, ils leur ressemblent. Ainsi, les Idées, qu'on appelle alors « essences » ou « formes », se retrouvent engagées dans le monde sensible ; par exemple, la forme du beau dans les choses belles. Dans ce cas, Platon dit que les choses belles ont un rapport de participation à l'Idée de beauté et que c'est cette dernière qui est la cause du fait que certaines choses sont véritablement belles. De même, c'est parce que tout humain participe de l'Idée d'humain qu'il a une existence réelle.

Un monde hiérarchisé

Il y a, dans le monde selon Platon, différents modes d'être qui se répartissent selon leur degré plus ou moins grand de réalité. C'est pourquoi Platon les superpose les uns aux autres de façon hiérarchique. Une première distinction est faite, comme nous l'avons vu, entre la réalité sensible et la réalité intelligible. Et puis, une autre distinction est faite à l'intérieur même de chacune de ces deux réalités.

Les modes d'être de la réalité sensible

Dans la réalité sensible, il existe deux modes d'être. Un premier qui comprend les images (l'ensemble des productions artistiques), les ombres et les reflets que l'on voit dans les eaux ou à la surface des corps opaques, polis et brillants (des miroirs, par exemple). Un second qui est celui des êtres mêmes que les images, les ombres et les reflets représentent : les animaux, les humains, les plantes, les objets fabriqués.

Platon situe le second mode d'être au-dessus du premier pour cette raison que l'existence de ce que l'on trouve dans le premier est due à l'existence de ce que l'on trouve dans le second : sans l'existence des êtres vivants et des objets fabriqués, il ne pourrait en effet en exister ni une image ni une ombre ni un reflet. Dans *La République*[4], Platon donne l'exemple d'un lit reproduit par un peintre dans un tableau. Le peintre, précise Platon, ne nous montre qu'un aspect partiel du lit fabriqué par l'artisan. Nous y reconnaissons un lit, parce que ce que nous voyons ressemble au lit qui a servi de modèle au peintre ou aux lits que nous utilisons dans la vie de tous les jours. Toutefois, cette image du lit n'est pas aussi réelle que le lit en tant qu'objet véritable : elle n'en est qu'une imitation.

Les modes d'être de la réalité intelligible

Platon place au niveau supérieur de la réalité intelligible les Idées, car, selon lui, elles sont les causes de tout ce qui existe dans le monde. C'est grâce aux Idées que ce qui a un degré beaucoup moindre de réalité qu'elles – les êtres sensibles et les images – est néanmoins réel. Pour reprendre l'exemple du lit, le lit sensible qui a servi de modèle au peintre ne pourrait lui-même exister sans la forme générale du lit que le fabricant doit avoir à l'esprit s'il veut que le lit qu'il fabrique soit et serve réellement de lit. Et, bien que ce fabricant puisse construire des lits qui diffèrent les uns des autres, tous reçoivent leur mode d'être particulier (en tant que lit) de leur participation à la même Idée de lit. L'Idée de lit est donc première et elle est seule à ne dépendre de rien d'autre.

Au niveau inférieur se trouve un mode d'être qui, bien qu'il soit de l'ordre de l'intelligible, emprunte à la réalité sensible. Il s'agit de ce qui fait l'objet des mathématiques, mais aussi de tout ce qui nous permet, en partant de choses sensibles (plus facilement compréhensibles), de nous élever à la connaissance des réalités intelligibles. Par exemple, Platon se sert d'**allégories**, d'**analogies** et de **métaphores** pour nous aider à saisir des notions purement intellectuelles. C'est d'ailleurs par une analogie (voir la figure 6.2) qu'il nous fait prendre conscience de la correspondance qui existe entre les quatre modes d'être, que nous venons de décrire, et quatre manières hiérarchisées de connaître.

Cette analogie consiste à nous figurer une ligne coupée en quatre segments selon des proportions qui, de gauche à droite, progressent de l'inférieur au supérieur. Au haut de la ligne, ce sont les modes d'être qui sont distribués selon leur plus ou moins grand degré de réalité. Au bas de la ligne, ce sont les manières dont nous usons pour les connaître qui sont réparties selon qu'elles contiennent un plus ou moins grand degré d'obscurité ou de clarté.

Les manières de connaître correspondant à la réalité sensible

La première manière de connaître est, selon Platon, l'imagination. Elle porte sur les choses qui possèdent le degré le plus faible de réalité. Elle-même est la manière de connaître la plus obscure et la plus éloignée de la vérité ; par elle, la réalité ne nous est accessible que comme images, ombres et reflets.

L'Idée de lit

Lit sensible,
imitation de

Image du lit,
imitation du

Allégorie

Récit imagé servant à faire connaître des notions abstraites.

Analogie

Ressemblance établie entre deux ou plusieurs objets qui, tout en étant essentiellement différents, ont un certain rapport de similitude.

Métaphore

Terme représentant une réalité concrète, qu'on transporte au sens figuré, pour illustrer de façon saisissante une réalité d'un autre ordre.

---

4. PLATON, *La République*, X, 596a-598c.

Figure 6.2 L'analogie de la ligne

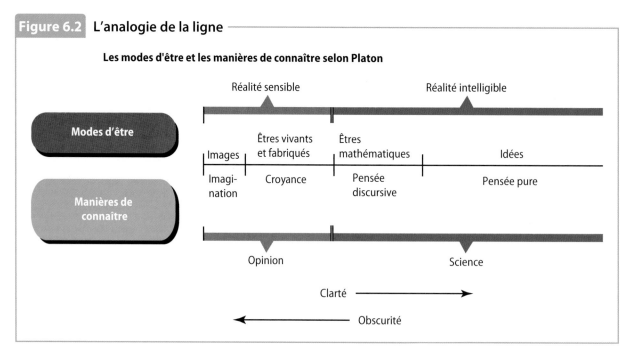

Les modes d'être et les manières de connaître selon Platon

Vient ensuite la croyance, que Platon place à un niveau supérieur à l'imagination parce qu'elle porte sur les objets mêmes dont l'imagination ne capte que les ombres ; c'est-à-dire les êtres vivants et les êtres fabriqués véritables. À ce stade, nos perceptions nous font croire à ce qu'elles nous représentent comme étant la réalité. Cette forme de connaissance reste toutefois très incertaine, car, tout comme l'imagination, elle ne nous procure que des opinions qui, même lorsqu'elles sont vraies, ne sont point éclairées par la raison.

Les manières de connaître correspondant à la réalité intelligible

À la première partie du segment appartenant à la réalité intelligible, Platon fait correspondre êtres mathématiques et pensée discursive, c'est-à-dire la pensée qui procède par raisonnements qu'elle déduit successivement l'un de l'autre. Ici, l'âme part, par exemple, de figures sensibles (le tracé de figures géométriques : le triangle rectangle, le triangle isocèle, etc.) et construit ses hypothèses concernant des réalités intelligibles (les figures en soi ; par exemple, la définition universelle du triangle). Ensuite, partant de ces mêmes hypothèses, elle déduit toutes les propriétés essentielles des objets mathématiques. De cette manière, la pensée peut rendre compte non seulement des figures intelligibles, mais aussi de ce que sont réellement les figures sensibles et leurs images desquelles nous n'avions auparavant que des opinions.

Il importe de remarquer que, même si Platon appelle « êtres mathématiques » l'objet de la pensée discursive, cette dernière peut, en remontant des essences engagées dans la réalité sensible jusqu'aux Idées, déduire toutes les connaissances nécessaires à la constitution des sciences particulières (naturelles et humaines), autres que les mathématiques. C'est, en effet, cette élévation dans la réalité intelligible qui nous permet d'avoir une connaissance vraie de la réalité sensible et qui, dans le domaine particulier des affaires humaines, nous permet de distinguer ce qui est vraiment juste de ce qui ne l'est pas, ce qui est vraiment beau de ce qui ne l'est pas, ce qui est vraiment utile de ce qui ne l'est pas.

Toutefois, pour avoir une vue d'ensemble de tous les liens qui rassemblent les différents modes d'être en un tout, et avoir la volonté et la force de concevoir la réalité sensible sur le modèle parfait de la réalité intelligible, il faut encore plus de clarté, plus de vérité. C'est précisément le défi de la quatrième manière de connaître, celle qui correspond, selon Platon, à la dialectique pure et à laquelle s'appliquent les philosophes. Ici, l'âme fait ses hypothèses à l'aide de la seule pensée sans avoir recours à la réalité sensible. Elle procède d'hypothèse en hypothèse, d'Idée en Idée, jusqu'à ce qu'elle saisisse le principe premier, l'Idée la plus haute, qui n'admet plus d'hypothèse. Et, à partir de cette Idée la plus haute, elle peut voir l'ordre harmonieux de toutes les Idées entre elles.

L'Idée du bien

Le principe premier de tout, l'Idée la plus haute, est, selon Platon l'Idée du bien. Elle est, dans le domaine de l'intelligible, comparable au Soleil dans le domaine du sensible. Le Soleil, en dispensant sa lumière, rend possible la génération des êtres sensibles et il nous permet de les voir. De la même façon, l'Idée du bien, en dispensant la lumière de la vérité, fait exister les autres Idées et elle nous permet de les connaître. C'est grâce à elle que les Idées sont ordonnées de la façon la plus harmonieuse entre elles. Et, puisque les choses sensibles reçoivent leur être véritable des essences, l'Idée du bien est également le principe à l'origine du monde dans sa totalité. Elle est la cause de tous les êtres, sensibles et intelligibles, et de la connaissance que nous pouvons en avoir. Par conséquent, c'est grâce à l'Idée du bien que tout ce qui existe dans la réalité sensible, en imitant l'ordre de la réalité idéale, tient de cette dernière l'ordre qui est le meilleur. C'est pourquoi, selon Platon, les philosophes ont le devoir de ne pas rester à cette contemplation, mais ils doivent redescendre de la réalité intelligible vers la réalité sensible pour guider leurs concitoyens en vue de l'établissement d'un ordre social où les beaux parleurs n'auraient plus les moyens de tromper le peuple et de les entraîner à accepter ou même à commettre l'injustice. Mais, pour Platon, cela nécessite qu'une saine éducation soit entreprise dès la plus tendre enfance afin qu'à la place de nous observer les uns les autres dans la crainte de subir des injustices, « chacun s'observerait soi-même dans la crainte qu'admettant l'injustice en son âme il ne cohabitât avec le plus grand des maux[5] ».

Pour Platon, cela était une cause d'indignation profonde qu'on s'occupe si peu de donner une bonne éducation aux jeunes qu'ils en viennent à refuser le moindre effort et à préférer l'ignorance et les opinions communes à la vérité. C'est pour cela qu'il a écrit une très belle allégorie[6] au moyen de laquelle il souhaitait nous encourager à rechercher la vérité et à ne pas faire comme ceux qui se laissent séduire par une multitude de choses sensibles

5. PLATON, *La République*, II, 366d-367a, trad. du grec par Émile CHAMBRY, Paris, Les Belles Lettres, 1965, p. 62.

6. Il s'agit de l'*Allégorie de la caverne* qui a inspiré philosophes, écrivains et cinéastes. Elle est présentée à la fin de ce chapitre dans les « Activités d'apprentissage ».

et d'images sans être en mesure de voir en elles ce qui est véritablement beau et vrai ; ou comme ceux qui s'attachent à des ombres qu'ils prennent pour la vérité, qui croient que l'acharnement qu'ils mettent à défendre leurs opinions est le signe de leur liberté alors que, au fond, ce ne sont que des esclaves qui chérissent les chaînes qu'ils se sont créées. Pour quitter cette ignorance, il faut donc, selon Platon, une conversion de l'âme ; il faut tourner les yeux de notre âme et notre âme tout entière vers la réalité intelligible et l'Idée du bien.

L'Allégorie de la caverne

L'être et la vérité selon Aristote

Aristote accorde comme Platon beaucoup d'importance à l'essence des êtres (la forme, ou cause formelle, dans le vocabulaire aristotélicien). Elle est ce qui définit ce que les êtres sont de façon permanente, malgré leurs changements, et ce qui les rattache à une espèce et un genre universels. Cependant, Aristote n'admet pas que, concernant les êtres sensibles, l'essence puisse exister antérieurement au composé de matière et de forme. Pour lui, les êtres sensibles ne reçoivent pas leur existence véritable d'un rapport de participation à des êtres intelligibles comme le soutient Platon. Par l'argument du « **troisième homme** », Aristote tente de démontrer que cette duplication des êtres sensibles en des êtres intelligibles (les Idées platoniciennes) mène à l'inexistence d'un premier principe[7], ce qui est logiquement inacceptable et rend impossible la connaissance.

Il faut donc admettre, selon lui, que si, sur le plan de la connaissance, nous pouvons, par une opération rationnelle, dissocier la forme (l'essence) de la matière, sur le plan du réel, les deux sont inséparables. Quant à l'être véritable, qui existe réellement, il réside non pas dans la réalité intelligible

---

7. Sur le plan de la connaissance, un principe est une proposition première à partir de laquelle il est possible de déduire d'autres connaissances.

Troisième homme

L'argument du « troisième homme » est le suivant. Si tout attribut commun (être homme) à différents êtres sensibles (la diversité des hommes) constitue une Idée ayant une existence supérieure et séparée (l'Idée d'homme), ce qui est commun aux hommes sensibles et à l'homme en soi (l'Idée d'homme) constituera une autre Idée ayant une existence supérieure et séparée, qu'Aristote appelle « troisième homme » (les hommes sensibles et l'homme en soi n'étant pas identiques, mais ayant un attribut commun). De même, ce qui est commun aux hommes sensibles, à l'homme en soi et au troisième homme produira un quatrième homme, et ainsi de suite. Selon Aristote, croire à l'existence réelle des Idées nous contraint donc à une régression à l'infini.

> **Acte**
>
> Ce qui est. L'être réalisé, qui résulte de la rencontre de la forme avec la matière, et donc de la transformation de l'être en puissance en un être en acte. Par exemple : l'individu composé d'un corps et d'une âme ; la statue composée de marbre et de la forme d'Aphrodite.

> **Puissance**
>
> Caractère de ce qui peut se produire mais qui n'existe pas actuellement. L'être en puissance n'est toutefois pas un pur non-être ; il possède en lui-même une certaine différenciation qui le fait tendre vers une forme plutôt qu'une autre. Par exemple : la matière constitutive d'un être humain ne peut recevoir la forme d'une plante.

(l'Idée d'homme), mais dans l'individu concret (*cet* homme), composé d'une matière et d'une forme. Ce composé, Aristote l'appelle l'« être en **acte** » et, tout comme il le distingue de la forme sans la matière, il le distingue également de ce qu'il appelle l'« être en **puissance** », c'est-à-dire la matière sans la forme.

De plus, puisque la forme n'a d'existence que dans le composé (pour l'être vivant, dans l'individu ayant un corps et une âme), cela implique qu'au niveau de l'individu, la forme disparaît lorsque la matière périt. Contrairement à ce que pensait Platon, l'âme est, selon Aristote, mortelle. Pour les êtres de notre monde, l'éternité ne s'acquiert qu'au niveau des espèces. Il y a conservation éternelle des espèces par la transmission d'une même forme de génération en génération, mais, chez l'individu, la forme ne survit pas à la matière.

Ces caractéristiques distinctives de la théorie aristotélicienne de l'être sont à l'origine de l'opposition que l'on fait classiquement entre Platon et Aristote, disant du premier qu'il est idéaliste et du second qu'il est réaliste. Si, en attribuant aux êtres sensibles une réalité qui leur vient de leur participation aux Idées, Platon a réussi à les retirer du non-être où les tenaient les sophistes – d'après les sophistes, le réel n'est, pour nous, que changement et apparence –, comparativement à Aristote, il est vrai qu'il n'a pas suffisamment pris en compte l'expérience sensible en vue de la constitution d'une véritable science de la nature. C'est toutefois ce à quoi s'applique Aristote.

L'être au sens premier

Dans le livre VII de la *Métaphysique*, Aristote affirme que « l'Être se prend en de multiples sens[8] ». Le but de son exposé est de rechercher ce qu'est l'être en son sens premier, au-delà de ses attributions particulières. Par exemple, une fourmi, un hippopotame, une table et une galaxie sont tous des êtres. Mais la question est de savoir ce

Platon, l'index pointé vers le ciel, nous invite à la contemplation des Idées, alors qu'Aristote, la main tournée vers le sol, nous convie à l'étude des êtres sensibles.

---

8. ARISTOTE, *Métaphysique*, VII 1, 1028a10, trad. du grec par Jules TRICOT, Paris, Vrin éditeur, 1986, p. 348.

qui fondamentalement, au-delà de leurs différences, nous permet de dire qu'ils sont tous des êtres. Qu'est-ce que l'être?

Aristote appelle «substance» l'être au sens premier et il le conçoit comme ce qui, étant premier, possède intrinsèquement (en lui-même) le principe de son propre mouvement et, par conséquent, n'a besoin de rien d'autre que de soi-même pour exister. Il le conçoit également comme ce dont toutes les autres sortes d'êtres ne sont que des attributs alors que lui-même, étant premier, ne peut être attribut de rien d'autre. Selon Aristote, cet être ou cette substance première est l'individu composé d'une matière et d'une forme. Prenons l'exemple d'un homme dont le nom est Pierre. Depuis que la forme humaine lui a été transmise par ses parents, Pierre possède de façon immanente son propre principe de vie (son propre mouvement). Il est dès lors impossible de dire du sujet «Pierre» qu'il est le prédicat d'un autre être: dire, par exemple, que «l'honnêteté est Pierre», que «la grandeur est Pierre», que «l'être humain est Pierre». Par contre, il est possible d'attribuer à Pierre différentes façons d'exister, des qualités, des actions; dire par exemple, que «Pierre est un être humain», qu'«il est honnête», qu'«il est petit», qu'«il possède une maison». Dans la réalité, seul l'individu composé d'une matière et d'une forme (dans le cas de Pierre, d'un corps et d'une âme rationnelle) a une existence en lui-même alors que tout le reste n'a d'existence que par l'intermédiaire de l'individu. C'est pourquoi, selon Aristote, l'individu (la substance) est l'être au sens premier.

Selon Aristote, il y a en tout dix sens de l'être qu'il appelle «catégories de l'être» (voir le tableau 6.2). L'être au sens premier, la substance, constitue la première catégorie de l'être. Les autres catégories, de la deuxième à la dixième, correspondent à des attributs non essentiels qu'Aristote nomme «attributs accidentels» ou «accidents» pour les distinguer de la forme, parce que, contrairement à cette dernière qui reste toujours identique à elle-même dans l'individu et dans l'espèce (la forme humaine pour tous les humains), les autres attributs ne sont pas les mêmes pour les sujets d'une même espèce (certains ont les yeux bleus, d'autres les yeux bruns; certains sont musiciens, d'autres mécaniciens) et, de plus, chez le même individu, ils changent au cours du temps (être jeune et devenir vieux).

Comme nous pouvons le constater dans ce tableau des catégories de l'être, Aristote n'assigne pas à la forme une catégorie distincte de la substance. La raison est que la forme est, pour lui, inséparable de l'individu (la forme humaine dans Irène; la forme féline dans *ce* chat); elle est ce qui le définit essentiellement, ce qui persiste aussi longtemps que l'individu existe. C'est d'ailleurs pourquoi Aristote donne à la forme le nom de «substance seconde», signifiant par là que, si, d'une part, l'être au sens premier est le composé de matière et de forme, d'autre part, il est aussi la forme.

Ce statut de substance seconde qu'il accorde à la forme rapproche Aristote de son maître Platon, parce que, même si, pour lui, la forme (l'âme) ne survit pas à la matière (le corps), au niveau de l'espèce, elle est éternelle (sans début ni fin), immuable (sans changement) et simple (sans mélange). Le réalisme d'Aristote n'est donc pas synonyme de matérialisme puisque ce qui est visé par la nature, à travers et au-delà des individus, c'est la conservation de la forme. La forme bénéficie donc d'une supériorité ontologique

Tableau 6.2	**Les catégories de l'être selon Aristote**	
1. La substance • Irène • Pierre • Le chat de Marie-Hélène	**6. La passion** • Le mets est mangé • Le livre est lu • Les vainqueurs sont honorés
2. La quantité • Mesurer deux mètres • Être âgé de dix ans	**7. Le temps** • Hier • Maintenant • La semaine prochaine
3. La relation • La moitié ou le double • Être plus grand	**8. Le lieu** • Être au cégep • Être au gymnase
4. La qualité • Être vertueux • Être jeune • Être musicien	**9. La position** • Être assis • Être couché
5. L'action • Manger • Lire	**10. La possession** • Avoir un livre • Avoir de l'argent

(le mot grec *óntos* veut dire « être ») sur la matière : même si la matière possède en elle-même l'être en puissance, elle est ce qui est cause du changement et de la mort des individus ; c'est la forme qui leur assure l'immortalité au niveau de l'espèce.

La différenciation du bien

Selon Aristote, ce qui détermine l'être est la fin qu'il vise, soit le bien vers lequel le fait tendre ce qu'il est essentiellement (selon la forme). Il conteste cependant l'existence d'une Idée universelle du bien que Platon considérait comme le but de la totalité de l'être. Il y a, selon lui, autant de causes finales[9] que de types de réalités.

Aristote établit une première distinction entre la fin des êtres du **monde supralunaire** et la fin des êtres du **monde sublunaire**. En ce qui concerne les êtres du monde supralunaire, tout se passe selon une nécessité et une perfection absolues. En effet :

- Ces êtres n'ont pas de matière (c'est le cas de Dieu) ou, s'ils en ont une, elle est incorruptible (c'est le cas des astres).
- Ils n'ont pas de mouvement. Dieu est acte pur ne subissant ni génération ni corruption ; il est soustrait à toute espèce d'altération ; il est en perpétuel repos. Quant au mouvement circulaire des astres, puisqu'il se produit éternellement

Monde supralunaire et monde sublunaire

Le monde supralunaire est celui des êtres qui se situent au-dessus de la lune – Dieu, le ciel et les corps célestes (les astres) – et le monde sublunaire est celui des êtres qui se situent au-dessous de la lune – tout ce qui existe dans la nature, dans notre monde terrestre.

9. Pour la définition du terme « cause finale » ainsi que pour celle des trois autres types de causes, voir le chapitre 2, p. 40-41.

dans un même lieu et qu'il ne subit aucune influence extérieure, Aristote le considère comme l'imitation la plus parfaite de l'immobilité de Dieu.

• Ils ont, chacun, une forme éternelle.

Or, la fin de ces êtres ne peut être un bien qui leur est extérieur puisqu'ils ne sauraient désirer quelque chose de moins parfait qu'eux. Dans le cas de Dieu, Aristote dit qu'il est « la pensée de la pensée[10] » : la raison divine est la pensée pure qui tend vers nul autre bien qu'elle-même. C'est pourquoi, selon Aristote, Dieu n'a d'autre rapport à notre monde que celui de « Premier Moteur », transmettant l'impulsion au mouvement de la nature par l'intermédiaire des corps célestes.

Du côté du monde sublunaire, la nécessité est remplacée, selon Aristote, par l'ordre de ce qui se produit le plus souvent. Contrairement aux êtres célestes, les êtres vivants de notre monde n'ont pas la perfection qui leur permettrait d'être à eux-mêmes leur propre fin. Cela explique pourquoi la fin qui est inscrite dans la nature est la conservation des espèces plutôt que celle des individus. Cela est dû au fait que, pour chacun des individus composés d'une matière et d'une forme, il n'y a avant leur existence qu'une possibilité d'être : ce n'est qu'une fois que la forme humaine est transmise par les parents à l'enfant, ou que la forme d'Aphrodite est donnée par le sculpteur à la statue, qu'il y a existence d'un être réel; mais rien ne rend nécessaire que les parents aient tel enfant (par exemple, l'un ou l'autre pourrait décéder avant de procréer) ou que le sculpteur produise une statue d'Aphrodite. De plus, le fait que la matière change continuellement implique qu'une fois qu'ils ont atteint la maturité, les êtres vivants subissent un mouvement inverse allant vers le dépérissement et la mort. Rien en effet de ce qui a un début ne subsiste éternellement. Par conséquent, tout être de la nature est fondamentalement un être en puissance : d'une part, avant son existence, il n'y a pas pour lui plus de raison d'être que de raison de ne pas être ; d'autre part, une fois qu'il a l'existence, ce ne peut être une existence éternelle.

Dans la nature (le monde sublunaire), l'ordre du nécessaire est donc remplacé par l'ordre qu'Aristote appelle « téléologique ». La première partie de ce mot vient de *télos* qui veut dire « ce qu'on a en vue, la fin vers laquelle on tend, le but ». Ce *télos* des êtres naturels implique toutefois une distance, entre la cause naturelle et son effet, qui rend incertaine sa réalisation. Le plus souvent, il se réalise, par la transmission de la forme, de génération en génération. Mais il arrive aussi que des causes, que l'on nomme « accidentelles » pour les distinguer de ce qui se passe selon la nature, font obstacle à son accomplissement; c'est le cas, par exemple, quand le hasard fait en sorte qu'un individu est infertile ou que la mort survient avant la reproduction.

L'intervention de causes accidentelles, dont les effets contreviennent à ce qui arrive habituellement, témoigne de la **contingence** qui, agissant dans la nature, exclut cette dernière de l'ordre du nécessaire. C'est néanmoins également à cause de cette contingence que, pour les êtres humains, tout n'est pas déterminé par la nature et que, dans les domaines pratique (éthique et politique) et technique (les différents savoir-faire), la raison (plutôt que

Contingence

La contingence s'oppose à la nécessité. Est contingent ce qui peut être ou ne pas être. Pour les philosophes qui admettent l'existence du hasard, la contingence s'applique à ce qui existe au sein de la nature.

10. ARISTOTE, *Métaphysique*, XII 9, 1074b34, trad. du grec par Jules TRICOT, Paris, Vrin éditeur, 1986, p. 701.

Dieu ou que la nature) devient le principe qui délibère en vue de la réalisation d'autant de fins que ces domaines proposent[11]. Par exemple, le politicien délibère sur les moyens de réaliser de la façon la plus juste la vie en société ; le médecin délibère sur les moyens de remédier aux imperfections du corps humain en vue de rétablir la santé.

La connaissance et l'expérience sensible

Comme il y a, selon Aristote, quatre causes explicatives des êtres naturels[12] (la matière, le mouvement, la forme et la fin), l'étude de leur forme respective est insuffisante pour en avoir une connaissance complète.

Aristote s'accorde avec Platon pour dire que la science véritable s'appuie sur des principes premiers et qu'elle porte sur l'universel. C'est d'ailleurs cette connaissance de l'universel qui permet de classifier adéquatement le particulier et d'agir selon les règles de l'art. Par exemple, sans la connaissance universelle de ce qui concerne la santé, le médecin ne pourrait reconnaître telle maladie dans tel corps malade, et il ne pourrait, par conséquent, le soigner. Toutefois, selon Aristote, même si la science de l'universel est première en perfection, elle ne pourrait se constituer sans l'expérience sensible, qui la précède chronologiquement. L'étude des êtres sensibles nécessite l'observation de données empiriques et c'est à partir d'une somme de faits semblables que l'intelligence s'élève à une connaissance générale. Par exemple, quand Platon s'interroge sur la cause des changements de régime politique, il se réfère à l'Idée, au nombre royal, à des réflexions générales. Aristote, au contraire, fait confiance d'abord à l'expérience ; il se sert d'observations sur les régimes déjà existants, les États déjà constitués et, à partir de ces observations, il compare les constitutions et cherche alors les causes des révolutions.

Dans le *Traité de l'âme*, Aristote établit une hiérarchie entre les trois principales fonctions de l'âme. Cette répartition des fonctions de l'âme nous aide à comprendre comment, à partir d'une potentialité de connaître qui est en lui, l'être humain s'élève jusqu'à la saisie des principes premiers. Aristote parle de trois âmes : l'âme nutritive, l'âme sensitive et l'âme intellective. Par ordre croissant, il y a d'abord l'âme nutritive, qui remplit toutes les fonctions vitales, comme celles de se nourrir et de se reproduire ; vient ensuite l'âme sensitive, qui consiste en la perception de tout ce qui est connu au moyen des sens, et à laquelle est rattaché le désir ; enfin, vient l'âme intellective, par laquelle nous pensons. Tous les êtres vivants possèdent l'âme ou la faculté nutritive. Les plantes n'ont que celle-ci alors que l'être humain et les autres animaux ont également la faculté sensitive grâce à laquelle ils ont la capacité de distinguer, au moyen des sens, les choses nécessaires à leur subsistance. Chez les animaux supérieurs, l'impression sensible persiste et engendre ainsi la mémoire. Mais c'est seulement chez l'humain que nous pouvons parler d'expérience, quand d'une multiplicité de souvenirs d'une même chose se forme une notion universelle ; quand, par exemple, à partir de la perception de multiples individus (Ulysse, Callias, Socrate, etc.), je saisis l'existence de l'espèce

---

11. Pour un aperçu de la différenciation du bien selon les différents domaines du savoir, voir la figure 2.3, p. 40.

12. Voir le chapitre 2, p. 40-41.

humaine. La connaissance intellectuelle est donc réservée à l'être humain, mais en l'absence de la sensation, elle serait, comme on le voit, impossible.

Le domaine des affaires humaines vu par Platon

À la mort de Socrate, Platon a 27 ans. La démocratie athénienne n'est plus ce qu'elle était au temps où le bonheur des individus ne faisait qu'un avec celui des citoyens. La démocratie est passée entre les mains de ceux que Platon désigne sous les noms de démagogues et de flatteurs ; et plutôt que d'être le lieu de la justice, la scène politique est devenue celui de la loi du plus fort. Pis encore, avec le gouvernement des « Trente Tyrans » (-404 à -403), le régime aristocratique (transformé en oligarchie), auquel Platon avait d'abord souscrit, vient tout juste d'apparaître sous son jour le plus cruel. Se sentant interpellé par l'action politique et souhaitant très ardemment le règne de la justice, Platon se voit alors dans l'urgence de trouver, au-delà des pratiques concrètes, les solutions aux causes du désordre politique. C'est dans son livre *La République*, qui est devenu un classique de la philosophie politique, que l'on trouve les principes qui lui sont apparus comme les idéaux sur lesquels fonder la vie en société.

L'éducation à la vertu

Platon remet en question l'existence d'un trop grand nombre de lois, parfois contradictoires, que le peuple finit par ne plus connaître et ne plus respecter. Selon lui, si les citoyens étaient vertueux, l'État n'aurait alors besoin que de très peu de lois, puisque chacun se ferait à lui-même un devoir d'agir de façon moralement bonne et juste ; ce qui importe avant tout est l'éducation à la vertu.

Tout comme Socrate, Platon considère qu'il existe une justice supérieure aux lois et que l'éducation doit viser à l'imprimer dans l'âme des jeunes. Toutefois, Platon ne pense pas que l'examen que Socrate administrait à ses concitoyens soit suffisant pour conduire à une société meilleure. Selon lui, la route qui mène de l'obscurité de la caverne à la lumière du jour[13] exige un entraînement long et rigoureux que peu d'humains ont la volonté et le courage de réaliser. La majorité des humains sont, au contraire, comme Alcibiade[14], qui, laissé à lui-même, suivit ses désirs irrationnels et cherchait le plaisir plutôt que d'obéir à ce que, en présence de Socrate, lui dictait sa propre raison. C'est pourquoi Platon pense qu'il faut d'abord réformer la cité, qu'il conçoit comme un tout indivisible (à la manière d'une grande famille) : si le tout est organisé en fonction de la justice et que, au moyen de l'éducation, chacun des membres acquière de bonnes habitudes, tous les citoyens deviendront justes.

Les philosophes-rois

Selon Platon, la justice sociale n'est possible que si les affaires humaines sont réglées sur le modèle de l'ordre qui, dans la réalité intelligible, émane de l'Idée du bien. Il faut que les dirigeants politiques soient guidés par la lumière qui

---

13. Voir l'extrait intitulé *Allégorie de la caverne,* dans les « Activités d'apprentissage », p. 177.
14. Voir l'extrait intitulé *Alcibiade* dans les « Activités d'apprentissage » du chapitre 2, p. 46, et l'activité n° 3, au chapitre 4, p. 115.

rend visibles les Idées de bien, de justice et de beauté afin d'établir, parmi nous, un ordre qui soit également bon, juste et beau. C'est pourquoi Platon pense que le gouvernement de l'État doit être conféré aux philosophes, car ce sont ceux qui contemplent les Idées pour ce qu'elles sont en elles-mêmes et qui, par conséquent, ne les confondent pas avec les choses de la réalité sensible qui n'en sont que des imitations.

Au contraire de ceux qui, sans égard pour la vérité, sont toujours à l'affût d'assemblées et de spectacles, et qui errent dans la multiplicité des ombres et des images du beau et du juste, les philosophes ne confondent pas l'essence du beau avec les choses qu'on imagine être belles, ni l'essence de la justice avec celles qui n'en sont que de pâles copies. Par conséquent, ils sont les seuls, selon Platon, à pouvoir établir la justice dans la cité et à veiller à sa sauvegarde. Cependant, tant qu'ils « ne seront pas rois dans les cités, ou que ceux qu'on appelle rois et souverains ne seront pas vraiment et sérieusement philosophes ; tant que la puissance politique et la philosophie ne se rencontreront pas dans le même sujet ; tant que les nombreuses natures qui poursuivent actuellement l'un ou l'autre de ces buts de façon exclusive ne seront pas mises dans l'impossibilité d'agir ainsi, il n'y aura de cesse aux maux des cités, ni à ceux du genre humain[15] ».

La réalisation de la justice dans la cité

L'ordre social que propose Platon dans *La République* incarne, selon lui, l'Idée de justice. Comme on peut le constater dans le tableau 6.3, cet ordre comprend trois classes de citoyens qui correspondent, terme à terme, à ce que Platon considère être les parties de l'âme.

De part et d'autre, la condition du bonheur, celui de l'individu et celui du citoyen, dépend de l'unité harmonieuse que crée le respect de la juste part qui revient à chaque élément du tout.

Dans l'âme de l'individu vertueux, il appartient à la raison de commander parce que c'est elle qui le guide vers la sagesse et la vérité. La fonction de la

Tableau 6.3	Les parties de l'âme individuelle et les classes de la cité	
Parties de l'âme de l'individu	**Fonctions et vertus**	**Classes de la cité**
Partie rationnelle (en grec : *logistikón*)	Commander // Sagesse ou connaissance intellectuelle vraie	Philosophes-rois (gardiens de la cité)
Partie irascible, qui porte à l'indignation, à la colère (en grec : *thumós*)	Seconder la partie, ou la classe, supérieure et contraindre la partie, ou la classe, inférieure à lui obéir // Courage	Guerriers (gardiens auxiliaires de la cité)
Partie concupiscible ou désir irrationnel (en grec : *epithumía*)	Obéir // Tempérance	Tous ceux qui s'occupent de la production des biens et services : artisans, agriculteurs, commerçants, ouvriers, médecins, éducateurs, artistes…

15. PLATON, *La République,* V, 473c-d, trad. du grec par Robert BACCOU, Paris, Flammarion, 1966, p. 229.

partie irascible est de lui donner le courage de toujours soumettre ses désirs et passions au service du bien, et de voir dans la démesure et la faiblesse de caractère des maux très grands. Enfin, la partie concupiscible, en se pliant aux ordres de la raison, procure à l'individu la tempérance, établissant ainsi la concorde entre les trois parties de l'âme. Évidemment, cette concorde ne peut se réaliser sans effort ; pour le comprendre chacun d'entre nous peut se référer à l'expérience qu'il a de ces duels intérieurs dans lesquels s'affrontent le plaisir des sens et le désir rationnel d'agir vertueusement ; quand, par exemple, on est tenté de faire la fête avec des amis la veille d'un examen.

Dans *Phèdre*, Platon illustre ces conflits qui nous assaillent par l'allégorie d'un char ailé tiré par un attelage de deux chevaux, un blanc et un noir, que conduit un cocher. Le cocher, qui représente la raison, doit faire preuve de sagesse et gouverner avec fermeté s'il veut que son équipage ne perde pas ses ailes, symbole de bonheur et de liberté. Le cheval blanc, celui de droite, représente le courage. Il est d'excellente race, bien dressé et docile aux paroles du cocher. Mais le cheval noir, celui de gauche, représente le désir irrationnel. Il est rebelle, indiscipliné et n'obéit qu'avec peine aux coups de fouet du cocher. Une lutte s'engage alors et tire le char dans des directions opposées : le courage du cheval blanc se trouve ébranlé par la violence des appétits immodérés du cheval noir, et, sans le secours du courage, la sagesse du cocher est elle-même mise au défi. Voilà donc en quoi consiste l'importante tâche de tenir fermement les rênes de notre âme, car si, au terme de cette lutte, le désir irrationnel l'emporte, l'âme perd ses ailes et est entraînée dans l'oubli d'elle-même et de ce qu'il y a de meilleur en elle. Mais lorsque, au contraire, la raison sort victorieuse, l'âme acquiert la liberté et le bonheur.

Or, selon Platon, il en va de même de l'État. La grande majorité des êtres humains sont si fortement esclaves de leurs désirs irrationnels qu'ils font dépendre leur bonheur de l'accumulation de richesses matérielles et de plaisirs liés au corps. Ils soumettent leur propre liberté intérieure à ce qui devient à leurs yeux des nécessités extérieures, pour lesquelles ils sont prêts à corrompre leur âme. C'est d'ailleurs ce que Platon reprochait à la démocratie : elle conduit les individus à s'entre-déchirer pour des biens apparents et à oublier leur appartenance, comme citoyen, à une communauté d'humains. Lentement, les lois qui légitiment de telles attitudes individuelles, à l'encontre du bien collectif, conduisent, selon lui, à l'anarchie et à la tyrannie la plus impitoyable. C'est donc pourquoi, même s'il est naturel que le peuple, qui est producteur de biens et de services, ait droit à la propriété individuelle, il doit être éduqué à apprécier une vie exempte de désirs artificiels et à valoriser la modération. Ainsi, la propriété individuelle, maintenue, par les guerriers, dans de justes limites, empêche que de trop grands écarts entre riches et pauvres conduisent à une division au sein de l'État. Cela permet aussi d'éviter que les citoyens deviennent envieux ; car, pour que l'unité de l'État se maintienne, chacun doit envisager la fonction qu'il occupe comme avantageuse pour l'ensemble de la communauté et, par conséquent, en être heureux.

Buste de guerrier lacédémonien

Les guerriers, les auxiliaires des chefs, sont, quant à eux, assujettis à un mode de vie très strict. Leur fonction étant de garantir la subordination des désirs individuels du peuple au bonheur collectif, ils doivent eux-mêmes être dociles aux ordres des chefs et ne faire aucune concession à ce qui leur est opposé. Pour avoir le courage d'accomplir adéquatement cette fonction, la communauté des biens leur est imposée de sorte qu'ils ne prennent pas eux-mêmes goût à l'acquisition de richesses matérielles.

Enfin, les philosophes-rois sont ceux qui, trouvant leur bonheur dans la liberté de l'esprit, sont les moins attachés aux biens matériels et qui, dans les faits, les fuient. Or, si on les force à quitter le bonheur qui leur échoit pour s'occuper de celui de l'État, il serait étrange que, regrettant la vision des êtres célestes, ils se précipitent dans les ombres de la caverne. Selon Platon, leur seule préoccupation sera, au contraire, de distribuer les fonctions nécessaires à la vie en société selon les aptitudes de chacun et de chacune – il est remarquable qu'à son époque, Platon accorde aux femmes la possibilité d'être des chefs –, et de rassembler les multiples besoins, désirs et intérêts sous l'Idée du bien, selon un ordre hiérarchique qui imite la juste disposition des Idées. Ainsi, tout comme la concorde dans l'âme de l'individu vertueux le rend heureux, la concorde dans la cité rendra les citoyens heureux.

Le choix d'une vie bonne

À la fin de *La République*, Platon, qui croit en l'immortalité de l'âme, veut nous convaincre que nous sommes responsables, pendant notre vie terrestre, de nous exercer à la philosophie. Celle-ci est, pour lui, ce qui assure notre salut si nous ne voulons pas, une fois que nous aurons trépassé, que notre âme soit empêchée, par l'éclat lumineux du jour céleste, de contempler le spectacle de la vérité, et qu'elle se condamne à regretter indéfiniment ses mauvais choix. À cette fin, il nous raconte l'histoire d'Er le Pamphylien qui, ayant trouvé la mort dans une bataille, a été choisi par les juges célestes pour être le messager de l'au-delà auprès des humains. Revenant donc à la vie après une période de douze jours parmi les morts, il fait part à ses proches de ce qu'il a vu.

Après la mort, les âmes qui ont eu une bonne vie vont au ciel, où elles assistent à des visions splendides ; celles qui ont eu une mauvaise vie habitent les profondeurs de la terre, où elles expient leurs fautes. Mais tous les mille ans, à moins qu'elles n'aient commis de trop grands crimes, les âmes sont admises au choix d'une nouvelle vie terrestre. Des modèles de vie sont alors placés devant les âmes : des vies d'animaux et des vies humaines de toutes sortes. Les âmes doivent choisir à tour de rôle, selon le rang qui leur a été attribué par le sort. Les premières âmes s'élancent souvent à l'aveuglette et choisissent les destins les plus mauvais, échangeant même une bonne vie contre une mauvaise. N'ayant jamais appris à distinguer rationnellement entre le bien et le mal, beaucoup se laissent séduire par le pouvoir ou par la renommée et choisissent des vies de tyrans ou des vies dans lesquelles elles recevront des honneurs liés à la beauté ou à la force. Ces âmes ne voient pas que le mal qu'elles accompliront sur la terre leur sera remis au décuple après leur mort.

La roue de la Fortune. Tableau peint par Edward Burne-Jones, en 1883.

Ce n'est qu'après avoir fait leur choix que les âmes peuvent lire leur destin ; alors certaines se mettent à pleurer et à avoir peur, car ce choix est irrémédiable. Les dieux n'y sont cependant pour rien ; ils n'interviennent qu'une fois que les choix ont été faits. C'est alors seulement que la déesse Nécessité et ses filles, les Moires, veillent à ce que la destinée de chaque mortel soit accomplie. Chaque âme aura donc, sur terre, le démon gardien et les vertus ou les vices qui conviennent au choix qu'elle aura fait et dont elle est responsable.

Le domaine des affaires humaines vu par Aristote

Partant de la thèse aristotélicienne selon laquelle il n'existe pas d'Idée universelle du bien mais qu'il y a autant de causes finales que de types de réalités, il en découle que, concernant ce qui relève de l'**action**, il y a un bien distinct qui a pour principe non pas la nature de l'être humain, mais sa propre raison. Selon Aristote, l'existence de la cité dépend d'une loi de la nature ; par contre, l'organisation de la cité en vue du bien-être des citoyens dépend de la raison.

Ce qui dépend de la nature

Puisque la nature vise la conservation des espèces[16], il est naturel tout d'abord que s'unissent l'homme et la femme, ainsi que, pour les exigences de la vie quotidienne et la sauvegarde mutuelle de leur vie, le maître et l'esclave. Vient ensuite la formation de villages qui réunissent, sous la tutelle d'un roi, plusieurs familles, en vue de relations plus complexes. Enfin, de la réunion de plusieurs villages naît la cité qui est la forme de communauté la plus achevée, parce qu'elle représente ce en vue de quoi le village et la famille se sont formés et parce qu'elle réalise la sociabilité naturelle de l'homme, dont l'une des manifestations est le langage.

Ce qui dépend de la raison

Si « l'être humain est par nature un animal politique[17] », la réalisation du bonheur qui devrait lui échoir dans la cité n'est toutefois pas une donnée naturelle. Selon Aristote, le bonheur n'est en effet possible que si ceux qui gouvernent la cité ont les qualités morales requises pour reconnaître la fin vers laquelle elle doit tendre, et s'ils ont les habiletés intellectuelles nécessaires pour choisir les moyens qui conduisent à cette fin. Or, ces moyens seraient inefficaces si la nature faisait en sorte qu'ils n'aient aucune influence sur la conduite des citoyens et s'il était par conséquent impossible de les éduquer à la vertu. Mais, selon Aristote, les qualités morales s'acquièrent par l'habitude ; l'être humain a une disposition naturelle qui lui permet de les recevoir, mais c'est par l'éducation qu'il apprend à maîtriser ses désirs et à fortifier son caractère.

La politique comme art architectonique

Les individus étant par nature conduits à vivre en communauté, leur existence ne peut être véritablement heureuse que dans la cité. Pour Aristote, le bonheur de l'individu est indissociable du bonheur du citoyen. C'est pourquoi il accorde une très grande valeur à l'art politique, qui est, selon lui, l'art suprême par

Action

L'équivalent, en grec, du mot français « action » est *prâxis*. C'est de ce terme que vient l'expression « philosophie pratique », qui englobe l'éthique et la politique. En ce sens, l'action est un attribut exclusif à l'être humain, dont l'existence, contrairement à celle des autres animaux, n'est pas entièrement déterminée par l'instinct, mais est dotée d'un libre-arbitre.

---

16. Voir un peu plus haut « La différenciation du bien ».
17. ARISTOTE, *Les politiques*, I 1, 1253a2-3.

excellence parce que c'est de lui que dépend la réalisation du souverain bien dans le domaine de l'action. Dans le même sens, Aristote qualifie d'« architectonique » cet art parce que toutes les fins que produisent les autres activités humaines sont subordonnées en dernier lieu à celle de la politique. Par exemple, tous les métiers concernant le harnachement des chevaux sont subordonnés à l'art hippique, qui lui-même est subordonné, avec tous les autres arts relatifs à la guerre, à l'art stratégique, qui, en dernier lieu, est subordonné aux fins politiques.

Il s'ensuit donc que, outre les productions des arts techniques, les fins que vise l'éducation morale des individus doivent elles aussi être conformes aux normes que prescrit la politique. C'est, en effet, dans ses rapports avec autrui, et non pas en menant une vie solitaire, que l'être humain peut subvenir à ses besoins et se perfectionner comme personne, de sorte qu'une fois cette perfection atteinte, il accède, par surcroît, au bonheur.

Pour Aristote, « le bonheur n'est pas dans le fait d'avoir acquis une foule de choses, mais plutôt dans la manière dont l'âme est disposée[18] ». Aristote reconnaît l'existence de passions chez l'être humain et ne les condamne pas si elles sont vécues avec mesure. Cependant, l'éducation et les lois doivent viser, selon lui, à corriger le tempérament de ceux qui assouvissent sans restriction leurs passions et à ajuster les désirs à la raison.

Les philosophes et les politiciens

Aristote ne pense pas, comme Platon, qu'il appartienne aux philosophes de gouverner. Selon lui, l'art politique n'est pas assimilable à la philosophie. S'il revient au philosophe d'enseigner au futur politicien ce qu'est la vertu, il ne saurait prétendre au titre de roi-philosophe, car le politicien a une connaissance qui lui est propre, connaissance que le philosophe n'a pas.

La contribution du philosophe dans le domaine de l'action

Le philosophe est celui qui cultive sa raison en vue de la contemplation des principes premiers et des fins souverainement bonnes. Son rôle dans la cité n'est pas de gouverner, mais d'éclairer les futurs politiciens à propos de la fin propre au domaine de l'action, vers laquelle devraient tendre, sur les plans personnel et politique, toutes leurs actions. C'est d'ailleurs pourquoi Aristote lui-même a écrit des traités d'éthique, car, selon lui, celui dont le caractère n'a pas été formé, par l'habitude, à l'action vertueuse, est tout simplement dans l'impossibilité de prendre le bien de la cité comme fin de ses actions. Et, s'il n'a pas la disposition nécessaire à voir en l'action vertueuse la fin ultime de l'agir, il ne pourra non plus établir des lois qui, se préoccupant de rendre les citoyens meilleurs, réalisent le bien commun.

Contrairement aux buts que se propose le faux politicien, la vertu se présente donc comme le souverain bien que doit viser le vrai politicien. Dans l'*Éthique à Nicomaque*, Aristote s'attache donc à en définir les conditions. D'abord, il faut que l'individu désire le bien, qu'il pratique la vertu pour la vertu et qu'il en éprouve du plaisir ; par exemple, l'individu qui accomplit des actions justes

---

18. ARISTOTE, *Invitation à la philosophie (Protreptique)*, trad. du grec par Jacques FOLLON, Paris, Éditions Mille et une Nuits, 2000, p. 11.

sans en éprouver de plaisir ne saurait être appelé juste. Ensuite, il faut que l'individu soit dans une disposition stable à l'égard du bien et non que ses bonnes actions soient accomplies sous l'effet du hasard. Enfin, il faut qu'il soit en mesure de choisir rationnellement les moyens pour parvenir à sa fin. Or, concernant l'acquisition des vertus, chacune correspond à un juste milieu entre deux extrêmes (ou deux vices), l'un par excès et l'autre par défaut. Par exemple, la modération, ou tempérance, est le juste milieu entre le dérèglement et l'insensibilité ; le courage entre la témérité et la lâcheté. Il s'agit donc de tâcher d'atteindre le moyen, en s'éloignant de l'extrême qui en est le plus contraire. Par exemple, la témérité étant moins éloignée du courage que la lâcheté, on travaillera davantage à ne pas être lâche. Il va de soi également que nous devons nous écarter des fautes pour lesquelles on a le plus fort penchant ; « le devoir est de se tirer en sens contraire, car en nous éloignant beaucoup de la faute, nous arriverons au milieu, comme font ceux qui redressent des pièces de bois tordues[19] ». Il faut enfin et surtout éviter la poursuite de l'agréable et de nos tendances irrationnelles, car c'est là où nous sommes le plus sujets à faillir.

Le rôle du politicien

Selon Aristote, le savoir du bon politicien, qui le distingue du philosophe, consiste en son habileté rationnelle à trouver les moyens qui réalisent le souverain bien de la cité. Plus précisément, le bon politicien est celui qui est en mesure de promulguer des lois qui satisfont aux exigences de la justice, c'est-à-dire des lois qui servent l'intérêt de tous les citoyens et qui les incitent à être eux-mêmes vertueux dans leurs rapports avec autrui. Cette habileté du politicien, Aristote la nomme « sagacité » (en grec : *phrónèsis*) ; elle nécessite que la vertu morale du politicien lui permette de viser le bien de la cité comme fin de toutes ses actions, et que son habileté à raisonner correctement le rende capable d'édicter et d'appliquer les lois conformes à cette fin.

La réalisation de la justice dans la cité

Tout comme Platon, Aristote condamne la loi du plus fort et s'oppose à ceux qui gouvernent en ayant à l'esprit leur unique intérêt. Toutefois, il n'y a pas, selon lui, une seule forme de constitution droite. Pour chaque cité-État, la meilleure forme de gouvernement est celle qui, dans le contexte donné (l'époque, le lieu, les circonstances), est la plus apte à ramener à la juste mesure ce qui en est le plus éloigné. Les lois peuvent donc varier d'une cité à l'autre, mais la justice, qu'elles visent et dont elles sont les moyens utilisés pour y arriver, est une, absolue et sans réserve. Comme le montre le tableau 6.4, le vrai politicien légifère toujours en vue du bien de tous les citoyens, car s'« il s'avère identique pour un seul homme et une cité, le meilleur objectif, en tout cas, et le plus achevé paraît de saisir et de préserver le bien de la cité ; car si l'on peut se féliciter quand il est à la portée ne serait-ce que d'un seul homme, malgré tout, il est plus beau et plus divin de le voir à la portée de nations et de cités[20] ». En contrepartie, toute mauvaise constitution en est une dont la fin dévie du bien qu'elle est censée réaliser.

---

19. ARISTOTE, *Éthique à Nicomaque*, II 9, 1109b4-7, trad. du grec par Richard BODÉÜS, Paris, Flammarion, 2004, p. 129.

20. ARISTOTE, *Éthique à Nicomaque*, I 1, 1094b7-10, trad. du grec par Richard BODÉÜS, Paris, Flammarion, 2004, p. 50.

Tableau 6.4 | Les différentes constitutions

	Constitutions droites (visant le souverain bien)	Constitutions déviées
Pouvoir d'un seul	Royauté	Tyrannie (vise l'intérêt du roi)
Pouvoir d'un petit nombre	Aristocratie	Oligarchie (vise l'intérêt des plus riches)
Pouvoir de la multitude	Démocratie modérée (*Politeía*)	Démocratie (gouvernement populaire tyrannique ; droit pour chacun de faire ce qu'il veut sans souci du bien commun)

Résumé

Deux sources de réflexion inépuisables

Les discussions socratiques ont été le point de départ de la vocation philosophique de Platon, qui a été, lui-même, le maître d'Aristote. Platon et Aristote ont tous les deux une philosophie essentialiste, mais Aristote accorde une importance beaucoup plus grande à la matière et aux sens. La dialectique platonicienne procède par synthèse et analyse. La logique aristotélicienne tient compte de ce qui est propre aux différents types de savoir.

L'être et la vérité selon Platon

Au sein du monde pris dans sa totalité, Platon distingue deux réalités : l'une supérieure, la réalité intelligible, l'autre inférieure, la réalité sensible. Entre les deux, Platon insère un rapport de participation : c'est parce qu'ils participent des Idées que les êtres sensibles acquièrent une identité permanente et une existence réelle. À l'intérieur de chacune des deux réalités, sensible et intelligible, Platon opère une autre division, de sorte qu'il y a en tout quatre modes d'être : les images, les êtres vivants et fabriqués, les êtres mathématiques et les Idées. À ces modes d'être, il fait correspondre des manières de connaître : l'imagination, la croyance, la pensée discursive et la pensée pure. Sans la saisie, au moyen de la pensée, des essences en elles-mêmes, notre savoir sur les êtres sensibles se limite à l'opinion. Selon Platon, les philosophes sont ceux qui, s'appliquant à la pensée pure, s'élèvent jusqu'à la contemplation de l'Idée du bien et de l'ordre harmonieux de la réalité intelligible. Ils ont pour devoir d'éclairer leurs concitoyens sur la façon la plus belle et la plus juste de gouverner la cité, en imitant l'ordre parfait des Idées. L'*Allégorie de la caverne* nous instruit sur ce que devrait être une saine éducation.

L'être et la vérité selon Aristote

La forme n'est séparable de la matière que logiquement. L'âme ne survit pas à la matière. Aristote appelle « substance » l'être au sens premier, qu'il conçoit comme le composé de matière et de forme (l'individu). Les autres sens ou catégories de l'être sont des attributs accidentels de la substance. Par opposition aux attributs accidentels, la forme est l'attribut essentiel de la substance ; Aristote l'appelle « substance seconde ». Sur le plan de l'espèce, la forme a une supériorité ontologique sur la matière, car sa conservation éternelle est le but de la nature. Dans la nature, l'ordre du nécessaire du monde supralunaire est remplacé par l'ordre de ce qui arrive le plus souvent. Le fait que les êtres naturels soient fondamentalement des êtres en puissance rend incertaine la réalisation du *télos* au niveau des individus. Cette contingence implique que la raison soit le principe de la réalisation des fins propres aux domaines pratique et technique. La science porte sur l'universel, mais cette connaissance de l'âme intellective serait impossible sans le travail préliminaire de l'âme sensitive.

Le domaine des affaires humaines vu par Platon

Platon veut trouver les solutions au désordre politique qui sévit à Athènes. Contrairement à Socrate, qui semblait croire que la rééducation morale des individus pouvait entraîner une société meilleure, il pense que les individus ne deviendront vertueux que lorsque la cité sera réformée. Selon lui, sans le gouvernement des philosophes-rois, la justice sociale est impossible. L'ordre social qu'il propose repose sur une division tripartite de l'âme. Dans la cité, tout comme dans l'âme individuelle, la liberté et le bonheur ne sont possibles que si chacune des composantes remplit correctement sa fonction et que la sagesse dicte notre conduite. Platon, qui croit en l'immortalité de l'âme, conçoit

la philosophie comme une préparation à notre vie dans l'au-delà.

Le domaine des affaires humaines vu par Aristote

L'être humain est naturellement fait pour vivre en société, mais la réalisation de son bonheur, comme individu et comme citoyen, dépend de sa propre raison. La vertu s'acquiert par le moyen de bonnes habitudes. Toutes les fins relatives aux activités techniques et à la conduite des individus sont subordonnées à la fin de l'art politique, celle-ci étant, dans le domaine de l'action, le souverain bien. Si le philosophe peut éclairer le politicien concernant les conditions qui disposent à reconnaître la fin de l'action et à être vertueux, il appartient à la capacité de délibération du politicien de trouver les moyens pour réaliser le bien de la cité. Toute constitution droite vise la justice sans réserve alors que toute constitution déviée ne se propose que l'intérêt de ceux qui gouvernent.

Lectures et films suggérés

 Lectures

Aristote

ARISTOTE. *Éthique à Nicomaque*, traduction et présentation par Richard BODÉÜS, Paris, Flammarion, 2004, 560 p.

ARISTOTE. *Invitation à la philosophie (Protreptique)*, traduction et postface par Jacques FOLLON, Paris, Mille et une nuits, 2000, 62 p. (Coll. « La Petite Collection », n° 283)

BODÉÜS, Richard. *Aristote. La justice et la Cité*, Paris, PUF, 1996, 121 p. (Coll. « Philosophies », n° 79)

BRUN, Jean. *Aristote et le Lycée*, Paris, PUF, 1983, 128 p. (Coll. « Que sais-je ? », n° 928)

Platon

BRUN, Jean. *Platon et l'Académie*, Paris, PUF, 1960, 128 p. (Coll. « Que sais-je ? », n° 880)

CHÂTELET, François. *Platon*, Paris, Gallimard, 1965, 250 p. (Coll. « folio/essais », n° 115)

PLATON. *La République*, livre VII, traduction, présentation et commentaires de B. PIETTRE, Paris, Nathan, 1981, 110 p. (Coll. « Les Intégrales de Philo »)

 Films

WACHOWSKY, Andy et Larry (Lana). *La Matrice*, États-Unis, Australie, 1999, 136 min, coul., 35 mm, DVD et Blu-ray.

WEIR, Peter. *Le show Truman*, États-Unis, 1998, 103 min, coul., 35 mm, DVD et Blu-ray.

WEISS, Sam. *Plato : The cave*, narration faite par Orson WELLES, 2005, 8 min 19 s, coul., [en ligne], http://www.youtube.com/watch?v=2yfePu67xoI (page consultée le 10 janvier 2013)

Activités d'apprentissage

❶ L'extrait qui suit est tiré du livre VII de *La République* de Platon ; c'est la très célèbre *Allégorie de la caverne* dans laquelle il oppose l'ignorance à la connaissance. On y retrouve les mêmes modes d'être et les mêmes manières de connaître que Platon a réparties de façon hiérarchique (voir la figure 6.2) mais, cette fois, de façon métaphorique et moins théorique.

Prenez d'abord le temps d'apprécier l'histoire qui est racontée ; ensuite vous répondrez aux questions.

Allégorie de la caverne

Socrate Maintenant, représente-toi de la façon que voici l'état de notre nature relativement à l'instruction et à l'ignorance. Figure-toi des hommes dans une demeure souterraine, en forme de caverne, ayant sur toute sa largeur une entrée ouverte à la lumière ; ces hommes sont là depuis leur enfance, les jambes et le cou enchaînés, de sorte qu'ils ne peuvent bouger ni voir ailleurs que devant eux, la chaîne les empêchant de tourner la tête ; la lumière leur vient d'un feu allumé sur une hauteur, au loin derrière eux ; entre le feu et les prisonniers passe une route élevée : imagine que le long de cette route est construit un petit mur, pareil aux cloisons que les montreurs de marionnettes dressent devant eux, et au-dessus desquelles ils font voir leurs merveilles.

Glaucon Je vois cela.

Socrate Figure-toi maintenant le long de ce petit mur des hommes portant des objets de toute sorte, qui dépassent le mur, et des statuettes d'hommes et d'animaux, en pierre, en bois, et en toute espèce de matière ; naturellement, parmi ces porteurs, les uns parlent et les autres se taisent.

Glaucon Voilà un étrange tableau et d'étranges prisonniers.

Socrate Ils nous ressemblent, et d'abord, penses-tu que dans une telle situation ils aient jamais vu autre chose d'eux-mêmes et de leurs voisins que les ombres projetées par le feu sur la paroi de la caverne qui leur fait face ?

Glaucon Et comment ? s'ils sont forcés de rester la tête immobile durant toute leur vie ?

Socrate Et pour les objets qui défilent, n'en est-il pas de même ?

Glaucon Sans contredit.

Socrate Si donc ils pouvaient s'entretenir ensemble ne penses-tu pas qu'ils prendraient pour des objets réels les ombres qu'ils verraient ?

Glaucon Il y a nécessité.

Socrate Et si la paroi du fond de la prison avait un écho, chaque fois que l'un des porteurs parlerait, croiraient-ils entendre autre chose que l'ombre qui passerait devant eux ?

Glaucon Non, par Zeus.

Socrate Assurément, de tels hommes n'attribueront de réalité qu'aux ombres des objets fabriqués.

Glaucon C'est de toute nécessité.

Socrate Considère maintenant ce qui leur arrivera naturellement si on les délivre de leurs chaînes et qu'on les guérisse de leur ignorance. Qu'on détache l'un de ces prisonniers, qu'on le force à se dresser immédiatement, à tourner le cou, à marcher, à lever les yeux vers la lumière : en faisant tous ces mouvements il souffrira, et l'éblouissement l'empêchera de distinguer ces objets dont tout à l'heure il voyait les ombres. Que crois-tu donc qu'il répondra si quelqu'un lui vient dire qu'il n'a vu jusqu'alors que de vains fantômes, mais qu'à présent, plus près de la réalité et tourné vers des objets plus réels, il voit plus juste ? si, enfin, en lui montrant chacune des choses qui passent, on l'oblige, à force de questions, à dire ce que c'est ? Ne penses-tu pas qu'il sera embarrassé, et que les ombres qu'il voyait

▶

tout à l'heure lui paraîtront plus vraies que les objets qu'on lui montre maintenant?

Glaucon Beaucoup plus vraies.

Socrate Et si on le force à regarder la lumière elle-même, ses yeux n'en seront-ils pas blessés? n'en fuira-t-il pas la vue pour retourner aux choses qu'il peut regarder, et ne croira-t-il pas que ces dernières sont réellement plus distinctes que celles qu'on lui montre?

Glaucon Assurément.

Socrate Et si on l'arrache de sa caverne par force, qu'on lui fasse gravir la montée rude et escarpée, et qu'on ne le lâche pas avant de l'avoir traîné jusqu'à la lumière du soleil, ne souffrira-t-il pas vivement, et ne se plaindra-t-il pas de ces violences? Et lorsqu'il sera parvenu à la lumière, pourra-t-il, les yeux tout éblouis par son éclat, distinguer une seule des choses que maintenant nous appelons vraies?

Glaucon Il ne le pourra pas; du moins dès l'abord.

Socrate Il aura besoin d'habitude pour voir les objets de la région supérieure. D'abord ce seront les ombres qu'il distinguera le plus facilement, puis les images des hommes et des autres objets qui se reflètent dans les eaux, ensuite les objets eux-mêmes. Après cela, il pourra, affrontant la clarté des astres et de la lune, contempler plus facilement pendant la nuit les corps célestes et le ciel lui-même, que pendant le jour le soleil et sa lumière.

Glaucon Sans doute.

Socrate À la fin, j'imagine, ce sera le soleil – non ses vaines images réfléchies dans les eaux ou en quelque autre endroit – mais le soleil lui-même à sa vraie place, qu'il pourra voir et contempler tel qu'il est.

Glaucon Nécessairement.

Socrate Après cela il en viendra à conclure au sujet du soleil, que c'est lui qui fait les saisons et les années, qui gouverne tout dans le monde visible, et qui, d'une certaine manière, est la cause de tout ce qu'il voyait avec ses compagnons dans la caverne.

Glaucon Évidemment, c'est à cette conclusion qu'il arrivera.

Socrate Or donc, se souvenant de la première demeure, de la sagesse que l'on y professe, et de ceux qui y furent ses compagnons de captivité, ne crois-tu pas qu'il se réjouira du changement et plaindra ces derniers?

Glaucon Si, certes.

Socrate Et s'ils se décernaient alors entre eux honneurs et louanges, s'ils avaient des récompenses pour celui qui saisissait de l'œil le plus vif le passage des ombres, qui se rappelait le mieux celles qui avaient coutume de venir les premières ou les dernières, ou de marcher ensemble, et qui par là était le plus habile à deviner leur apparition, penses-tu que notre homme fût jaloux de ces distinctions, et qu'il portât envie à ceux qui, parmi les prisonniers, sont honorés et puissants? Ou bien, comme le héros d'Homère, ne préférera-t-il pas mille fois n'être qu'un valet de charrue, au service d'un pauvre laboureur, et souffrir tout au monde plutôt que de revenir à ses anciennes illusions et de vivre comme il vivait?

Glaucon Je suis de ton avis; il préférera tout souffrir plutôt que de vivre de cette façon-là.

Socrate Imagine encore que cet homme redescende dans la caverne et aille s'asseoir à son ancienne place: n'aura-t-il pas les yeux aveuglés par les ténèbres en venant brusquement du plein soleil?

Glaucon Assurément si.

Socrate Et s'il lui faut entrer de nouveau en compétition, pour juger ces ombres, avec les prisonniers qui n'ont point quitté leurs chaînes, dans le moment où sa vue est encore confuse et avant que ses yeux se soient remis (or l'accoutumance à l'obscurité demandera un temps assez long), n'apprêtera-t-il pas à rire à ses dépens, et ne diront-ils pas qu'étant allé là-haut il en est revenu avec la vue ruinée, de sorte que ce n'est même pas la peine d'essayer d'y monter? Et si quelqu'un tente de les délier et de les conduire en haut, et qu'ils le puissent tenir en leurs mains et tuer, ne le tueront-ils pas?

Glaucon Sans aucun doute.

Socrate Maintenant, mon cher Glaucon, il faut appliquer point par point cette image à ce que nous avons dit plus haut, comparer le monde que nous découvre la vue au séjour de la prison, et la lumière du feu qui l'éclaire à la puissance du soleil. Quant à la montée dans la région supérieure et à la contemplation de ses objets, si tu la considères comme l'ascension de l'âme vers le lieu intelligible, tu ne te tromperas pas sur ma pensée, puisque aussi bien tu désires la connaître. Dieu sait si elle est vraie. Pour moi, telle est mon opinion : dans le monde intelligible l'idée du bien est perçue la dernière et avec peine, mais on ne la peut percevoir sans conclure qu'elle est la cause de tout ce qu'il y a de droit et de beau en toutes choses ; qu'elle a, dans le monde visible, engendré la lumière et le souverain de la lumière ; que, dans le monde intelligible, c'est elle-même qui est souveraine et dispense la vérité et l'intelligence ; et qu'il faut la voir pour se conduire avec sagesse dans la vie privée et dans la vie publique.

Glaucon Je partage ton opinion autant que je le puis.

Socrate Eh bien ! partage-la encore sur ce point, et ne t'étonne pas que ceux qui se sont élevés à ces hauteurs ne veuillent plus s'occuper des affaires humaines, et que leurs âmes aspirent sans cesse à demeurer là-haut. Cela est bien naturel si notre allégorie est exacte.

Glaucon C'est, en effet, bien naturel.

Socrate Mais quoi ? Penses-tu qu'il soit étonnant qu'un homme qui passe des contemplations divines aux misérables choses humaines ait mauvaise grâce et paraisse tout à fait ridicule, lorsque, ayant encore la vue troublée et n'étant pas suffisamment accoutumé aux ténèbres environnantes, il est obligé d'entrer en dispute, devant les tribunaux ou ailleurs, sur des ombres de justice ou sur les images qui projettent ces ombres, et de combattre les interprétations qu'en donnent ceux qui n'ont jamais vu la justice elle-même ?

Glaucon Il n'y a rien d'étonnant.

Socrate En effet, un homme sensé se rappellera que les yeux peuvent être troublés de deux manières et par deux causes opposées : par le passage de la lumière à l'obscurité, et par celui de l'obscurité à la lumière ; et, ayant réfléchi qu'il en est de même pour l'âme, quand il en verra une troublée et embarrassée pour discerner certains objets, il n'en rira pas sottement, mais examinera plutôt si, venant d'une vie plus lumineuse, elle est, faute d'habitude, offusquée par les ténèbres, ou si passant de l'ignorance à la lumière, elle est éblouie de son trop vif éclat ; dans le premier cas il l'estimera heureuse en raison de ce qu'elle éprouve et de la vie qu'elle mène ; dans le second, il la plaindra, et s'il voulait rire à ses dépens, ses moqueries seraient moins ridicules que si elles s'adressaient à l'âme qui redescend du séjour de la lumière.

Glaucon C'est parler avec beaucoup de sagesse.

Socrate Il nous faut donc, si tout cela est vrai, en conclure ceci : l'éducation n'est point ce que certains proclament qu'elle est : car ils prétendent l'introduire dans l'âme, où elle n'est point, comme on donnerait la vue à des yeux aveugles.

Glaucon Ils le prétendent, en effet.

Socrate Or, le présent discours montre que chacun possède la faculté d'apprendre et l'organe destiné à cet usage, et que, semblable à des yeux qui ne pourraient se tourner qu'avec le corps tout entier des ténèbres vers la lumière, cet organe doit aussi se détourner avec l'âme tout entière de ce qui naît, jusqu'à ce qu'il devienne capable de supporter la vue de l'être et de ce qu'il y a de plus lumineux dans l'être ; et cela nous l'appelons le bien, n'est-ce pas ?

Glaucon Oui.

Socrate L'éducation est donc l'art qui se propose ce but, la conversion de l'âme, et qui recherche les moyens les plus aisés et les plus efficaces de l'opérer ; elle ne consiste pas à donner la vue à l'organe de l'âme, puisqu'il l'a déjà ; mais comme il est mal tourné et ne regarde pas où il faudrait, elle s'efforce de l'amener dans la bonne direction.

Source : PLATON. *La République*, VII, 514a-518d, trad. du grec par Robert BACCOU, Paris, Flammarion, 1966, p. 273-277. (Coll. «GF», n° 90)

Questions

a)   Remplissez les espaces vides.

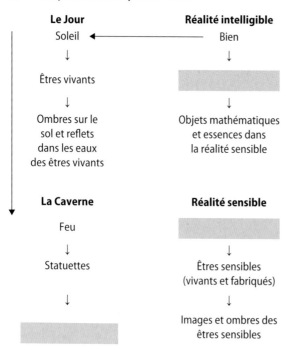

b)   Selon Platon, ceux qui ne connaissent qu'au moyen de l'imagination et des sens sont semblables aux hommes de la caverne : ils vivent dans l'ignorance. En les comparant au prisonnier libéré, expliquez la démarche qu'ils doivent accomplir s'ils veulent acquérir la science des êtres sensibles.

Questions de réflexion personnelle

c)   Sur les plans moral et politique, y aurait-il actuellement des avantages à considérer le bien (tel que le conçoit Platon) comme principe premier (ou comme règle incontournable de conduite) ?

d)   Selon vous, pourquoi beaucoup d'êtres humains n'aspirent-ils pas au savoir ?

e)   Trouvez un exemple d'une situation actuelle qui serait comparable à celle des prisonniers de la caverne.

❷ Cet extrait est tiré de l'*Éthique à Nicomaque*. Aristote y démontre, par opposition à ce qui est causé par la nature, que la vertu morale est le fruit de bonnes habitudes, d'où le souhait de tout bon législateur de faire de bonnes lois.

Lisez très attentivement le texte et répondez aux questions.

La vertu morale

La vertu a donc deux formes : elle est intellectuelle d'un côté, et de l'autre, morale. Si elle est intellectuelle, c'est en grosse partie à l'enseignement qu'elle doit de naître et de croître. C'est précisément pourquoi elle a besoin d'expérience et de temps. Mais si elle est morale, elle est le fruit de l'habitude. C'est même de là qu'elle tient son nom [en grec, *êthikê* : « morale »] moyennant une petite modification du mot *ethos*, [en grec « habitude »].

D'où il appert aussi qu'aucune des vertus morales ne nous est donnée naturellement. En effet, rien de ce qui est naturel ne se modifie par l'habitude. Ainsi, la pierre qui se porte naturellement vers le bas, ne peut prendre l'habitude de se porter vers le haut, même si on veut la lui faire contracter en la jetant dix mille fois en l'air. On ne peut faire non plus que le feu se porte vers le bas, et aucun comportement naturel ne peut se modifier par l'habitude. Par conséquent, ce

n'est ni naturellement, ni contre-nature, que nous sont données les vertus. Au contraire, la nature nous a faits pour les recevoir, mais c'est en atteignant notre fin que nous les acquérons, par le moyen de l'habitude. De plus, tout ce que la nature met à notre disposition, nous l'apportons d'abord sous forme de capacités et ensuite nous y répondons par nos actes, comme on le voit précisément dans le cas des sens. Ce n'est pas, en effet, de l'acte fréquent de voir ou de l'acte fréquent d'entendre que nous tirons nos facultés des sens, mais l'inverse : c'est parce que nous les possédons que nous en avons fait usage et ce n'est pas l'usage qui nous en a donné la possession. Or les vertus, nous les tirons d'actes préalables, comme c'est le cas des techniques au demeurant. En effet, ce qu'on doit apprendre à faire, c'est en le faisant que nous l'apprenons. Ainsi, c'est en bâtissant qu'on devient bâtisseur et en jouant de la cithare qu'on devient cithariste. De la même façon, c'est donc aussi en exécutant des actes justes que nous devenons justes, des actes tempérants qu'on devient tempérant et des actes courageux qu'on devient courageux.

En témoigne d'ailleurs encore ce qui se passe dans les Cités. Les législateurs, en effet, cherchent à créer, chez leurs concitoyens, les habitudes qui les rendent bons et le souhait de tout législateur est celui-là. Quant à tous ceux qui échouent à le faire, ils ratent leur but. Et c'est là ce qui distingue un bon régime politique d'un mauvais.

De plus, ce sont, à l'origine et tout du long, les mêmes actes qui entraînent dans chaque cas l'apparition et la disparition d'une vertu, comme c'est encore le cas d'une technique. En effet, jouer de la cithare produit tantôt de bons, tantôt de mauvais citharistes, et des activités analogues, sortent les bâtisseurs ainsi que tous les autres artisans, bons ou mauvais, puisque bien bâtir fera de bons bâtisseurs, et mal bâtir, de mauvais. S'il n'en allait pas de la sorte, en effet, on n'aurait nul besoin de quelqu'un pour enseigner le métier; tout le monde, au contraire, serait né bon artisan ou mauvais. Tel est donc aussi le cas des vertus. En effet, c'est en exécutant ce que supposent les contrats qui regardent les personnes que nous

devenons, les uns, justes, les autres, injustes. C'est par ailleurs en exécutant les actes que supposent les circonstances effrayantes et en prenant l'habitude de craindre ou de garder son sang-froid que nous devenons, les uns, courageux, les autres, lâches. Et il en va encore de même pour les affaires qui mettent en jeu nos appétits ou celles qui suscitent les manifestations de notre colère. Les uns, en effet, deviennent tempérants et doux, les autres, intempérants et colériques, les premiers, parce qu'ils ont, dans les circonstances, tel comportement qui correspond à la vertu, les autres, parce qu'ils ont tel autre comportement. En un mot, il y a donc similitude entre les actes et les états qui en procèdent.

C'est pourquoi les actes doivent répondre à une exigence de qualité, car les différences qu'ils comportent entraînent celles des états. L'importance de contracter telle ou telle habitude dès la prime jeunesse n'est donc pas négligeable, mais tout à fait décisive ou plutôt, c'est le tout de l'affaire.

Source : ARISTOTE. *Éthique à Nicomaque*, II 1, 1103a14-25, trad. du grec par Richard BODÉÜS, Paris, Flammarion, 2004, p. 99-102. (Coll. « GF », n° 947)

Questions

a)   Selon Socrate, le sens du bien est inné et c'est grâce aux efforts de la raison que chacun a la possibilité de le redécouvrir dans les profondeurs de son âme et d'être vertueux. Aristote, par opposition à Socrate, pense que la vertu morale ne dépend pas de la nature, mais que tout comme son contraire le vice, elle ne s'acquiert qu'au moyen de l'habitude.

Dans un texte d'argumentation d'environ 700 mots, prenez position en faveur de l'un ou de l'autre des deux philosophes.

Notes :

• Avant de produire un texte, il est conseillé de construire : 1) une légende des prémisses principales qui justifient la thèse choisie et 2) une légende de l'antithèse et des objections principales. Voir à ce sujet la section « L'analyse des raisonnements » au chapitre 4, p. 90 à 93.

• Pour le développement du texte, on peut se référer au numéro 9 b) dans les « Activités d'apprentissage » du chapitre 4, p. 121.

b)   Selon Aristote, tout bon législateur doit veiller à l'amélioration morale des citoyens. Qu'en pensez-vous ?

Pour répondre à cette question, vous devez :

• **présenter la position d'Aristote (environ 350 mots) ;**

• **énoncer vos accords et désaccords en les justifiant (environ 350 mots).**

❸ Autres thèmes pour textes d'argumentation.

Note : Voir le numéro 9 b), dans les « Activités d'apprentissage » du chapitre 4, p. 121.

• **L'immortalité ou la mortalité de l'âme.**

• **L'unicité ou la pluralité du bien.**

• **Les bénéfices et les dangers liés à l'usage des sens dans la constitution de la science.**

• **Les rois-philosophes.**

SUPPLÉMENT LE BONHEUR ET LA LIBERTÉ SELON LES STOÏCIENS ET SELON LES ÉPICURIENS

La philosophie hellénistique

En l'an 338 avant notre ère, la Grèce, vaincue par Philippe de Macédoine, perd son autonomie. C'est la fin des cités-États. Les Grecs, qui n'avaient pour maître que la loi, doivent maintenant obéir au roi. Cette soumission aux ordres de l'Empire entraîne un état d'instabilité sociale, car le renversement du cadre politique représente également l'écroulement des valeurs religieuses et morales. Les philosophes, qui jusqu'ici s'étaient préoccupés de former de bons gouvernements, soucieux de sauvegarder l'ordre et la justice, pensent désormais sauver l'individu. De nouvelles écoles de pensée voient le jour et proposent d'autres modes de vie ; les valeurs communes, dont la loi était la mesure, sont remplacées par la recherche d'une conduite morale personnelle. À la liberté politique qui avait cours dans la cité se substitue une liberté tout intérieure.

Le stoïcisme et l'épicurisme sont deux écoles de pensée nées dans cette période de l'histoire de la Grèce. Ces deux écoles s'appliquent à trouver des solutions qui répondent aux nouveaux besoins des Grecs, mais alors que le stoïcisme propose de remplacer la cité-État par le modèle d'une cité universelle, l'épicurisme privilégie l'intimité d'une « société des amis ».

Le stoïcisme

Le stoïcisme, ou école du Portique (du grec *Stoá*), a été fondé par Zénon de Citium, en l'an 301 avant notre ère. Zénon est né vers -335 et il est décédé vers -264. Outre Zénon, les principaux représentants du stoïcisme sont Cléanthe (né à Assos vers -331 et décédé vers -232), qui a pris la relève de Zénon à la mort de ce dernier ; Chrysippe (né en Cilicie vers -282 et décédé vers -206), qui a été surnommé le second fondateur du Portique, pour avoir défendu la doctrine de Zénon contre des disciples dissidents ; Sénèque (né à Cordoue, vers l'an 4 avant notre ère, et décédé en 65), qui était le précepteur de Néron et qui, sur l'ordre de ce dernier, a été condamné à s'ouvrir les veines ; enfin, Épictète (né à Hiérapolis, vers l'an 50, et décédé vers 138), qui, esclave, a été affranchi puis exilé. Dans les premiers siècles de notre ère, le stoïcisme était la philosophie qu'adoptaient les empereurs romains. Par exemple, Marc Aurèle, qui a été empereur de 161 à 180, a écrit lui-même un traité de morale stoïcienne intitulé *Pensées pour moi-même*.

Sénèque (-4 à 65). « Les destins guident celui qui les accepte, ils traînent celui qui leur résiste. »

Les stoïciens soutiennent une doctrine **déterministe** de l'univers. Selon eux, tout ce qui se produit dans la nature est dû à la nécessité. Ce qui est cause de la permanence qui existe dans la nature consiste en un ordre nécessaire et prédéterminé que suit le mouvement des choses. Rien n'est livré au hasard. Les stoïciens se représentent la nécessité, qu'ils nomment aussi « destin », comme la Raison divine elle-même et, puisque tout dans la nature est ordonné de façon nécessaire, ils identifient généralement aussi la nature et la nécessité. Il en résulte que, pour se représenter la cause première de l'être, les stoïciens emploient indifféremment les termes « nécessité », « destin », « Dieu », « raison » ou « nature ».

La doctrine déterministe des stoïciens repose sur deux aspects complémentaires concernant l'ordre et l'unité de l'univers. D'une part, tous les êtres et tous les événements sont produits par des causes corporelles (toute cause – les parents pour l'enfant, mais aussi l'âme et les vertus pour la conduite – est matérielle), efficientes (qui produisent un effet), antécédentes et extérieures, dont ils découlent nécessairement. Ces causes se rattachent toutes les unes aux autres, à la manière d'une chaîne, pour former un Tout unique. D'autre part, tous les êtres, de la pierre à l'être humain, ont une tendance naturelle à réagir en conformité avec l'ordre du Tout. Si tout se produit en vertu du destin, c'est que non seulement les causes entraînent des effets déterminés (à telle cause répond nécessairement tel effet), mais c'est aussi que la nature même des êtres affectés (qui subissent l'effet d'une cause) détermine par avance la façon dont ils réagissent à ce qui agit sur eux. Confronté à des circonstances identiques, l'individu est, par conséquent, poussé par une force interne (que les stoïciens identifient à sa forme) à réagir toujours de la même manière.

Le bonheur et la liberté

Les stoïciens prônent un **naturalisme** éthique. Selon eux, les valeurs morales, de même que la culture en général, ne sont qu'un prolongement de la vie biologique. L'être humain est d'abord un « vivant » ; sa tendance première consiste à conserver la vie en s'appropriant tout ce qui convient au développement de sa constitution (par exemple la nourriture, l'habitation) et en fuyant tout ce qui lui est étranger et nuisible. La vie morale, qui débute avec l'âge de la raison, ne constitue qu'une étape ultime de ce développement. Il s'ensuit que nos jugements sur le bien et le mal sont droits lorsqu'ils se fondent sur une compréhension juste des lois de la nature. Pour être heureux et libre, l'être humain doit consentir à l'ordre nécessaire des choses ; il doit reconnaître que toute la nature est pénétrée par une même Raison et que sa raison individuelle n'est qu'une parcelle de cette Raison universelle.

Avant que l'âge de raison ne survienne, l'accord avec la nature ne suscite aucun problème, puisque l'enfant, tout comme l'animal, suit spontanément, sans défaillance et sans avoir recours à un savoir, une impulsion instinctive qui est en lui. La sagesse, cependant, ne peut se réduire à si peu. Chez l'être humain, la tendance, qui au départ était spontanée, se transforme en volonté réfléchie. L'individu se détache de son inclination immédiate au présent. Les buts qui étaient d'abord visés deviennent **indifférents** et ne sont plus que

Déterminisme

Doctrine suivant laquelle l'ordre de tous les événements de l'univers, et en particulier celui des actions humaines, implique un enchaînement de causes et d'effets nécessaires. Le déterminisme stoïcien suppose aussi une conception fataliste de l'univers, selon laquelle tous les événements sont fixés d'avance et se produisent infailliblement.

Naturalisme

Doctrine suivant laquelle les valeurs morales ne sont qu'un prolongement naturel de l'instinct de conservation. Par conséquent, les adeptes de cette doctrine ne considèrent pas l'éthique et la physique comme deux sciences nettement distinctes.

Indifférent

Les indifférents sont les fins qui sont recherchées par une inclination naturelle, mais qui néanmoins ne contribuent pas à la vertu. Il s'agit des biens corporels et extérieurs comme la vie, le plaisir, la santé, la beauté, la richesse et les honneurs.

des moyens en vue d'une fin plus élevée qui est le bien. L'individu délaisse progressivement ce qui concerne sa propre conservation et tend à fondre sa raison dans la Raison divine qui gouverne la nature universelle.

Pour les stoïciens, être sage, c'est acquiescer à ce sens qui nous dépasse, c'est le désirer et vivre en accord avec lui, malgré les événements malheureux qui peuvent se présenter. Le sage est citoyen de l'univers. Sur le plan politique, il ne se préoccupe pas des différentes formes de gouvernements, parce que, pour lui, le véritable choix est le **cosmopolitisme**. Le sage veut le bonheur du Tout et s'en réjouit; sa liberté consiste dans l'abandon volontaire à la vérité de la Raison divine; il vit en union profonde avec la nécessité cosmique. Sa vertu consiste tout entière dans l'intention de conformer ses jugements à la nature. Tout le reste, c'est-à-dire ce qui ne dépend pas de lui et que la majorité des humains confond avec le bien et le mal, lui est indifférent. Le mal vient de ce que nous souffrons et que nous nous plaignons de notre condition alors que nous n'y pouvons rien. Si, au contraire, nous jugions en fonction du Tout, rien de ce qui ne dépend pas de nous ne nous affligerait, puisque, du point de vue de l'univers, ce que nous prenons pour le mal se résorbe dans le bien du Tout. C'est donc en apprenant à vivre en harmonie avec l'ordre du monde que l'on acquiert sa liberté et son bonheur. « Je dois partir en exil [dit Épictète]. Qu'est-ce qui m'empêche de partir en riant, joyeux et tranquille ? [Je suis condamné à mourir], si c'est tout de suite, je vais à la mort; si c'est dans un moment, pour l'instant, je déjeune, puisque l'heure est venue de le faire, ensuite je mourrai. Comment ? Comme il convient à l'homme qui restitue ce qui n'est pas à lui[1]. »

Il faut accepter les choses comme elles se présentent, ne pas se révolter contre les décrets du destin, ne pas se rendre esclaves de ce qui est extérieur à nous. Celui qui ne se soumet pas et qui garde l'illusion de pouvoir changer le cours du destin, se livre à lui-même un combat intérieur qui ne peut que le rendre malheureux. Le destin sera toujours plus fort que lui, car, selon Sénèque, « les destins guident celui qui les accepte, ils traînent celui qui leur résiste[2] ». Il faut aimer ses enfants, mais savoir couper les liens, se rappeler qu'ils sont mortels. À quoi bon vouloir gagner de l'argent ? Acquérir des honneurs ? Un statut social ?

> [L'affranchi,] quand il est parvenu au terme de son ambition et qu'il est devenu sénateur, alors, dès qu'il entre au sénat, le voilà esclave [...] Or, quand il est devenu l'ami de César, a-t-il cessé d'être entravé ou contraint, vit-il dans la paix, dans la félicité ? [...] il a durant le dîner, l'attitude de l'esclave vis-à-vis de son maître, tout le temps attentif à ne dire ou commettre aucune sottise. Et que penses-tu qu'il redoute ? D'être fouetté comme un esclave ? Comment pourrait-il espérer un si beau traitement ? Mais, comme il convient à un homme de cette qualité, à un ami de César, ce qu'il redoute, c'est de perdre sa tête[3].

Cosmopolitisme

Disposition à vivre comme citoyen de l'univers. Être citoyen de l'univers, c'est être citoyen d'un monde sans frontières géopolitiques. Pour les stoïciens, la société humaine fait partie intégrante de l'ordre de la nature.

1. ÉPICTÈTE, *Entretiens*, I, 1, 32, trad. du grec par Joseph SOUILHÉ, Paris, Les Belles Lettres, 1948, p. 8, 19.

2. SÉNÈQUE, *Lettre à Lucillius*, 107, 11, dans Pierre HADOT, *Qu'est-ce que la philosophie antique ?*, Paris, Gallimard, 1995, p. 203.

3. ÉPICTÈTE, *Entretiens*, IV, 1, 40, 46, 48, trad. du grec par Joseph SOUILHÉ, Paris, Les Belles Lettres, 1948, p. 7-8.

Les stoïciens ont toutefois conscience que la perfection du sage n'est pas accessible à tous. C'est pourquoi ils ont élaboré, à côté de la morale du sage, une autre morale mieux adaptée à la grande majorité des êtres humains. D'abord, ils ont établi une hiérarchie des biens indifférents au sage, selon que ces biens sont plus ou moins rapprochés de la vertu. Cette classification prend pour base les inclinations naturelles de l'humain. Par exemple, les actions que l'on pose pour conserver la vie ont plus de valeur que leurs contraires, alors que, pour le sage, la vie ou la mort, la santé ou la maladie sont choses indifférentes.

Ensuite, en prenant aussi comme principe la vertu du sage, les stoïciens ont tenté de déterminer un ensemble d'actions « convenables », adaptées aux besoins de la majorité. Les maximes d'actions qu'ils ont écrites à ce propos répondent à des questions comme les suivantes : « Le sage rendra-t-il un dépôt qu'on lui a confié ? » ; « Cherchera-t-il à gagner de l'argent ? » ; « S'enivrera-t-il ? » Bien que les motifs d'action du sage et du non-sage diffèrent (par exemple, le sage remet un dépôt par esprit de justice parce que la nature est juste, alors que le non-sage remet un dépôt par devoir ou par crainte), l'action du non-sage peut être considérée comme moralement belle.

Enfin, les stoïciens ont élaboré une théorie des passions pour montrer que l'action irrationnelle n'est pas une force extérieure qui nous contraint et devant laquelle nous sommes impuissants. Selon eux, la passion est une déviation de la tendance naturelle ; elle est due à l'éducation qui, en nous poussant à rechercher le plaisir, perturbe nos jugements. Elle reflète donc nos mauvais jugements au regard des attitudes que nous croyons devoir adopter devant certains événements, par exemple lorsque nous nous affligeons d'une rupture amoureuse ou lorsque nous nous emportons. Mais il est possible de corriger nos jugements et nous devons apprendre à le faire par nous-mêmes.

L'épicurisme

Épicure est né à Samos en -341 avant notre ère ; il est mort à Athènes, en -270. À Samos, qui était une colonie athénienne, la famille d'Épicure vivait pauvrement. Mais elle connut une infortune plus grande encore le jour où, sur l'ordre de Perdiccas de Thrace, elle dut s'exiler à Colophon. Sa jeunesse difficile ainsi que le désordre politique et économique de l'époque ont joué un rôle important dans les préoccupations philosophiques d'Épicure. Dans le but d'apporter des solutions à l'effondrement des valeurs morales des Grecs, il entreprit de les débarrasser de leurs superstitions et de leurs peurs vis-à-vis des dieux et de la mort.

Épicure fonda une première école philosophique à Mytilène, puis une deuxième à Lampsaque où il rencontra, parmi ses disciples, des hommes riches qui achetèrent pour lui une maison et un jardin à Athènes. Il s'y rendit et, en -306, il fonda l'école du Jardin où il demeura tout le reste de sa vie. À sa mort, c'est son disciple Hermarque qui prit la relève à la

Épicure (-341 à -270). « La limite quantitative des plaisirs est la suppression de ce qui est douloureux. »

tête de l'école, en même temps que de multiples communautés épicuriennes s'établissaient un peu partout. On a conservé peu d'ouvrages écrits par Épicure. Sa doctrine nous est cependant connue, grâce surtout au poème (en six livres) de son disciple Lucrèce (né à Rome vers -98 et décédé en -55). Les matérialistes modernes se sont également inspirés de la philosophie d'Épicure pour élaborer leurs théories. Karl Marx (économiste et philosophe socialiste, né à Trèves en 1818 et mort en 1883), par exemple, a fait porter sa thèse de doctorat sur une comparaison entre la philosophie de la nature chez Démocrite et chez Épicure.

Matérialisme

Doctrine d'après laquelle la matière est l'être au sens premier. Selon cette doctrine, l'âme, elle-même composée de matière, est mortelle et n'a pas d'autres fins que celles qui sont attribuées au corps.

Afin de consolider les règles de la vie pratique, Épicure puisa chez Démocrite les premiers éléments d'une conception **matérialiste** de l'univers[4]. Selon Démocrite, l'univers était composé des atomes, principes matériels de l'être qui existent en nombre infini, et d'une étendue, le vide infini, permettant aux atomes de se mouvoir. Le vide n'opposant aucune résistance au mouvement des atomes, il apparaissait comme ce qui leur procurait la possibilité d'entrer en contact pour produire la vie. Quant à la diversité des espèces, Démocrite l'expliquait par les différences géométriques (forme, ordre, position) des atomes.

Aux propriétés géométriques de l'atome démocritéen, Épicure ajoute la pesanteur, cause interne d'un mouvement en ligne droite, strictement déterminé vers le bas, et la déclinaison, qui, rompant avec l'ordre nécessaire de l'univers, est cause de la rencontre fortuite des atomes entre eux. Ainsi, selon Épicure, malgré l'inégalité de leur pesanteur, tous les atomes tombent à une même vitesse, dans le vide, puisque, contrairement à l'eau et à l'air, qui résistent en fonction du poids des corps, le vide ne met aucun frein au mouvement. Et, puisque la génération ne peut être l'effet des atomes plus lourds tombant sur les plus légers, il faut donc que ce soit grâce à un autre mouvement, le mouvement de déclinaison, que les atomes, en s'écartant faiblement de la verticale, entrent en contact pour former des corps et donner ainsi naissance aux différentes espèces d'êtres vivants.

Épicure nie l'existence d'un premier moteur ou d'une raison divine présidant à l'ordre de l'univers. C'est le hasard qui a fait en sorte que, après des milliers de combinaisons entre les atomes et de multiples créations d'autres mondes, notre monde et les espèces qui l'habitent soient tels qu'ils sont. Aucun être n'a été créé en vue d'une fin déterminée, non plus qu'aucun organe, en vue d'une fonction précise. « Le pouvoir des yeux ne nous a pas été donné [dit Lucrèce] pour nous permettre de voir au loin, de même ce n'est pas pour la marche à grands pas que jambes et cuisses s'appuient à leur extrémité sur la base des pieds et savent fléchir leurs articulations [...] Toute explication de ce genre est à contresens et prend le contre-pied de la vérité. Rien en effet ne s'est formé dans le corps pour notre usage ; mais ce qui s'est formé, on en use[5]. » De plus, rien n'empêche que, dans l'univers, qui est infini, il existe un nombre infini de mondes semblables ou dissemblables.

Nos fausses croyances au sujet des dieux et en des fins spirituelles ne sont donc que des superstitions qui contredisent le témoignage des sens. Elles nous ont été léguées par nos ancêtres lointains qui, n'ayant aucun moyen d'expliquer

---

4. Voir « À la recherche de causes matérielles », au chapitre 1, p. 10 à 14.
5. LUCRÈCE, *De la nature*, trad. du grec par Henri CLOUARD, Paris, Garnier-Flammarion, 1964, p. 139.

rationnellement le système du monde et les événements exceptionnels qui les terrifiaient, attribuaient tout aux dieux qu'ils voyaient dans leurs rêves. Toutefois, les dieux, même s'ils existent, n'ont rien à voir avec nous. À l'origine de l'ordre ou de la permanence que nous voyons dans la nature, il n'y a que le principe purement matériel de la conservation éternelle de la quantité de la matière : rien n'est créé de rien, et rien ne se perd. Autrement dit, le nombre des atomes reste toujours identique et ceux-ci persistent à produire ce qu'ils sont habitués à produire.

Le bonheur et la liberté

L'éthique épicurienne est, comme l'éthique stoïcienne, fondée sur la nature. Cependant, Épicure ne pense pas que le bonheur et la liberté exigent le dépassement de nos tendances originelles et l'adhésion à des lois universelles. Selon lui, la liberté est constitutive de la nature individuelle. Elle est due à la déclinaison d'atomes extrêmement subtils et mobiles qui composent l'âme, et elle nous permet d'agir en vue de la satisfaction de nos besoins. Or, il n'y a pas à rechercher de fin morale supérieure à cette tendance naturelle qui nous guide vers notre bien-être individuel. La nature nous porte dès notre naissance à rechercher le plaisir, et c'est à lui qu'aboutit la raison lorsqu'elle juge adéquatement du bien. C'est pourquoi, selon Épicure, « le plaisir est le principe et la fin de la vie bienheureuse[6] ».

On interprète souvent de façon abusive l'**hédonisme** d'Épicure en attribuant le surnom d'« épicuriens » à ceux qui poursuivent la satisfaction sans limite des plaisirs des sens. Toutefois, l'examen de la doctrine permet de montrer la fausseté de ce préjugé. Épicure définit le plaisir comme l'absence de souffrance physique et de trouble de l'âme. Selon lui, la « limite quantitative des plaisirs est la suppression de ce qui est douloureux. Partout où le plaisir est présent, et tout le temps qu'il est présent, il n'y a ni douleur physique ni douleur morale, ni l'une et l'autre ensemble[7] ». Par conséquent, le vrai plaisir se limite à peu, car si l'on sait juger des avantages et des désavantages de tous nos désirs, on se rend vite compte que la poursuite de désirs insatiables entraîne toujours une douleur subséquente et qu'elle ne peut mettre fin à l'inquiétude spirituelle. Selon Épicure, si « l'origine et la racine de tout bien sont le plaisir du ventre[8] », la tranquillité de l'âme (l'ataraxie) n'est possible que si les plaisirs liés au corps sont réglés d'après ce que nécessite la nature. Pour cela, il faut, selon Épicure, adopter une forme d'**ascèse**, qu'il fait reposer sur une distinction entre différents types de plaisirs.

Il y a des désirs non naturels, vains et insatiables (la richesse matérielle, le pouvoir, la réputation), des désirs naturels et non nécessaires (le désir sexuel, des repas gastronomiques) et des désirs naturels et nécessaires. Parmi les désirs nécessaires, certains le sont pour la conservation de la vie (la nourriture, l'habitation), d'autres pour le repos du corps (la santé), d'autres enfin pour

Hédonisme

Doctrine qui prend le plaisir comme principe unique de la morale.

Ascèse

Ensemble d'exercices qui visent à la libération de l'âme par la privation des désirs corporels.

---

6. ÉPICURE, *Lettre à Ménécée,* 129, dans *Lettres et maximes,* trad. du grec par Marcel CONCHE, Paris, PUF, 2009, p. 221.

7. ÉPICURE, *Doctrines principales,* III, dans Paul NIZAN, *Les matérialistes de l'antiquité,* Paris, François Maspero, 1979, p. 112.

8. ÉPICURE, fragment B, 59, dans Paul NIZAN, *op. cit.,* p. 113.

le bonheur (l'absence de craintes). L'ascèse consiste donc dans la suppression totale des désirs qui sont vains et dans la limitation, autant qu'il est possible, des désirs naturels à ceux qui sont nécessaires, car les désirs naturels et non nécessaires sont susceptibles de provoquer des passions excessives, qui apportent plus de maux que de plaisirs.

La vie ascétique requiert, en outre, un milieu paisible et sécuritaire, en retrait du monde. Selon Épicure, la justice sociale serait un bien conforme à la nature si elle collaborait à la recherche du bonheur individuel et empêchait les humains de se nuire mutuellement. Cependant, lorsque les structures sociales n'assurent pas la sécurité de l'individu, elles sont contraires à la nature. De plus, Épicure s'oppose à la loi du plus fort, non par compassion, mais parce que, selon lui, la vie des humains qui accomplissent des crimes en vue des honneurs et de la fortune n'est pas non plus exempte de craintes et de souffrances. Toujours en attente de nouvelles conquêtes, ne jouissant que très peu de leur richesse parce qu'ils sont trop occupés à la protéger, tourmentés jusque dans leur sommeil, ils vivent en disharmonie avec eux-mêmes. Pour Épicure, il n'y a donc que le retrait qui soit un remède aux maux qu'engendre la société. C'est pourquoi il a conçu l'école du Jardin telle une « société des amis », qui soit propice à l'obtention du plaisir et de la sécurité. Épicure ne faisait pas pour autant dépendre le bonheur individuel du bien commun, mais il pensait que les amis, en s'entraidant dans le renoncement aux désirs superflus, dans la méditation des enseignements et dans l'examen de conscience, se rendent réciproquement la vie plus agréable.

Enfin, il convient d'ajouter que si chacun vivait selon l'enseignement d'Épicure, la nature suffirait largement à combler les besoins de tous les êtres humains. Le très beau passage qui suit, tiré du poème de Lucrèce, résume bien les caractéristiques de l'hédonisme épicurien.

S'il n'y a point dans nos demeures des statues d'or, éphèbes tenant dans leur main droite des flambeaux allumés pour l'orgie nocturne ; si notre maison ne brille pas d'argent et n'éclate pas d'or ; si les cithares ne résonnent pas entre les lambris dorés des grandes salles, du moins nous suffit-il, amis étendus sur un tendre gazon, au bord d'une eau courante, à l'ombre d'un grand arbre, de pouvoir à peu de frais réjouir notre corps surtout quand le temps sourit et que la saison émaille de fleurs l'herbe verte des prairies. [...]

Puisque les trésors ne sont pour notre corps d'aucun secours, et non plus la noblesse ni la gloire royale, comment seraient-ils plus utiles à l'esprit ? Quand tu vois les légions pleines d'ardeur se déployer dans la plaine et brandir leurs étendards ; quand tu vois la flotte frémissante croiser au large, est-ce qu'à ce spectacle les craintes religieuses s'enfuient tremblantes de ton esprit, les terreurs de la mort laissent-elles ton cœur libre et en paix[9] ?

9. LUCRÈCE, *De la nature,* trad. du grec par Henri CLOUARD, Paris, Garnier-Flammarion, 1964, p. 54.

Activités d'apprentissage

❶ Lisez le texte « Le souverain bien » et répondez ensuite aux questions.

« Le souverain bien »

Les stoïciens qualifient de « ayant de la valeur » (c'est, je crois, l'expression à employer) la chose qui ou bien est de soi-même conforme à la nature ou bien produit quelque résultat de ce genre, en sorte que « dans les deux cas » le droit de cette chose à notre choix s'explique par le fait qu'elle a un poids propre ayant un droit à une valeur : voilà ce qu'ils appellent son *axía* [sa valeur]. Inversement, « sans valeur » désigne l'opposé de ce qui précède. Les mobiles initiaux étant donc constitués de telle sorte que les choses conformes à la nature doivent être, par elles-mêmes et pour elles-mêmes, adoptées, et que les choses contraires doivent être, dans les mêmes conditions, rejetées, le premier des « convenables » de l'être (je rends par « convenable » le grec *kathêkon*) est de se conserver dans sa constitution naturelle ; puis de s'attacher aux choses qui sont conformes à la nature et de repousser celles qui sont contraires ; une fois la connaissance acquise de ce choix, et pareillement, de cette élimination, ce qui en est la suite immédiate, c'est une connexion établie entre le convenable et le choix, puis la permanence du choix, lequel finit alors par être en constant accord avec lui-même et en harmonie avec la nature ; et c'est dans ce choix que, pour la première fois, le bien commence d'être contenu et que se découvre l'idée de ce qui peut être véritablement appelé bien. En effet ce qu'il y a de premier dans l'homme, c'est son accommodation « instinctive » aux choses qui sont conformes à la nature. Mais aussitôt qu'il a compris cela, ou qu'il en a acquis, pour mieux dire, la notion, appelée par les stoïciens *énnoia*, dès qu'il a observé, dans ce que doit réaliser sa conduite, l'existence d'un ordre et, pour ainsi dire, d'une harmonie, cette harmonie lui paraît avoir beaucoup plus de prix que les objets premiers de sa dilection : et de tout ce que la connaissance « réfléchie » et la raison lui ont permis de recueillir, il conclut que c'est là que réside le souverain bien de l'homme, ce bien qu'il faut estimer et rechercher pour lui-même. Puisque là est le souverain bien (dans ce que les stoïciens appellent *omología*, terme que nous pourrions rendre, si l'on veut, par accord), puisque là réside le bien auquel tout doit être rapporté, il s'ensuit que les actions morales et la moralité elle-même, la moralité qui « pour nous » est la seule chose comptant parmi les biens, tout cela n'est pas primitif sans doute et ne vient qu'après coup, mais est pourtant la seule chose qui, par son essence propre et sa dignité, mérite d'être recherchée, tandis qu'aucune des tendances primitives de la nature n'est à rechercher pour elle-même. Mais comme les actes que j'ai appelés « convenables » ont pour point de départ les mobiles premiers de la nature, il est nécessaire qu'ils y soient rapportés, mais en sorte qu'on puisse dire légitimement de tous que la fin à laquelle ils se rapportent est d'atteindre les principes originaires de la nature, mais non pourtant de trouver en eux le bien dernier, par la raison que dans les premières accommodations de la nature il n'y a pas place pour l'action morale, cette action étant une suite et ne venant, comme je l'ai dit, qu'après coup ; ce qui d'ailleurs ne l'empêche pas d'être conforme à la nature et « même » d'exercer sur nous une attraction beaucoup plus grande que celle de toutes les tendances antérieures.

Mais il y a dans ce qui précède une cause d'erreur, qu'il faut supprimer tout d'abord, afin qu'on évite d'en tirer cette conséquence qu'il existe deux souverains biens. Nous sommes, en effet, quand nous parlons d'une fin dernière dans la série des biens, comme quelqu'un qui aurait le dessein d'atteindre un but avec un

▶

javelot ou une flèche. Dans une pareille comparaison, le tireur devrait tout faire pour atteindre le but, et, pourtant, c'est l'acte de tout faire ce par quoi le dessein peut être réalisé qui serait, si je puis dire, sa fin dernière, correspondant à ce que nous appelons, quand il s'agit de la vie, le souverain bien; tandis que l'acte de frapper le but ne serait qu'une chose méritant d'être choisie, non une chose méritant d'être recherchée pour elle-même.

Source: CICÉRON. *Des termes extrêmes des biens et des maux*, tome II, livre III, dans *Œuvres philosophiques*, trad. du latin par Jules MARTHA, Paris, Les Belles Lettres, 1930, p. 17-19. (Coll. «Universités de France»).

Questions

a) Cicéron, l'auteur du texte, dit que «ce qu'il y a de premier dans l'homme, c'est son accommodation ˝instinctive˝ aux choses qui sont conformes à la nature». Dans quel sens emploie-t-il le terme «premier»?

b) Qu'est-ce qui fait de l'action moralement bonne quelque chose de supérieur à notre accommodation «instinctive» à ce qui est conforme à la nature?

c) Que doit-on retenir de l'exemple du lanceur de javelot?

d) Dans un texte d'environ 350 mots, comparez le souverain bien selon les stoïciens au souverain bien selon Platon ou au souverain bien selon Aristote, et prenez position.

❷ Lisez le texte *Lettre à Ménécée* et répondez ensuite aux questions.

Lettre à Ménécée

Il faut, en outre, considérer que, parmi les désirs, les uns sont naturels, les autres vains, et que, parmi les désirs naturels, les uns sont nécessaires, les autres naturels seulement. Parmi les désirs nécessaires, les uns le sont pour le bonheur, les autres pour l'absence de souffrances du corps, les autres pour la vie même. En effet, une étude de ces désirs qui ne fasse pas fausse route, sait rapporter tout choix et tout refus à la santé du corps et à l'absence de troubles de l'âme, puisque c'est là la fin de la vie bienheureuse. Car c'est pour cela que nous faisons tout: afin de ne pas souffrir et de n'être pas troublés. Une fois cet état réalisé en nous, toute la tempête de l'âme s'apaise, le vivant n'ayant plus à aller comme vers quelque chose qui lui manque, ni à chercher autre chose par quoi rendre complet le bien de l'âme et du corps. Alors, en effet, nous avons besoin du plaisir quand, par suite de sa non-présence, nous souffrons, «mais quand nous ne souffrons pas» nous n'avons plus besoin du plaisir.

Et c'est pourquoi nous disons que le plaisir est le principe et la fin de la vie bienheureuse.

Car c'est lui que nous avons reconnu comme le bien premier et connaturel, c'est en lui que nous trouvons le principe de tout choix et de tout refus, et c'est à lui que nous aboutissons en jugeant tout bien d'après l'affection comme critère. Et parce que c'est là le bien premier et connaturel, pour cette raison aussi nous ne choisissons pas tout plaisir, mais il y a des cas où nous passons par-dessus de nombreux plaisirs, lorsqu'il en découle pour nous un désagrément plus grand; et nous regardons beaucoup de douleurs comme valant mieux que des plaisirs quand, pour nous, un plaisir plus grand suit, pour avoir souffert longtemps. Tout plaisir donc, du fait qu'il a une nature appropriée «à la nôtre», est un bien: tout plaisir, cependant, ne doit pas être choisi; de même aussi toute douleur est un mal, mais toute douleur n'est pas telle qu'elle doive toujours être évitée. Cependant, c'est par la comparaison et l'examen des avantages et des désavantages qu'il convient de juger de tout cela. Car nous en usons, en certaines circonstances, avec le bien comme s'il était un mal, et avec le mal, inversement, comme s'il était un bien.

Et nous regardons l'indépendance « à l'égard des choses extérieures » comme un grand bien, non pour que absolument nous vivions de peu, mais afin que, si nous n'avons pas beaucoup, nous nous contentions de peu, bien persuadés que ceux-là jouissent de l'abondance avec le plus de plaisir qui ont le moins besoin d'elle, et que tout ce qui est naturel est facile à se procurer, mais ce qui est vain difficile à obtenir. Les mets simples donnent un plaisir égal à celui d'un régime somptueux, une fois supprimée toute la douleur qui vient du besoin ; et du pain d'orge et de l'eau donnent le plaisir extrême, lorsqu'on les porte à sa bouche dans le besoin. L'habitude donc de régimes simples et non dispendieux est propre à parfaire la santé, rend l'homme actif dans les occupations nécessaires de la vie, nous met dans une meilleure disposition quand nous nous approchons, par intervalles, des nourritures coûteuses, et nous rend sans crainte devant la fortune.

Quand donc nous disons que le plaisir est la fin, nous ne parlons pas des plaisirs des gens dissolus et de ceux qui résident dans la jouissance, comme le croient certains qui ignorent la doctrine, ou ne lui donnent pas leur accord ou l'interprètent mal, mais du fait, pour le corps, de ne pas souffrir, pour l'âme, de n'être pas troublée. Car ni les beuveries et les festins continuels, ni la jouissance des garçons et des femmes, ni celle des poissons et de tous les autres mets que porte une table somptueuse, n'engendrent la vie heureuse, mais le raisonnement sobre cherchant les causes de tout choix et de tout refus, et chassant les opinions par lesquelles le trouble le plus grand s'empare des âmes.

Le principe de tout cela et le plus grand bien est la prudence. C'est pourquoi, plus précieuse même que la philosophie est la prudence, de laquelle proviennent toutes les autres vertus, car elle nous enseigne que l'on ne peut vivre avec plaisir sans vivre avec prudence, honnêteté et justice, « ni vivre avec prudence, honnêteté et justice » sans vivre avec plaisir. Les vertus sont, en effet, connaturelles avec le fait de vivre avec plaisir, et le fait de vivre avec plaisir en est inséparable.

Source : ÉPICURE. *Lettre à Ménécée* (extrait), dans *Lettres et Maximes*, trad. du grec par Marcel CONCHE, Paris, PUF, 2009, p. 221-225. (Coll. « Épiméthée »)

Questions

a) Épicure fait une distinction entre différents types de plaisirs. Expliquez ce qu'il entend par « plaisirs vains ».

b) Pourquoi Épicure dit-il que c'est par la comparaison et l'examen des avantages et des désavantages qu'il convient de juger des plaisirs et des peines ?

c) Comment interprétez-vous l'affirmation selon laquelle ceux qui jouissent de l'abondance avec le plus de plaisir sont ceux qui ont le moins besoin d'elle ?

d) Quand Épicure dit que le plaisir est le principe et la fin de la vie bienheureuse, de quel plaisir parle-t-il ?

e) Dans un texte d'environ 350 mots, opposez le naturalisme éthique d'Épicure au naturalisme éthique des stoïciens et, ensuite, prenez position.

f) Dans un texte d'environ 350 mots, comparez le souverain bien selon Épicure au souverain bien selon Platon et, ensuite, prenez position.

Question supplémentaire

Pensez-vous que l'humain se soit progressivement adapté à son milieu grâce aux dispositions organiques qu'il a reçues du hasard (point de vue d'Épicure) ou pensez-vous que la constitution physique de l'humain était d'avance adaptée à des fonctions déterminées (point de vue d'Aristote) ? Autrement dit, croyez-vous que c'est l'organe qui précède la fonction ou que c'est la fonction qui précède l'organe ?

Tableau chronologique

PÉRIODE HELLÉNIQUE

Dates	Philosophe	Origine	Élément caractéristique
dernier tiers du VIe s. avant notre ère – milieu du VIe s. avant notre ère	Thalès	Milet (Ionie)	eau
v. -610 – v. -547	Anaximandre	Milet (Ionie)	infini
inconnue – v. -520	Anaximène	Milet (Ionie)	air
v. -570 – v. -475	Xénophane	Colophon (Ionie)	unité de l'être
v. milieu du VIe s. avant notre ère – fin du premier tiers du Ve s. avant notre ère	Pythagore	Samos (Ionie)	nombre
v. -540 – v. -480	Héraclite	Éphèse (Ionie)	feu
fin du VIe s. avant notre ère – v. -450	Parménide	Élée (Grande Grèce)	identité de l'être
v. -500 – v. -428	Anaxagore	Clazomènes (Ionie)	esprit divin (*noûs*)
v. -490 – v. -430	Empédocle	Agrigente (Grande Grèce)	amitié et discorde
v. -485 – v. -410	Protagoras	Abdère (Thrace)	sophiste
v. -483 – v. -380	Gorgias	Léontini (Sicile)	sophiste
-470 à -399	Socrate	Athènes	science morale
v. -465 – v. -370	Démocrite	Abdère (Thrace)	atome
-450 à -380	Euclide	Mégare	fondateur de l'école mégarique
-445 à -365	Antisthène	Athènes	fondateur de l'école cynique
-427 à -347	Platon	Athènes	fondateur de l'Académie
-413 à -327	Diogène	Sinope (Asie Mineure)	cynique
dates inconnues	Aristippe	Cyrène (Libye)	plaisir
-400 à -314	Xénocrate	Chalcédoine (Asie Mineure)	académicien
v. -394 – v. -334	Speusippe	Athènes	académicien
-384 à -322	Aristote	Stagire (Chalcidique)	fondateur du Lycée
v. -372 – v. -287	Théophraste	Érèse (Lesbos)	péripatéticien

Événements marquants de la période

- **-594** Réforme de Solon
- **-508** Début de la démocratie athénienne
- **-499 à -479** Guerres médiques (Perses contre Grecs)
- **-443 à -429** Périclès, stratège
- **-431 à -404** Guerre du Péloponnèse (Athènes contre Sparte)
- **-411** Oligarchie des « Quatre-Cents »
- **-404 à -403** Oligarchie des « Trente Tyrans »
- **-399** Condamnation de Socrate
- **-338** Victoire de Philippe de Macédoine sur la Grèce ; fin de la démocratie athénienne
- **-336** Début du règne d'Alexandre le Grand
- **-323** Mort d'Alexandre le Grand ; partage de l'empire macédonien entre les généraux

Ligne du temps

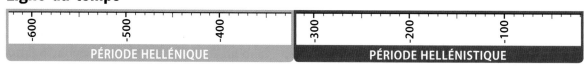

-600 -500 -400 -300 -200 -100

PÉRIODE HELLÉNIQUE — PÉRIODE HELLÉNISTIQUE

Dates	Philosophe	Origine	Élément caractéristique	Événements marquants de la période
PÉRIODE HELLÉNISTIQUE				
v. -365 – v. -275	Pyrrhon	Elis	scepticisme	•-146 La Grèce devient une province romaine
-341 à -270	Épicure	Samos (Ionie)	fondateur de l'école du Jardin	•-106 à -64 Cicéron, orateur et homme d'État romain
v. -335 – v. -264	Zénon	Citium (Phénicie)	fondateur de l'école du Portique	•-44 Assassinat de Jules César
v. -331 à -232	Cléanthe	Assos (Asie Mineure)	stoïcien	•-30 L'Égypte devient une province romaine
v. -282 – v. -206	Chrysippe	Cilicie	stoïcien	
v. -98 à -55	Lucrèce	Rome	épicurien	
FIN DU MONDE ANTIQUE				
-4 à 65	Sénèque	Cordoue (Espagne)	stoïcien	•Naissance de Jésus-Christ
v. 56 – v. 138	Épictète	Hiérapolis (Asie Mineure)	stoïcien	•161-180 Règne de Marc Aurèle (stoïcien) • 313 Sous Constantin, l'Empire romain devient chrétien
v. 160 – v. 230	Alexandre dit le Commentateur	Aphrodise (Asie Mineure)	aristotélicien	•395 Division de l'Empire romain en Empire d'Occident (Rome) et Empire d'Orient (Constantinople)
v. 205 à 270	Plotin	Lycopolis (Égypte)	néoplatonicien	•476 Fin officielle de l'Empire romain d'Occident
v. 232 à v. 305	Porphyre	Tyr (Liban)	néoplatonicien	
354 à 430	Augustin	Tagaste (Algérie)	néoplatonicien (Père de l'Église)	•529 Fermeture de l'école d'Athènes sur ordre de Justinien ; les philosphes grecs trouvent refuge en Perse
412 à 485	Proclus	Constantinople	néoplatonicien	
v. 470 – v. 525	Boèce	Rome	néoplatonicien	

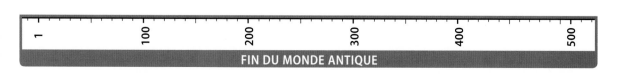

FIN DU MONDE ANTIQUE

1   100   200   300   400   500

BIBLIOGRAPHIE

ARISTOTE. *De l'âme*, trad. par Jules TRICOT, Paris, Vrin éditeur, 1988.

ARISTOTE. *Éthique à Nicomaque*, trad. du grec par Richard BODÉÜS, Paris, Flammarion, 2004. (Coll. « GF »)

ARISTOTE. *Invitation à la philosophie (Protreptique)*, trad. du grec par Jacques FOLLON, Paris, Éditions Mille et une Nuits, 2000. (Coll. « La Petite Collection »)

ARISTOTE. *Métaphysique*, trad. du grec par Jules TRICOT, Paris, Vrin éditeur, 1986.

CICÉRON. *Œuvres philosophiques*, trad. du latin par Jules MARTHA, Paris, Les Belles Lettres, 1930. (Coll. « Universités de France »)

DUMONT, Jean-Paul. *Les écoles présocratiques*, Paris, Gallimard, 1991.

DUMONT, Jean-Paul (dir.), *Les Présocratiques*, Paris, Gallimard, 1988.

ÉPICTÈTE. *Entretiens*, trad. du grec par Joseph SOUILHÉ, Paris, Les Belles Lettres, 1948.

ÉPICURE. *Lettres et Maximes*, trad. du grec par Marcel CONCHE, Paris, PUF, 2009. (Coll. « Épiméthée »)

HADOT, Pierre. *Qu'est-ce que la philosophie antique ?*, Paris, Gallimard, 1995.

HERSCH, Jeanne. *L'étonnement philosophique : une histoire de la philosophie*, Paris, Gallimard, 1993.

HÖLDERLIN, Friedrich. *Hyperion*, étude et présentation de Rudolph LEONHARD et Robert ROVINI, Poitiers, Pierre Seghers éditeur, 1963.

LARAMÉE, Hélène, *et al. L'art du dialogue et de l'argumentation*, Montréal, Chenelière Éducation, 2009.

LUCRÈCE. *De la nature*, trad. du grec par Henri CLOUARD, Paris, Garnier-Flammarion, 1964.

NIZAN, Paul. *Les matérialistes de l'antiquité*, Paris, François Maspero, 1979.

PLATON. *La République*, trad. du grec par Robert BACCOU, Paris, Flammarion, 1966. (Coll. « GF »)

PLATON. *La République*, trad. du grec par Émile CHAMBRY, Paris, Les Belles Lettres, 1965.

PLATON. *Le Banquet : Phèdre*, trad. du grec par Émile CHAMBRY, Paris, Flammarion, 1964, p. 62-65. (Coll. « GF »)

PLATON. *Œuvres complètes*, sous la direction de Luc BRISSON, Paris, Flammarion, 2008.

PLATON. *Œuvres complètes*, texte établi et traduit par Alfred CROISET, Paris, Les Belles Lettres, 1984.

PLATON. *Œuvres complètes*, trad. par Maurice CROISET, Paris, Les Belles Lettres, 1967.

PLATON. *Œuvres complètes*, Paris, Les Belles Lettres, 1963.

PLATON. *Premiers dialogues*, trad. par Émile CHAMBRY, Paris, Flammarion, 1967.

XÉNOPHON. *Mémorables*, trad. par Louis-André DORION, Paris, Les Belles Lettres, 2000.

SOURCES ICONOGRAPHIQUES

Couverture : Jastrow (2003) / Wikipedia Commons ; **Carte des liminaires :** Ralf Hettler / iStockphoto ; **Ouverture de la Partie 1, p. 2-3 :** draconus / Shutterstock.com ; **Ouverture de la Partie 2, p. 50-51 :** Catherine Lane / iStockphoto.com ; **Ouverture de la Partie 3, p. 122-123 :** Jenn Huls / Shutterstock.com ; **p. 5 :** Ariy / Shutterstock.com ; **p. 6 :** Tramont_ana / Shutterstock.com ; **p. 8 :** 7382489561 / Shutterstock.com ; **p. 11 :** Olimpiu Pop / Shutterstock.com ; **p. 12 :** Emmanouil Filippou / iStockphoto ; **p. 14 :** Jastrow (2003) / Wikipedia Commons ; **p. 15 :** jo Crebbin / Shutterstock.com ; **p. 18 :** Metropolitan Museum of Art - Department of Greek and Roman Art. 1951 : ceded by Dietrich von Bothmer. Photo : Marie-Lan Nguyen (2011) / Wikipedia Commons ; **p. 25 :** Science Source/Science Photo Library ; **p. 30 :** Raffaello Sanzio : Stanza della Segnatura im Vatikan für Papst Julius II. Tirée de *10 000 peintures* compilées par le Yorck Project. Wikipedia Commons ; **p. 30 :** Fantastic Depiction of the Solar System (woodcut) (later colouration), German School, (19th century) / Private Collection / The Bridgeman Art Library ; **p. 33 :** Wikipedia Commons ; **p. 36 :** Imago and the Roman Society ; **p. 38 :** Rembrandt : *Aristotle Contemplating the Bust of Homer or Aristotle with a Bust of Homer*. Metropolitan Museum of Art. Wikipedia Commons ; **p. 41 :** Denys Kornylov / iStockphoto ; **p. 42 :** Wikipedia Commons ; **p. 51 :** Joe Cicak / iStockphoto ; **p. 64 :** Panos Karapanagiotis / Shutterstock.com ; **p. 67 :** Excavé par L. Thenon ; Collection du Louvre depuis 1862. Photo Jastrow / Wikipedia Commons ; **p. 70 :** akg-images ; **p. 125 :** Louvre, Paris, France / Giraudon / The Bridgeman Art Library ; **p. 127 :** Toon Possemiers / iStockphoto ; **p. 132 :** Eric Gaba / Wikipedia Commons ; **p. 136 :** Bibi Saint-Pol / Wikipedia Commons ; **p. 138 :** ChrisO / Wikipedia Commons ; **p. 139 :** Wikipedia Commons ; **p. 140 :** Private Collection / The Bridgeman Art Library ; **p. 155 :** Ludovisi Collection / Wikipedia Commons ; **p. 156 :** Wikipedia Commons ; **p. 162 :** Michel Rouleau ; **p. 163 :** Wikipedia Commons ; **p. 170 :** Wikipedia Commons ; **p. 171 :** Edward Burne-Jones / Wikipedia Commons ; **p. 182 :** Calidius / Wikipedia Commons ; **p. 185 :** Marie-Lan Nguyen / Wikipedia Commons.

INDEX

A

Abstraction, 10
Académiciens, 139
Académie, 36, 38, 155
Acceptabilité, 58-59, 69-70, 78-79, 94-96, 98-102, 104, 108, 111-112
    des prémisses, 96, 111
Accord des esprits, 55
Acte, 163, 165
Action, 165, 172, 173, 176, 185
Alcibiade, 46-47, 138, 168
Alexandre le Grand, 38
Allégorie, 8, 159, 161, 170, 175, 177
Affirmation du conséquent, 107
Agnosticisme, 128
Âme, 9, 13-14, 26-28, 44, 138, 161-164, 167-172, 175-176, 187
Amour, 16, 17-18, 20-21, 37, 152-154
    véritable, 138-139
Analogie, 5, 159
    de la ligne, 160
Analyse(s), 31, 37-38, 44-45, 89-90, 111, 156, 175
    des raisonnements, 90, 111
    quantitative, 59, 96
    statistiques, 57-58, 78
Anaximandre, 11, 13
Anaximène, 11, 13
Anthropomorphisme, 7
Antiphon, 130-131
Antithèse, 108, 110, 112
Apparence(s), 19, 29, 44, 53, 102-103, 158
Appartenance en propre, 63
Appel
    à la majorité, 106
    à la modernité, 106
    à la nouveauté, 106
    à la tradition, 106
    à l'autorité, 104
    aux sentiments, 105
Argument(s), 93
Argumentation, 29, 51-55, 60, 68, 78, 90, **93,** 94-100, 108, 111-112, 124, 129, 140
    éthique, 54, 78, 89-90
    méthode, 89
    texte, 107-112
Aristocratie, 124, 125, 140, 175

Aristophane, 21
Aristote, 3, 33, 38, 39-41, 45, 155-156, 162-167, 172-176
Art architectonique, 172, 173
Ascèse, 187, 188
Assemblée du peuple, 127, 140
Ataraxie, 187
Atome(s), 13, 14, 20, 186-187
Attaque contre la personne, 105
Attributs
    accidentels, 164, 175
    essentiel, 175
Autonomie intellectuelle, 51-52, 78, 140
Avis d'expert, 96-97, 101, 104, 111

B

Bien, 134-137, 139-141, 170, 173-176, 183-184, 187-190
    différentiation, 165
    idée, 161-162, 165-169, 171-172
Bonheur, 176, 181, 183, 187

C

Caricature, 106
Cause(s), 9
    accidentelles, 168
    du mouvement, 13-14, 20, 40-41, 45
    finale(s), 40-41, 45, 165, 172
    formelle, 39-41, 45, 165
    matérielle(s), 13, 20, 30, 40-41, 45, 183
    premières, 10, 12, 36, 41, 183
Cercle vicieux, 104
Chaos primitif, 8, 9, 14
Charité envers autrui, 54, 78
Cités-États, 124, 140, 182
Citoyen(s), 52, **125,** 127, 134, 168-174, 184
Cohérence, 34, 45, 57-61, 78, 89-90, 96, 98, 111
Concept(s), 34, 35-36, 60-63, 78, 98, 111, 157
    universels, 44, 157
Conclusion, 69-77, 79, 90-96, 99-101, 102, 104, 105, 111-112
Conformisme, 32, 45, 132
Constitutions
    déviées, 175, 176
    droites, 174, 175, 176

Contingence, 166
Corps, 26-28, 44, 163-167, 186-188
Correspondance, 56-58, 61, 78, 89-90, 96, 98, 111
Cosmopolitisme, 184
Critias, 133-134, 141-142
Croyance, 160, 175

D

Déduction, 73-75, 79-80
Définition(s), 35, 45, 60-64, 66-68, 78, 99, 112
    circulaire, 68, 78
    émotive, 68, 78
    essentielle(s), 37-38, 60, 61, 99, 112
    lexicale(s), 62-63, 78
    négative, 68, 78
    par énumération, 68, 78
    persuasive, 68, 78
    réelle, 63
    stipulative, 62-63, 78
    trop exclusive, 67-68, 78
    trop inclusive, 63, 68, 78
    universelle(s), 37, 62-64, 67-68, 78
Démarche
    ascendante, 38
    descendante, 38
    préliminaire, 38
    rationnelle, 39, 156
    socratique, 156
Démocratie, 11, 36, 53, 125, 133-134, 140, 170, 175
    athénienne, 123-127, 131-133, 140, 168
    directe, 126, 140
    modérée, 175
Démocrite, 12-14, 20, 186
Désirs
    insatiables, 187
    naturels, 187-188
    nécessaires, 187, 188
    non naturels, 187
    non nécessaires, 187
    vains, 187
Destin, 184
Déterminisme, 183
Dialectique, 37, 38, 40, 45, 156, 161, 175
Dialogue, 37
Diotime, 138, 152-154
Discorde, 13, 16, 17-18, 20

Discours, 35, 68, 111, 124, 127, 129
Discussion, 34-35
    méthode, 124
    rationnelle, 34, 130
    réfutative, 34, 45, 135
    socratique, 37, 175
Dogmatique(s), 54
Dogmatisme, 32, 45, 54
Doute, 32, 44, 54
Dualisme, 26

E

Échange rationnel, 54, 103, 108
    règles, 54
École philosophique, 139
Élément(s), 14, 18-20, 30
    indivisible, 12-13
    fondamental(aux), 12-13, 27, 31
    permanent, 20
    premier, 13
    primordiaux, 17
Empédocle, 12-14, 16, 18, 20, 21
Épictète, 182, 184
Épicure, 185-188
Épicuriens, 182
Épicurisme, 182, 185
Épistémologie, 43
Équivoque, 104
Ère, 3
Esclave(s), 125, 162, 184
Essence(s), 36, 37-39, 41, 63,
    156-158, 162, 169
Éthique, 35, 98, 101
    de l'argumentation, 54, 78
    épicurienne, 187
    stoïcienne, 187
Être(s)
    au sens absolu, 157
    au sens premier, 163-164,
        175, 186
    catégories, 164-165, 175
    en tant qu'être, 28, 40
    en puissance, 163, 165
    fabriqués, 160, 175
    intelligible(s), 156, 162
    logique, 29
    mathématiques, 160, 175
    parfait, 17, 156
    sensible(s), 10, 27-29, 39, 45,
        156-159, 162-163, 175
    vivants, 160, 175
Évaluation
    de la rigueur des liens, 99, 112
    de la vérité ou de l'acceptabilité des
        prémisses, 96, 111
    des propositions, 101

des propositions empiriques, 96, 99
des propositions analytiques, 98
des propositions de valeur, 98
des raisonnements, 101, 111

F

Faillibilité, 55, 78
Fausse cause, 106
Faux dilemme, 104
Femmes philosophes, 9

G

Généralisation hâtive, 107
Glaucon, 130-131, 177-179
Gorgias, 48, 102, 118-119

H

Hédonisme, 187, 188
Hésiode, 7-8, 14-16, 20
Héraclite, 11-13, 20, 30-31, 36,
    44-45, 65
Hippias, 64-67, 78
Homère, 7, 84
Humanisme, 128
Humanistes, 140

I

Idée(s), 157-175
    abstraites, 34
    du bien, 161-162, 165-169,
        171-172
Images, 158-162, 175
Imagination, 159-160, 175
Immanence, 9, 27
Impartialité, 33, 45
Implicite, 104
Indicateurs, 91
    de conclusion, 70-71, 79
    de prémisses, 70-72, 79
Indifférent, 183
Induction, 75-77, 79, 107
Intelligible(s), 10
    être(s), 156, 162
    principes, 25, 44
    réalité, 36, 102, 156-162, 175
Introduction, 110
Inversion des termes, 64

J

Jugement(s), 32, 55
    de fait(s), 58, 61
    de valeur, 59, 61
Justice, 129-130, 134-137, 140-141, 144,
    168-169, 174, 176

conventionnelle, 125, 140
divine, 124, 125, 128, 131,
    136, 137
sociale, 168, 176, 188

L

Lachès, 84-85
Langage, 103, 112, 124, 127, 172
Légende, 90-93, 108-111
Liberté, 182-187
Lien(s)
    rigueur, 99, 112
    suffisance, 99, 100, 112
Logique, 45, 52
    aristotélicienne, 156, 175
    informelle, 52
    formelle, 52
Loi(s), 61-62, 67, 125-131, 136-137,
    140-142, 144-145, 174
Lucrèce, 186
Lycée, 38, 155
Lysis, 80-82, 114-115

M

Macrocosme, 26, 27
Manières de connaître, 159, 160, 175
Matérialisme, 186
Matière, 9-10, 12-13, 41-42,
    162-166, 175
    infinie, 13, 20
Mélétos, 146-151
Ménexène, 114-115
Métaphore, 159
Métaphysique, 26, 40, 128
Méthode, 156
    d'analyse, 31, 44-45
    de discussion, 34, 124
    de l'argumentation, 51, 78, 89, 93
    de synthèse, 31, 44
    philosophique, 44
    platonicienne, 37
    scientifique, 44
    socratique, 37
Microcosme, 26, 27
Misologie, 54, 78
Mobilisme, 30
Modes d'être, 158-160, 175
Monarchie, 124, 140
Monde
    intelligible, 27, 29, 36
    immatériel, 26, 27
    matériel, 26, 27, 28
    sensible, 27, 29, 36
    sublunaire, 165, 166
    supralunaire, 165, 175

Mouvement, 10, 13-14, 18, 20, 29-31, 41-42, 44-45, 164-166, 186

Mythe, 4, 5, 6-9

N

Naturalisme, 183

Naturalistes, 42

Nécessité, 183

Non-être, 29, 157

O

Objection, 108-110

Objectivité, 32, 33, 45, 97

Oligarchie, 124, 133, 175

Opinion(s), 29, 32-35, 53, 103-106, 111, 129, 134-135, 160

Oracle, 33

Ordre social, 169, 176

Origines
de l'univers, 14, 16, 20
des humains, 15, 18, 20, 21

Ostracisme, 127

P

Parménide, 28-32, 36, 39, 44-45, 156-157

Participation, 156-159, 162-163, 175

Pensée
discursive, 160, 175
mythique, 4, 5-9, 20
pure, 160, 175
rationnelle, 4

Pente glissante, 107

Perceptions sensibles, 103, 109

Périclès, 46-47, 118-119, 140

Péripatéticiens, 38, 139

Pertinence, 31, 99-101, 111-112

Pétition de principe, 104

Phénomène, 96

Philosophes-rois, 168-169, 171, 176

Philosophie, 32, 43-45
hellénistique, 181
naissance, 3-4, 20
pratique, 172

Phrases
déclaratives, 56
impératives, 56
interrogatives, 56

Plaisir, 187-191

Platon, 25, 33, 35, 36-38, 41, 45, 123, 127, 137, 155-163, 165, 167-171, 175-176

Politicien(s), 173-174, 176

Politique, 36, 40, 124-129, 133-134, 155-156, 168, 172-173, 176

Positif, 43

Pragmatisme, 127, 129

Prédicat, 55, 60-61, 78
test de la négation, 60-61, 78, 98-99, 111

Préjugé(s), 32, 34-35, 134

Prémisses, 69-79, 90-101, 104, 108-112
acceptabilité, 96, 111
complexes, 72
convergentes, 70-72, 94, 111
liées, 71, 94
pertinences, 99-100
vérité, 96, 111

Présocratique(s), 9, 20, 25, 30-31, 40, 44-45

Principe(s), 10, 27-30, 39, 44, 161
abstraits, 10, 25, 44
de non-contradiction, 28, 29, 31, 39, 44-45, 156
du réel, 10, 13, 29-30, 44
intelligibles, 25, 44
Procès d'intention, 105

Probant, 75, 79
non-probante, 107

Problème, 33

Proposition(s), 34, 55-61, 68-72, 78-79, 90-93, 96-99, 101, 111-112
analytiques, 59-61, 78, 98-99
d'appréciation, 59, 78
de préférence, 60, 78
de valeur, 59, 61, 78, 98, 111-112
d'identité, 60-61, 78
d'obligation, 59, 61, 78
dont le prédicat est déjà contenu dans le sujet, 60-61, 78
empiriques, 57-58, 61, 78, 96, 111
évaluation, 96-101
indéfinie(s), 58, 61, 78
non empiriques, 59, 61, 78
particulière(s), 58, 61, 78
singulière(s), 58, 61, 78
universelle(s), 58, 61, 78

Protagoras, 102-104, 112, 128-132, 143-144

Puissance, 163, 165-166, 175

Pythagore, 9, 25-27, 32, 44

Pythagoriciens, 26, 44

Pythagorisme, 26

Pythie, 33

R

Raison, 26, 52-54, 78, 109-110, 172, 183-184,

Raisonnement(s), 52, 68, 79, 89-96, 99-100, 104-105, 111-112
amplifiant, 73, 77, 79
analyse, 90-112

bien formé, 70, 79, 89
complexes, 93, 100, 111-112
déductif(s), 39, 73, 79
évaluation, 95
inductif(s), 39, 73, 75, 79
légende, 90-93, 108-111
mal formé, 70, 79, 89
non amplifiant, 73, 75, 79
schéma(s), 93-95
simple(s), 93-95, 111-112
synthèse, 93, 111

Rationalité, 4, 51, 78,

Réalité
intelligble, 36, 156-162, 175
sensible, 36, 44, 156-161, 175

Rectitude formelle, 74

Réfutation, 55, 66-67, 108-112

Réflexivité, 43

Relativiste(s), 53, 54, 102, 109, 112

Religion(s), 4-5, 6, 20

Rhétorique, 35, 102, 112, 124, 127, 129, 132, 140

S

Sagacité, 174

Sceptiques, 53-54

Schéma(s), 93, 109, 111
à prémisses convergentes, 94
à prémisses liées, 94
à prémisses uniques, 94
des raisonnements complexes, 95
des raisonnements simples, 94
vérification, 95

Sénèque, 182, 184

Sens critique, 89-90, 93, 111

Sensible, 10

Sept Sages, 11

Silène, 138

Socrate, 9, 33-38, 45-48, 64-67, 80-86, 98, 104-106, 114-115, 118-119, 123-124, 132-141, 144-154, 168, 176-179

Solon, 11, 36, 80, 125, 140

Sophismes, 102, 104, 112
acceptabilité, 104
de l'accident, 107
de la double faute, 105
par ignorance, 106
pertinence, 105
suffisance, 107

Sophiste(s), 35, 64, 102-103, 123-124, 127-132, 137, 140, 163

Stoïciens, 181, 183

Stoïcisme, 182-185

Subjectivisme, 106

Subjectivité, 31

Substance, 164-165, 175
Suffisance, 100-101, 107, 112
Syllogisme, 39
Synthèse, 31, 37-38
    des raisonnements, 93, 111
Sisyphe, 141-142

T

Téléologique, 166
Thalès, 10-12, 20
Théétète, 118
Théorie
    de la connaissance, 31, 34, 44, 124, 156
    **de l'évolution des sociétés
        humaines, 128,** 140

Thrasymaque, 130-131, 144-146
Transcendance, 27
Trente Tyrans, 133, 168
Troisième homme, 162, **163**
Tyrannie, 124, 127, 131, 134, 175

U

Universalité, 33, 45, 63
Universel, 12, 36, 156, 167, 176

V

Valide, 73, 74-75, 79
Vérité(s), 32-35, 53-61, 69-79, 96, 100,
    103-104, 107, 109, 111-112, 124,
    134-135, 156, 161-162, 175

critères, 56, 61, 78, 89
Vertu, 34, 35, 132, 134-136, 151, 168,
    173, 176, 180-181
    éducation, 168
Vertu-science, 134-135
Vraisemblance, 32

X

Xénophon, 133

Z

Zénon de Citium, 182

Titres des oeuvres

Alcibiade, Platon, **46-47**
Allégorie de la caverne, Platon, 175,
    177-179
Apologie de Socrate, Platon,
    132, **146-152**
Banquet, Le, Platon, **21-24,** 138,
    152-154
De la nature, Parménide, 28
*Des termes extrêmes des biens et des
    maux,* Cicéron, **189-190**
Discours de la méthode, René
    Descartes, 89
Éthique à Nicomaque, Aristote, 173,
    180-181

Euthyphron, Platon, 137
Gorgias, Platon, **48, 118-119**
Hippias majeur, Platon, **64-66**
Hyperion, Friedrich Hölderlin, **16**
Invitation à la philosophie, Aristote, 155
Lachès, Platon, **84-86**
Lettre à Ménécée, Épicure, **190-191**
Lysis, Platon, **80-82, 114-115**
Mémorables, Xénophon, 133
Ménon, Platon, 135
Métaphysique, Aristote, 3, 163
Nature, La , Parménide, 28

Phèdre, Platon, 38, 123, 138, 170
Protagoras, Platon, **143-144**
République, La, Platon, **130-131,
    144-146,** 159, 168-169, 171,
    177-179
Sisyphe, Critias, **141-142**
Théétète, Platon, **118**
Théogonie, Hésiode, 7, 14, 20
Traité de l'âme, Aristote, 167
Travaux et les Jours, Les, Hésiode,
    7, 15-16, 20
Vers la paix perpétuelle, Emmanuel
    Kant, 51